本好きの下剋上

司書になるためには手段を選んでいられません

第二部　神殿の巫女見習いⅡ

香月美夜
miya kazuki

TOブックス

登場人物

第一部 あらすじ

何より本が好きな女子大生は身食いに侵された兵士の娘マインに転生し、識字率が低くて紙が高価な世界で本を自作しようと奮闘する。植物紙を作ったものの、生き長らえるには魔力を吸い取る魔術具が必須。そんな時、洗礼式で神殿図書室を発見する。神殿長に直談判した結果、魔力を納める青色巫女見習いになった。

マイン家族

マイン

本作の主人公。身食いで虚弱な兵士の娘。身食いの熱が魔力だと判明し、貴族の子がなるはずの青色巫女見習いになった。本を読むためには手段を選んでいられません。

ギュンター

マインの父。南門の兵士で班長。家族が好きすぎて周囲に呆れられている。

エーファ

マインの母。染色工房で働いている。暴走しがちな夫と娘に苦笑する毎日。

トゥーリ

マインの姉。針子見習い。優しくて面倒見が良い。マイン曰く「マジ天使」。

ギルベルタ商会

ベンノ
ギルベルタ商会の主であり、マインの商売上の保護者。

ルッツ
ギルベルタ商会のダプラ見習い。マインの相棒で頼りになる体調管理係。

コリンナ
ベンノの妹で店の後継ぎ。自分の工房を持つ腕の良い針子。

マルク
ギルベルタ商会のダプラ。ベンノの有能な右腕。

神殿関係者

神殿長
神殿の最高権力者。威圧してきた平民のマインを憎んでいる。

神官長
マインの神殿の保護者。魔力量と計算能力を買っている。

フラン
神官長の元側仕えで有能な筆頭側仕え。

ギル
問題児だったが、工房管理を頑張っている。

デリア
神殿長の手先。「もー!」が口癖。

ヴィルマ
絵が得意な灰色巫女。

ロジーナ
音楽が得意な灰色巫女見習い。

カルステッド……エーレンフェストの騎士団長。
ダームエル……マインを庇った騎士。
シキコーザ……マインを傷つけた騎士。
フーゴ……ベンノが連れて来た料理人。
エ　ラ……ベンノが連れて来た料理人見習い。
ヨハン……鍛冶工房の腕が良い見習い。

第二部　神殿の巫女見習いⅡ

イラスト：椎名　優 You Shiina
デザイン：ヴェイア Veia

第二部　神殿の巫女見習いⅡ

プロローグ

　ザブザブと食器を洗いながらエーファはずっとカルラの話を聞いていた。つい最近まで家出していたルッツが戻ってきたことにカルラが安心しているのは口数からも、ふくよかさを取り戻しつつある頬《ほほ》からもよくわかる。家出中は別人のように口数が少なくなっていたのだ。

「それに、あんなに話をするあの人を見たのは初めてだったよ。ビックリしたね」

　神殿に呼ばれたことを伏せながら、カルラは口下手で口数の少ないディードがどれほど息子のことを考えていたのか語って聞かせてくれる。そして、商業ギルドでのルッツの振る舞いを見て、息子の頑張りを嫌というほど理解したらしい。

「マインと一緒に字の練習をしているとは言ってたけどさ、まさか小難しい言い回しの書類を読めるようになっているなんて思いもしなかったよ」

　カルラは茶化したようにそう言って笑うけれど、子供の成長を目の当たりにしたのが嬉しかったのだろう。完全にルッツを自慢する話になっている。マインから「神官長がルッツの両親を呼び出して話を聞くことになったの」と報告を受けた時には、自分達が神殿に呼び出された時のことを思い出して血の気が引いたし、カルラからも相談を受けて色々と助言したけれど、丸く収まったようで何よりだ。

「ところで、エーファの方はどうなんだい？　顔色が良くない日が多かったけど、少しは落ち着いてくる頃じゃないかい？」

「そろそろ子供達にも教えようかと思ってるの」

エーファは小さく笑いながら自分のお腹を撫《な》でた。ひどかった悪阻《つわり》も少し落ち着いてきているので、流産の心配が一番大きな時期は何とか越えられたと思う。それを嬉しく思いながら、エーファは手早く洗い終わった皿を片付けていく。

「あぁ、エーファ。今回マインには世話になったから、礼を言っていたと伝えておくれ」

カルラの声に頷き、エーファは家に戻った。足音でも聞いていたのか、入るとすぐのところでマインが待ち構えていた。そして、「お皿、片付けるよ」と椅子を踏み台にして、洗い終わった食器を一つ一つ棚に並べていくのを手伝ってくれる。井戸の水が汲《く》めないマインは食器洗いもできないなりにお手伝いを頑張ってくれているのはわかるのだけれど、マインがあまり張り切ると倒れるので、ほどほどに頑張ってほしいものだ。

「母さん、まだ体調戻らないの？　大丈夫？」

マインが全ての食器を片付け終えるのを確認してからエーファは口を開いた。

「マイン。母さんね、お腹に赤ちゃんがいるの。マインはお姉ちゃんになるのよ」

「え？　えぇ!?」

椅子からビックリして落ちそうになったマインを抱き留め、エーファは小さく笑った。お皿を片付け終わってから伝えて正解だった。マインは椅子から降りると、不思議そうな顔でお腹を見ている。まだ見てわかるほどお腹が膨らんでいるわけではない。信じられないのだろう、と思っていたら、突然頭を抱えて意味がわからないことを言い始めた。

「のおおおぉぉ！　自分には全く関係のないこととして、『妊娠』関係の本は何となくしか読んでないよ。ひっひっふー！　とりあえず、『悪阻』の時は安静に、栄養をとって、適度な運動を心がければいいんだっけ⁉　どうだっけ⁉」

……また何か変なことを言い始めちゃった。

マインは頭を抱えて困っているように見える。もしかしたら、弟妹《きょうだい》ができることが不安なのかもしれない。エーファがマインに何と声をかけたものか、と悩んでいると、仕事に向かう準備をしていたトゥーリが喜色に満ちた歓声を上げながら台所へ入ってきた。

「ホントに⁉　うわぁ！　わたし、生まれてくる赤ちゃんのために服やおむつを縫《ぬ》うね！」

すぐさま赤ちゃんのためにできることを探してくるトゥーリに笑顔を向けると、マインも対抗するように「わ、わたしだって……えーと、えーと……」と悩み始めた。マインに何かができるとは思えないので、弟妹を歓迎してくれればそれで十分だ。けれど、マインにとっては十分ではないようで、しばらく考え込んだ後、ハッとしたように顔を上げた。

「わたし、生まれてくる赤ちゃんのために『絵本』を作るよ！」

「……エホン？　何それ？」

エーファはトゥーリと顔を見合わせた後、コテリと首を傾《かし》げた。

「絵がついた本！　子供が読むための本を作るの！」

「あはははは、マインらしい」

マインの説明に一度目を丸くしたトゥーリが弾けたように笑い始めた。本のことしか考えていないマインらしいけれど、弟妹ができることを嫌がっていない様子にエーファは安堵《あんど》する。

「赤ちゃんのために頑張ってくれるってことは、マインもいいお姉ちゃんになってくれそうね」

「絶対にめちゃくちゃ可愛がるよ。トゥーリが仕事で培《つちか》ったお裁縫技術を使って服を作ってあげるなら、わたしはこれから生まれる子のために『知育玩具《ちいくがんぐ》』に力を入れるの。赤ちゃんのために頑張る。わたし、絶対にいいお姉ちゃんになるよ！」

……ダメだわ、これ。興奮しすぎてる。

あっという間に微笑ましく見ていられる精神状態ではなくなっている。これはとんでもない暴走を始めるに違いない。これまでの経験からエーファは察した。多分トゥーリも同じだ。

「マインは張り切りすぎたら熱が出るから、ちょっと落ち着きなさい」

「そうだよ。母さんが大変なんだから、マインは自分で体調管理ができるようにならなきゃ」

「わかってる。頑張るよ」

……そんなことを言っても、絶対にわかってない顔してるわよ。きっと頭の中はエホンのことでいっぱいね。

ヴィルマをください

「うふふん、ふふん～。おはよう、ルッツ。今日はお店に寄ってから神殿に行くね」

わたしは迎えに来たルッツを鼻歌交じりに出迎える。ルッツが不気味なものを見るようにジリッと一歩後ろに下がって、説明を求めるように母さんへ視線を向けた。

「マイン、ルッツには母さんが説明するから早く荷物を取ってきなさい」

こめかみを押さえた母さんにそう言われ、わたしは寝室へと向かう。赤ちゃん向けの本にはどんなものがあっただろうか。確かロングセラーの絵本に顔を伏せたページと顔を見せるページが交互に続く、いないいないばぁの絵本があったはずだ。

……でも、いないいないばぁ、って、ここでは何て言うんだろうね？

赤ちゃんをあやすために顔を隠して見せる動作は多分ここにもあると思うけれど、赤ちゃんにかける言葉がわからない。そして、掛け声について誰に何と質問すればわかるのか。

……やっぱり母さんが話してくれた物語のうちの一つを絵本にしよう。そうしよう。

「ルッツ、ごめんなさいね。お姉ちゃんになれることがよっぽど嬉しかったのか、ちょっと浮かれすぎてて、今日は外に出さない方がいいかもしれないんだけど……」

「どうせ生まれるまでこのままだって。……マインって、ギュンターおじさんに似てるから」

「そうね。浮かれようがそっくりだわ」

母さんは困ったように眉尻を下げているが、それでも、幸せそうに笑っている。

「お待たせ、ルッツ。じゃあ、母さん。いってきます。気分悪い時は無理しちゃダメだよ。母さんがちょっとでも楽にできるように、わたし、頑張って稼いでくるから」

「マイン、それ、今朝の父さんのセリフよ」

わたしは母さんに笑われながら出発した。まずは、ギルベルタ商会に向かう。お姉ちゃんになる報告をして、ついでに、孤児院用のカルタ板を発注しておくのだ。

道中で、わたしはルッツに向かって延々と絵本計画を述べていた。

「トゥーリが服やおむつを縫うって言うから、わたしは『絵本』を作ることにしたの」

「何だ、それ？」

「絵がついた、子供でも読みやすい本だよ」

ふふん、と胸を張って説明すると、ルッツはハァと溜息を吐いて、軽く頭を振った。

「……あのさ、生まれたばっかりじゃ字なんて読めねぇだろ？」

「読み聞かせが大事なんだよ！　わたし、いっぱい読んであげるんだ。絵本を作ろうと思ったら、まず厚めの紙が必要だよね？　赤ちゃんは何でも口に入れるって言うし、紙よりは薄い板が良いかな？　それとも、布絵本？　あ、でも、この辺りで『フェルト』は見たことないかも。それに、布絵本にしたら絶対にわたしの出番がないよね？　ルッツ、どうしよう？」

わたしが見上げると、ルッツは困惑したように視線をうろうろとさせる。

「どうしようって……えーと」

「絵本を作るのに自分の出番がなくなったら悲しいでしょ？　でも、紙の絵本は破られるし、噛《か》まれるし、赤ちゃんの口にインクが入ることを考えたら、ああぁぁぁ！　危険すぎるよ！」

本を噛んで口の周りをインクで汚した赤ちゃんの姿を想像して頭を抱えていると、ルッツが呆《あき》れたように溜息を吐きながら、わたしの肩を軽く叩いた。

「マイン、落ち着け。生まれるのは次の春だろ？　すぐの話じゃないから」

「でも、試作品を作って改良に改良を重ねて、完璧な物を贈りたいじゃない！」

「マインが突っ走ると碌《ろく》な結果にならないし、ぶっ倒れるから。落ち着いて周りの意見を聞け」

そんなふうにルッツから諭《さと》されているうちにギルベルタ商会へ到着した。店の中にはいつも通りにマルクがいて、きびきびと働いている。

「マルクさん、ベンノさんいますか？　以前お世話になったジークの木工工房にカルタ用の板を再発注したいんです」

「こちらで承りますが、ずいぶんご機嫌ですね、マイン」

発注用の木札を取り出しながら、マルクがそう言った瞬間、ぐわっとテンションが上がっていくのが自分でもわかった。

「うふふ～。マルクさん、聞いてください。わたし、お姉ちゃんになるんです。だから、赤ちゃんのための本を作ったり、カルタを作ったり、積み木を作ったり、すごく忙しくなるんですよ」

「ほぅ、赤ちゃんのための本ですか。せっかくですから、旦那様にも聞かせてあげてください」

ニコリと笑ったマルクが奥の部屋へ通してくれたので、ベンノに向かって駆け出した。

「ベンノさん、おはようございます。わたし、春になったらお姉ちゃんなんです。だから、今から赤ちゃんのための『絵本』を作るんです！」

「あぁん？　何だ、それは？」

「子供用の本ですよ！」

「子供に本だと？　読めないだろう？」

ベンノもルッツと同じことを言った。絵本は親子の絆作りに最適で、絵を見るだけでも楽しめるし、字に親しむこともできるのに誰もこの素敵さをわかってくれない。

「読み聞かせが大事なんです。小さい頃から字に慣れ親しむんです」

「ふぅん。……コリンナへの祝いにも良いかもしれんな。ところで、その絵は誰が描くんだ？」

「もちろん、愛を込めてわたしが描きますけど？」

「駄目だ。前の絵師を使え。子供の美的感覚が狂う」

初めてできるわたしの弟か妹へのプレゼントだ。自作するに決まっている。

「ひどいっ！」

「ひどくない。有用な忠告だ」

絶対に絵師としてヴィルマを使うことを約束させられ、姉の愛を否定された気分になったわたしは、ちょっとむくれながら神殿に向かう。

「なぁ、マイン。これから先も絵本を作るつもりなら、絵師は確保しておいた方が良いんじゃないか？　一冊じゃ終わらないんだろ？」

「確かに一冊じゃすまないよね」

何度も絵本を作るためにヴィルマに協力してもらうことになるならば、本格的にヴィルマをわたしの側仕《そばづか》えにした方が良いかもしれない。

「おはようございます、フラン。あのね、わたし、お姉ちゃんに……」

「マイン、言葉遣い。それから、マインは後。オレの報告が先だ」

ルッツは言葉遣いの乱れを指摘してわたしの話を遮《さえぎ》ると、フランにわたしの浮かれる原因と、いつ倒れてもおかしくない興奮状態であることを注意し始めた。

「一度熱を出さなきゃ興奮は収まらないと思う。注意深く見つつ、放っておいていいから」

「……かしこまりました。注意して見守ります。ですが、マイン様。赤ちゃんに関してデリアにはなるべく言わないようにご注意ください。今のところ、神殿長は何も手を出してきていませんが、情報だけは確実に集めていらっしゃいます。マイン様がそれだけ楽しみにしていれば、妊婦や赤子は大きな弱点となると思われます」

フランの注意にすっと血の気が引いて行った。今の母さんや生まれてくる赤ちゃんに何かあったら、わたしは自分の魔力を自制できる気がしない。

「マイン工房でも新しい商品の話題ならば特に問題ないでしょうが、弟妹に関する話題はお控えください。神殿では子ができるというのはあまり歓迎されないことなのです」

花捧げや子供ができた灰色巫女の行く末を思い出し、浮かれた気分がしゅるしゅるとしぼんでいく。フランはそんなわたしの気分を明るくしようと気遣ってくれたのか、話題を変えた。

「マイン様が新しく作ろうとしていらっしゃる本は絵が多いのですね？　やはりヴィルマにお願いするのでしょうか？」

「そうです。ですから、ヴィルマを側仕えにしたいと思っているのですけれど……」

フランは少し考え込んだ後、「先に神官長へ報告して許可を求めましょう」と言った。

お願いがある旨《むね》を手紙にしたため、神官長に面談時間を取ってもらえるようにフランにお願いする。四の鐘が鳴った執務の後、フランの手紙に目を通した神官長はわたしを見た。

「マイン、お願いとは何だ？　手短に済むことなら、今聞こう」

「神官長、ヴィルマをわたくしにください！」

わたしができるだけ手短にお願いしたら、何故か神官長がこめかみを押さえた。

「……君が何を言っているのか、全く理解できない。詳しく説明しなさい」

「絵がとても上手で、面倒見も良くて、聖女のような笑顔の可愛いヴィルマをください」

わたしは一生懸命にヴィルマの説明をしたが、神官長は一層不可解そうな顔になってフランに視線を向けた。視線だけでフランは神官長の意図を察したようだ。すぐさま説明を始める。

「ヴィルマを側仕えとする許可をいただきたく存じます。ヴィルマはもともとクリスティーネ様の側仕えで、絵を得意とする灰色巫女でございます」

「あの芸術好きな巫女見習いの……。ならば、絵よりも音楽を嗜《たしな》んでいた見習いの方がマインの教養には役立つはずだ。音楽の得意な者がいたであろう？　そちらを側仕えにしなさい」

「音楽が得意ということはロジーナですね」

黙って聞いていれば、いつの間にかヴィルマではなくロジーナを側仕えにする話に変わっている。慌ててわたしはフランと神官長の間に割って入った。

「神官長、わたくしに必要なのはヴィルマで、ロジーナではありません。音楽で『絵本』は作れないではありませんか」

「エホンとは何だ？」

今日だけで一体何度目の質問だろうか。本が存在する貴族のところならば、子供向けの絵本くらいは存在すると思うのだが、神官長は眉間に深い皺《しわ》を刻み込んで難しい顔をしている。

「子供向けの絵がたくさんついた本です。貴族の家にはありますよね？」

「本自体が高価なのに、どう扱うかわからない子供向けの本などあるわけがなかろう。勉学に使う本ならば知識が系統だって載っていればそれで良いではないか」

どうやら子供向けの本自体が存在しないらしい。紙が高価で書き写して作製するため、字はきつきつに書きつめ、勉学に必要な図形や地図ならばともかく、絵を中心にした本はないらしい。絵本が存在しない理由にわたしが納得していると、神官長も何やら納得したように頷いた。

「君が絵のついた本を作りたくて絵師を欲していることは理解した。けれど、君に必要なのは教養だ。ヴィルマだけではなく、ロジーナも側仕えとして召し上げなさい」

「え？　二人も側仕えにするなんて無駄なことはできませんよ。たとえロジーナを側仕えにしても楽器もなければ、演奏を披露《ひろう》するような機会もございません。何よりもわたくしには高価な楽器を準備するお金もないですし、神事にない以上は教養の必要性も感じられないのです」

「なるほど。確かに楽器がなければ、練習もできぬか」

ひとまず神官長が納得したように頷いたので一緒に頷いておくが、わたしは音楽には大して興味がないのだ。聴くのは嫌いではないが、自分で演奏したいとは思わない。演奏できるのは素敵だと思うが、練習時間に使う時間を読書に使いたい。

絵師が必要だと訴えて、ヴィルマを側仕えにする件は了承してもらえたので話は終わりだ。わたしは満足して神官長の部屋を退室する。

「では、フラン。午後からは孤児院へ行って、ヴィルマの意思を確認しましょう」

「ヴィルマの意思？　側仕えに召し上げるのではないのですか？」

わたしの言葉に、フランは不思議そうに目を瞬いた。

「……平民のわたくしに仕えたくないと思っているかもしれないでしょう？」

わたしの側仕えは命令されて決まったもので、フランもギルもデリアも、誰一人としてわたしの側仕えになりたいと望んでいた人はいなかった。平民に仕えるなんて、と面と向かってギルに文句を言われたのはそれほど前のことではない。

今はせっかくうまく回っているのに、不満たっぷりで仕事をされると嫌な気分は周りにも伝染する。ヴィルマがわたしの側仕えになるのが嫌ならば、いつ他の人にヴィルマが召し上げられるかビクビクすることになるけれど、今までと同じように絵の依頼をするだけだ。

「マイン様、何のお話でございましょうか？」

いつもは穏やかな笑顔で最近の孤児達の様子や孤児院で足りない物などの話をしてくれるヴィルマが、わたしとフランを見て不安そうな表情になる。

「ヴィルマ、わたくしの側仕えになってくれませんか？　これは命令ではなく、意思を確認するものですから断っても結構です」

ヴィルマはわたしの言葉におろおろと周りを見回した後、溜息を吐いて目を伏せた。

「……大変ありがたいお話ですが、わたくしよりロジーナをお引き立てくださいませ」

ヴィルマはちらりとフランに視線を向けた後、困ったように視線を逸らした。ものすごく言いにくそうに眉根を寄せ、重い口を開く。

「……わたくし、青色神官に騙されて花捧げへと連れ出されたことがございます。主であるクリスティーネ様が不在に気付き助けてくださって事なきを得たのですが、あれ以来、殿方が苦手なのです。ご命令であれば従いますが、意見を聞き届けてくださるのでしたら、わたくしはこのまま孤児院の女子棟で過ごしたく存じます。ここにいれば子供達と女性だけですから」

貴族区域では異性の側仕えの部屋が完全に主の部屋から離されているけれど、孤児院長室は一階と二階で男女に分かれているだけで、外に出るには一階を通らなければならない。ルッツやベンノのような客人も、フラン達灰色神官も当たり前のように二階へ出入りする。男がいない環境にはならない。ヴィルマの主張はわかったけれど、どうにも腑に落ちないことがある。

「孤児院で過ごしていたら、花捧げの対象になるのではないの？」

「わたくしのように地味な者に着目する青色神官はいません」

髪をきっちりとひっつめて、なるべく目立たないように本人はしているつもりなのだろうが、オレンジに近い金髪はよく目立つし、子供達相手に見せるふわんとした癒《いや》し系の笑顔は身形《みなり》が地味な分、清楚《せいそ》さを増している。着目しない青色神官ばかりではないと思う。

「では、ヴィルマ。神官長にお願いして、孤児院から出ることなく、身分だけ側仕えにすることができれば、わたくしの側仕えになってくださいますか？　これから絵のたくさんついた子供のための本を作るつもりなので、絵の上手なヴィルマがわたくしには必要なのです」

「でしたら、ご命令なされば簡単ですのに……」

「ヴィルマに嫌な気分でお仕事をしてほしくないのです」

わたしは誰かに命令されるのが好きではないし、側仕えは主の部屋で住み込みで働くのだから生活の全てが仕事になる。ずっと不満を持ったままではどこかで歪《ゆが》みが出てくるに違いない。

「孤児院を出る必要がないならば、喜んでマイン様のお役に立ちたいと存じます」

はにかむように笑いながらヴィルマはそう言ってくれた。この笑顔を守るために何としても神官長を説得しようとわたしが意気込んでいると、神官長より先にフランが厳しい声を出す。

「マイン様、側仕えは主の部屋に居を移すものでございます。孤児院に居続けることはできません。どのように神官長を説得するおつもりですか？」

わたしはヴィルマと少し離れたところで不安そうにしている子供達を見比べた。

「今は幼い子供達を見てくれる灰色巫女がいません。夜中に突然熱を出す子供も珍しくないので、孤児院長であるわたくしの側仕えに見ていてほしい、と説得するのはどうでしょう？」

「……全く何も考えていないわけではなかったのですね。少々安心いたしました」

意外と失礼な物言いだが、フランは頭から反対というわけではなさそうだ。

「ヴィルマを孤児院に置いたまま側仕えにすることはできるかしら？」

「慣例を破ることにはなりますが、孤児達の現状を考えても、ヴィルマの状況を考えても、神官長とよく話し合えば実現不可能というわけではないでしょう」

フランの賛同を得て神官長に面会依頼の手紙を出したところ、「ヴィルマの扱いについてはフランの意見も聞きたいので君の部屋で話をした方が良いだろう」という返事が来た。


五日後の五の鐘と指定された面会までの間、わたしは精力的に働いた。ギルに頼んで、絵本を作るために必要な厚めの紙をマイン工房で漉《す》いてもらい、ルッツを通して購入する約束をする。同時に、孤児院で母さんの物語を朗読して、どれが絵本にしやすいか、子供受けが良いのか、反応を見てみた。しかし、物語を聞いた子供達は出てくる単語に対して「何、それ？」と疑問の連続で話を楽しむには至らず、ヴィルマには街の暮らしがわからないので、絵にはできないと言われてしまった。常識や生活の差は思ったよりも大きいようだ。

さらに、どうやら神殿には動物の擬人化という概念もないようで、七匹のこやぎや桃太郎の話をしても「どのようにして動物と話をするのでしょうか？」と聞かれてしまった。これではわたしが知っている童話を絵本にしてもらうことも難しい。ベンノには色々と言われたけれど、初めての弟妹に贈る絵本はわたしが描いた方が良さそうだ。

それから、フーゴとエラがほとんどのレシピを覚えたので、新しい料理人が入ってきた。フーゴとあまり変わらない年の男性が、「え？」とか「ちょ⁉」とか慌てたような理解不能のような声を上げながら奮闘している。助手をするエラが「大丈夫。そのうち慣れるから」と、自分の来た道を思い返しているような表情で言っていた。

そして、面会日当日。午後に約束があるので図書室に行くこともできず、わたしは部屋でフランと一緒に神官長を出迎える作法や好みのお茶について復習していた。すると、約束よりかなり早い時間にドアの外で来訪を知らせるベルが鳴る。

「神官長の使いですね」

フランはそう言って立ち上がると一階へ向かった。わたしには聞き分けられないが、音や鳴らし方に違いがあるそうだ。多忙な神官長なので面会時間の変更でもあるのだろうか。

「神官長からの贈り物でございます。どちらに運びましょう？」

「二階へ。主の部屋へお願いいたしますわ」

アルノーとデリアの声が下から聞こえ、わたしは急いでお嬢様然とした笑顔を張り付けた。

「失礼いたします、マイン様」

アルノーを先頭に灰色神官達がデリアとフランの指示の下、大きな荷物を次々と運んで来た。その間、アルノーはどこか懐かしそうに目を細めて、ぐるりとわたしの部屋を見回している。

「……マイン様はそのまま使っておられるのですね」

「え？」

「いいえ、お気になさらず。大きい箱が三個、小さい箱が二個。確かにお運びいたしました」

「ありがとう存じます、と神官長にお伝えくださいませ」

アルノーの言葉にわたしは笑顔で答えた。アルノーを先頭に神官長のお使いがざっと並んで帰って行く。見送っていたフランが扉を閉めると同時に早足で二階へ上がってきた。

「すぐに開封しましょう。神官長のいらっしゃる時間になってしまいます。デリア、工房へ行ってギルを呼んできてくださ い」

「かしこまりました。もー！　贈り物なら来訪直前でなくてもよろしいのに」

デリアが駆け出すと、慌てたようにフランが開封し始める。すぐにデリアとギルが戻ってきてフランの手伝いを始めた。木箱の中に更に布に包まれて入っていたのは、寝具一式と大人用と子供用の楽器が二つだった。それから、楽器を手入れするための道具の数々。神官長はわたしに何が何でも教養を身につけさせたいようだ。

……わぁーお。楽器がないとお断りしたら、楽器がやってきたでござる。

「ねぇ、フラン。これだけの贈り物に関して神官長から何か聞いていたのかしら？」

あまりにも量が多すぎて感謝より先に困惑する。特に、寝具なんて他人にプレゼントされたことがないので余計だ。フランにとっても戸惑いの方が大きいのか、難しい顔になっている。

「ここで生活しないとはいえ、虚弱《きょじゃく》でよく倒れるのに寝台の準備さえまともにできていないとは何事か、と反省室で倒れた時に憤慨《ふんがい》されていましたが、まさか寝具が贈られてくるとは……」

何度も神殿で倒れているのだから布団は必要だと思っていたが、まさか神官長に贈られるとは予想外だ。ギルとデリアが寝台に入れて整えてくれた寝具に近寄って、わたしは手でまふまふと触ってみた。神官長が選んだ寝具は、ウチで使っているような藁《わら》の詰まった布団ではなく、フリーダの家の客室に準備されていたような上等なお布団だった。さらりとした肌触りの良いシーツに、上掛けは刺繍《ししゅう》がたくさん入った上等な物だ。布と刺繍だけでとんでもない金額になる。寝具一揃えにかかった金額を考えると眩暈《めまい》がする。

「フラン、こんな物を贈るのが貴族では当たり前なのですか？　それとも、立て替えてもらっただけで後から請求されるのでしょうか？　請求されても払えない時はどうすれば……」

「おそらくマイン様を反省室に入れて、倒れさせてしまったことに対するお詫びの品なので、お礼に留めておくのがよろしいかと」

「お礼……。今回はどの神様に感謝すればいいかしら？」

お礼の挨拶にまた新しい神様の名前を覚えなければならないのだろうか、といい加減うんざりした気分で尋ねると、ぐっとフランが笑いを堪えるような顔で口元を押さえた。

「今回は神様ではなく、神官長に感謝してください」

寝台に寝具を入れて、楽器や道具の置き場を決めて、何とか荷物の片付けを終えると、木箱や布をしきたり通り側仕えに下賜《かし》する。終わったと思った時には五の鐘が鳴った。

すぐにアルノーを従えた神官長がやってきた。わたしはフランに教えられた通りに神官長を出迎えて挨拶する。「まだおぼつかない感じはするが、一応覚えたようだな」と及第点らしき言葉をもらえたので、わたしもちょっとお嬢様らしくなったのかもしれない。

「神官長、寝心地の良さそうなお布団、ありがとう存じます」

二階に上がって寝台が目に入ったわたしがお礼を言うなり、神官長は何故か頭を抱えた。

「あの、何がいけなかったんでしょう？　わたくし、お礼を言っただけですよね？」

「確かに君は礼を言っただけだが、贈り物の内容を口にする必要はなかった。以後、お礼を言う時は、素敵な贈り物、とか、わたくしの望みを叶えてくださって、と曖昧《あいまい》にしておくように」

わざわざ贈り物の内容は口にしない、とわたしが心の中で繰り返していると、神官長が苦虫を噛み潰したような顔になって声を潜めて付け加える。

「それから、私が君に寝具を贈ったことは他言無用だ。本来、寝具というものは家族や婚約者……愛人に準備するものだ。周囲にとんでもない誤解を招く」

「うぇっ⁉　な、なんで、そんな誤解されそうなことをしたんですか⁉」

わたしじゃあるまいし、神官長のような人がうっかりしたということはないだろう。誤解を招くとわかっていて、敢えて寝具を贈る理由がわからない。

「今回は君が悪い。身体が弱くて神殿内でも何度か倒れたにもかかわらず、寝台が剥き出しではないか。フランが意識のない君を布団のない板の上に横たえた時には我が目を疑ったぞ」

放っておいたらいつまでたっても寝具が揃わないだろうと思った、と睨《にら》まれて、喉元を過ぎればすっかり忘れて布団を注文することさえ頭になかったわたしはそっと視線を逸らす。

「……あぅ、申し訳ございませんでした」

コホンとわざとらしく咳払いをした神官長がちらりとテーブルの方へと視線を向ける。まだ席を勧めていなかったことを思い出して、わたしは神官長を席へと案内した。

今日は神官長が相手なので、デリアではなくフランがお茶を淹れる。同じ水、同じ葉を使っているのに、フランが淹れるとお茶の味が全然違うように感じるのだ。全く無駄がない、流れるようなフランの美しい仕事振りを食い入るようにデリアが見ていた。

「あぁ、フランのお茶は久し振りだな。……ふむ、相変わらず素晴らしい香りだ」

フッと満足そうに表情を緩《ゆる》めてお茶を飲む神官長の姿にフランも少しだけ表情を綻《ほころ》ばせる。ギルが運んできたお皿をデリアが受け取って、そっとテーブルの上に置いた。

「神官長、お茶請けにクッキーはいかがですか？　殿方用に甘さは控えめにしてあります」

クッキーをさくりと一つ口に入れた神官長が軽く目を見張った。一つ目を食べた神官長がすぐに次のクッキーに手を出したので反応はそれほど悪くないと思う。

「……マイン、これはどこで？」

「今のところ、わたくしの厨房で作っているだけです。このクッキーはイタリアンレストランの食後のお茶に添えたり、お土産用に小さく包んで販売したりする予定なのです」

その途端、神官長が言葉を理解しようとするようにこめかみを押さえた。

「君は紙やリンシャンだけではなく、料理にまで手を出していたのか？」

「えぇ。開店前に試食会をする予定がありますから、ご都合がよろしければ神官長もぜひ足をお運びください。貴族が食べているような料理を出すお店にするつもりなのです。フランが味の保証をしてくれましたけれど、一度は本当の貴族のお食事も経験してみたいものですね」

誘って、誘って、と一生懸命に目で訴えると、空気を読むことに長けている神官長が根負けしたように目を伏せ、「近いうちに昼食に招待しよう」と約束してくれた。わたしは、よし、とテーブルの下で拳を握る。これで、ベンノから出されていた課題を一つクリアできた。神官長とのランチで食事内容や味、給仕のサービスをチェックしておきたい。

お茶とクッキーを一通り味わった後、神官長が話を切り出した。

「それで、ヴィルマのことで相談があるということだったが？」

「側仕えにした後も、ヴィルマは孤児院で生活させたいのですが、許可をいただけませんか？」

神官長が不可解そうに「何のために？」と眉根を寄せた。側仕えは名の通り主の側で仕えるもので、孤児院を出ることを望むことはあっても留まることを望む者はいない。

「洗礼前の子供達の面倒を見る者が今は一人もいないので、孤児院長としての権限でヴィルマを孤児院に置いて世話をしてもらいたいのです。ヴィルマ本人も望んでいます」

「神官長、私からもお願いいたします。子供は体調も崩しやすく、夜中に熱を出すこともございます。ヴィルマもマイン様も子供達をとても心配しているのです」

フランの口添えに神官長が、ふーむ、と言いながら顎を撫でる。

「……ヴィルマが孤児院に留まるならば、尚更ロジーナを側仕えにしなさい。楽器も準備した。これで問題なかろう」

じろりと睨まれたけれど、やっぱりどうにも納得できない。

「どうして音楽が必要なのですか？　神殿の儀式で演奏することはないのですよね？」

「神殿では全く必要ない。青色神官でも嗜みのない者はいるだろう」

そう言いながら神官長はテーブルの上にコツンと小さな魔術具を取り出した。盗聴防止の魔術具だ。見覚えのあるそれをわたしと神官長は手に握り込む。

「君は間違いなく将来的に貴族と関わることになる」

「……わたくし、家族と離れるつもりはありませんけれど？」

そのために神殿へ入ってからも通いにしている。けれど、神殿長相手に暴走させた魔力から家族との関係をある程度把握しているはずの神官長が「間違いなく」と言い切ったせいで、じわりと不安が忍び寄ってきた。

「君は知らないかもしれないが、魔力的に釣り合いが取れなければ子供は望めない。君の魔力は小魔石十個ほど奉納《ほうのう》しても平然としていられるし、私のあの部屋に入れるほどだ。つまり、貴族以外と子供はできない。下町では婚姻できないであろう」

そういえば、デリアから魔力の釣り合いについて聞いたことがある。青色神官の非道について怒っていたので全く意識が向かっていなかったけれど、その法則は当然わたしにも適用されるのだ。しかし、わたしとしては「だから、何？」という気分だ。

「最初から結婚できると思っていませんから、できなくても特に問題ないですよ？」

「待ちなさい。それは何故だ？」

「神官長もご存じの通り、わたくしは虚弱ですから。熱ばかり出して満足に働くこともできないような女を娶《めと》りたい殿方はいません。ただの足手まといではないですか」

わたし達が住む貧民街における良い嫁とは健康で丈夫であることが第一条件だ。そして、気立てが良くて働き者であることが続く。美人の条件に裁縫の腕ややりくり上手などが加わるが、わたしは第一条件の時点で嫁候補から外れる。そもそも麗乃《うらの》時代も恋愛や結婚から縁遠い人生だったので、大して悲観していない。本を作って読めればそれでいいのだ。

「平民と貴族は違う。子供の魔力は母親の影響を色濃く受ける。君の魔力は突然生まれる身食いとしては考えられないくらいに大きい。今の貴族が少ない状況では、年頃になれば魔力の釣り合う貴族が群がることになるだろう。引き取って育てるには金がかかるし、虚弱でいつ死ぬかわからないから放置されているだけだ。全ての青色神官の実家から逃げられるわけがない」

自分がそんな目で見られているとは思わなかった。青色神官が十名ほどで、その父方と母方の実家となれば一体どれだけの貴族が出てくるのだろうか。わたしに断り切れるわけがない。ぞくりと身体が震える。そんな先のことは考えたことがなかった。五年くらいで貴族がまた増えてくるだろうからお払い箱になるだろう、とベンノに言われていたから、その時には神殿を離れれば良いと思っていた。タウの実を使って逃げ出して延命するつもりだったので、まさか都合の良い母体として貴族に狙われるなんて想定外だ。

「下級貴族では釣り合わぬ。おそらく上級貴族と繋がりを持つための道具として使われることになる。その時に子供を産むための道具のように扱われるのか、貴族らしい振る舞いを知っていることで立場の保障がされるのか、大きな違いがある。自衛のために教養は必要だ」

「……わかりました。ロジーナも側仕えにして、できる限りの教養を身につけます」

神官長が「よろしい」と魔術具をコトリとテーブルの上に置いた。話は終わりのようだ。わたしも魔術具を置いて、そっと返しながらニッコリと笑って神官長を見つめる。

「では、お手本を見せてください。貴族の嗜みに求められる程度が知りたいです」

弾いてください、と楽器を示すと、神官長は魔術具を回収し、溜息混じりにフランを呼んだ。

「フェシュピールをもて」

部屋の隅に大小並んだ楽器はフェシュピールと呼ばれているらしい。大きい方は大人用で、小さい方は子供用だそうだ。リュートと琴《こと》を合わせたような楽器で、バンドゥーラによく似た形をしていた。ボディは洋なしを半分に切ったような形で、背面は少し湾曲している。表面板にはギターのサウンドホールのような穴が開いているが、それはとても装飾的で大人用は幾何学模様《きかがくもよう》で、子供用は蔦《つた》の這《は》う植物の模様になっていた。パッと見ただけでも五十～六十本くらいの弦が張られている。弦を巻き付けているピンにはまるで象牙のような素材が使われていて、木の楽器に色を添えている。ヘッドの部分には馬の彫刻《ちょうこく》がなされていて、一瞬「馬頭琴《ばとうきん》か！」とツッコミを入れたくなったが、ここで通じるはずがないので自重した。

神官長は少し椅子の位置を変えた後、足を揃えて椅子に座り、フェシュピールを太股の間に少し挟むようにして置いた。左手でネックを支えながら、中指で弦を弾く。ボロンと空気が震えて、ギターのような音が響いた。右手で竪琴やハープを弾くように弦を爪弾くと、ピィンと透き通るような高い音が出て、空気に溶けていく。

調律はすでにされていたようで、フェシュピールを構えた神官長が軽く目を伏せた。右手が主旋律を奏で、左手がベースのような低音で深みを出す。節のない長い指が自在に動き、聴いたことがない曲を奏で始めた。初めて見る楽器で、初めて聴く曲だが、神官長の演奏が達者であることだけはすぐにわかる。

……上手い。東門の辺りにうろうろしている吟遊詩人なんて比べ物にもならないよ。

ちなみに、わたしは吟遊詩人が苦手だ。馴染《なじ》みがないせいか、何と歌っているのかよく聴き取れない。初めて琵琶《びわ》法師の平家物語を聴いた時と同じ気分になるのだ。

「青く高い空……」

神官長が曲に合わせて歌い始めた。夏の命輝く情景が目に浮かぶような歌詞で、草木が伸び、太陽の恵みに感謝する歌だ。低くてよく響く声だとは以前から思っていたが、歌うとまた響きが違って恐ろしく美声になった。耳慣れない曲なのは当たり前だろうが、すんなりと耳に入ってきてうっとりと聞き惚れてしまう。ポロン……と、最後の一音の余韻に、ほぅと感嘆の溜息を吐いていると、神官長がフェシュピールをフランに手渡した。

「ふむ、こんなものか。マイン、どうだ？」

「神官長が恋歌を歌えば、女の子には不自由しないと思いました」

「君は何を言っている？」

神官長にじろりと睨まれて、本音がぼろりと零《こぼ》れたことを知った。急いで余計なことを言った口を押さえて、わたしは本音をオブラートで包み込む。

「綺麗な音でうっとりしました。……でも、ちょっとわたくしには難易度が高いと思います」

「教養はすぐに身につくものではない。普段からの練習が必要だ。少しやってみなさい」

教育熱心な神官長から逃れられるはずもなく、突然の音楽教室が始まった。

フェシュピールとロジーナ

フランから手渡されたのは、初めて練習する子供向けの小さなフェシュピールだ。それでも自分の身長から考えると結構大きい。子供用の弦の数は大人用のフェシュピールに比べてかなり少なく、およそ半分ほどで、弾ける音域は鍵盤ハーモニカ二つ分くらいだ。

わたしは神官長がしていたように太股の間に挟むようにして左の肩から二の腕で支えるようにして持つ。基本的に木でできていて重い素材があまり使われていないので、支えるだけならばわたしでも何とか構えることができた。

「斜めになるとだんだん重みが増してくる。なるべく真っ直ぐに支えられるようになりなさい」

練習用の楽器だからだろうか、一本だけ弦に色が付いている。「これが一番基礎になる音だ」と言いながら、その弦を神官長がピィンと弾いた。ドの音だ。一本飛ばしてレ、更に一本飛ばしてミ。ずらっと並んでいる細い弦だが、半音ずつ音が変わるようでピアノの弦を直接弾いているような感じだ。ピアノと違って黒鍵がないので、音を探すのが非常に難しいのだけれど。

「これが音階で、高く、あるいは、低く、音はずっと続いていく」

数字を覚えた時のように基本の音階が脳内でドレミファソラシと置き換わっていくのがわかる。無理やり習わされたとはいえ、麗乃時代にピアノを三年ほど習っていた。慣れるまでスラスラ弾くのは難しいだろうけれど、自分が知っている簡単な曲を弾くことはできそうだ。

「さいた……さいた……」

こちらの言葉に合わせながら、わたしがたどたどしく「チューリップ」を弾いて満足していると、神官長が「何だ、その曲は？」と不思議そうに呟《つぶや》いた。

「聴いたまま、お花の歌です」

ここにはチューリップが存在しないが、神官長が全ての花を知っているわけでもないので問題ないだろう。そう思っていると、神官長が顎に指を当ててしばらく考え込んだ。

「……君には音楽の才能があるのではないか？」

「いえ、ないです！　これっぽっちも！」

……しまった。自分からハードルを上げちゃった！

初めて触った楽器でいきなり自作した曲を弾くなんて、エピソードだけ見れば、まるでモーツァルトのようではないか。あんな天才を見るような目で見られると困る。わたしが暗譜しているのなんて、学生時代に覚えさせられた学校唱歌とピアノの発表会で弾かされた数曲くらいだ。音楽の才能なんてないのだ。

「いや、自分から決めつけるものではない。正直なところ平民に一体どれだけできるか、と不安に思っていたが、これなら物になるのも早そうだ」

わたしの必死の否定にも構わず、神官長はニヤリとして練習計画を立て始める。主に、わたしの大事な読書の時間を削る方向で。

「あの、神官長。わたくし、これ以上読書の時間を削る気はございませんよ？」

「だが、楽器を覚えるには毎日の練習が必要不可欠だ」

「えぇ、それは存じております。それでも、読書の時間だけは譲りません」

孤児院の様子を見に行ったり、マイン工房の様子を見たり、神官長のお手伝いをしたり、フランが忙しかったりして、神殿にいても図書室に籠《こも》れる時間はそれほど長くない。ご飯の時間はきっちりと管理されているし、本が鎖に繋がれていて貸し出しもしてもらえないのだから、本を読める時間は神殿に入る前にわたしが考えていたよりもずっと少ないのだ。

「わたくしが神殿に入るにあたって、神官長から提示された仕事内容は魔力の提供と図書室の整理です。神官長の執務のお手伝いは、あくまで善意によるお手伝いですよね？　神官長のお手伝いする時間をフェシュピールの練習に充てたとしても読書の時間は絶対に譲りません」

しばらく睨み合った結果、執務と音楽を秤に掛けた神官長は音楽の方が重要だと判断したらしい。

神殿に来てから三の鐘が鳴るまでの時間をフェシュピールの練習に充てるように言われた。

「では、ヴィルマとロジーナに通達しておくように。それから、時々確認に来るので、そのつもりでフェシュピールの練習に励みなさい。怠《なま》けていたらすぐにわかるぞ」

特大の釘を刺されてしまったけれど、監視されなければあまり興味のない楽器の練習なんてわたしが真面目にするわけがない。そういう意味で神官長は実に正しい。


神官長を見送った後、わたしはフランと一緒に孤児院に向かうことにした。

「ギル、デリア。これから孤児院へ行くので、ロジーナのお部屋の準備をお願いね」

「任せとけ。戻ってくるまでには綺麗にしてやるからな」

フランと孤児院の食堂に赴《おもむ》いたわたしはヴィルマとロジーナの二人を呼び出してもらった。呼び出される意味を知っているのだろう。孤児院の子供達は不安そうにわたしを見つめてくる。

「マイン様がヴィルマを側仕えにするのですか？　ヴィルマ、いなくなってしまうのですか？」

「ヴィルマは側仕えにしますけれど、孤児院の院長としてわたくしはヴィルマには孤児院でお仕事してもらおうと考えています。皆のお世話というお仕事です」

「わぁ！　ホントに？　ヴィルマはいなくならない？」

歓声を上げた子供達が食堂へと姿を見せたヴィルマの元へ我先に駆け寄る。

「ヴィルマの側仕えのお仕事は孤児院でするって！」

服を引っ張り、腕を引っ張りながら、子供達がヴィルマにまとわりつく。そんな子供達を引き連れ、ヴィルマは嬉しそうな笑顔でこちらへやってきた。相当子供達に慕われているようだ。ヴィルマを孤児院に残すことができてよかった、と改めて思う。

わたしは子供達に、お話が終わるまでは離れて静かにしておくように言った。波が引くように子供達は壁際へと並び、それでも、嬉しそうな顔でこちらをじっと見ている。

「神官長の許可が出たので、ヴィルマをわたくしの側仕えにします。ヴィルマの仕事は孤児院の管理と絵を描くことです。幼い子供達の世話のため、孤児院で生活してもらいますね」

これでヴィルマは孤児院の女子棟に籠もったまま生活することができる。他の青色神官に召し上げられ、花捧げをすることもない。ヴィルマの穏やかな茶色の瞳が嬉しそうに潤んだ。

「ありがとう存じます。精一杯、マイン様にお仕えいたします」

ヴィルマとの話を終えた時、ロジーナが食堂に現れた。トゥーリと同じようにふわふわとうねる栗色の髪がハーフアップにされ、鮮やかな青の瞳が希望と期待に輝いている。

「マイン様、お話があると伺いました」

ロジーナは大人びた綺麗な顔立ちをしている。癖のある髪が豪奢《ごうしゃ》で立ち居振る舞いが楚々《そそ》としているので、清楚なお嬢様に見える。ヴィルマとロジーナの振る舞いを見ていると、芸術が好きだったという前の主の立ち居振る舞いが目に浮かぶようだ。

……多分、ロジーナのような立ち居振る舞いを神官長からは望まれているんだろうな。

わかっていても人には向き不向きというものがある。美人で動きの一つ一つが洗練されていて、教養まである側仕えとこれから比べられるのかと思うと、何となく重い溜息が出てしまう。

「ロジーナをわたくしの側仕えにします」

信じられないとばかりに、ロジーナは口元を押さえて、頬をバラ色に染め上げる。わたしが同じことをしても、周囲の感想に雲泥の差が出るとわかる仕草に軽く目を伏せた。

「神官長に教養を身につけよ、と言われ、ロジーナを側仕えにするよう勧められました。ロジーナの仕事は、わたくしが神殿に着いてから三の鐘が鳴るまでフェシュピールを教えること、それ以外の時間は他の側仕え達と同じように仕事をすることです。よろしいかしら？」

「えぇ、何の否がございましょうか。フェシュピールはわたくしが一番得意な楽器なのです」

話を終えたわたしは側仕えに召し上げられて喜ぶロジーナを伴って、ヴィルマと子供達に見送られながら孤児院を後にした。孤児院に個人の荷物はない。身一つで部屋を移動し、側仕えの生活に必要な物は主が準備することになるのだ。

部屋に戻ると一階に側仕えが集合し、フランによってそれぞれの紹介が行われた。どうやら、こういう側仕え間の連絡などは主の目に触れさせてはならないようで、わたしは二階で待機だ。気になっても覗き込んではいけない、と言われている。

放置されて暇だったわたしは神官長が書き残していったこの世界の楽譜を眺めていた。第一の課題曲である。それほど長くはないけれど、耳慣れない曲を覚えるのが難しい。

ふいに「オレ、工房の片付けや施錠の確認をしてくるからな」と言うギルの声が聞こえ、部屋を出て行く音がした。紹介や一階の案内が終わったようで、フランが女性用の側仕え部屋へ案内するためにロジーナとデリアを連れて二階へ上がってきた。

「まぁ！　フェシュピールが……。マイン様、早速弾いてもよろしいでしょうか？」

大小二つ並んで置かれているフェシュピールにロジーナが感極まったような声を出した。

「もー！　ロジーナったら！　楽器は逃げません。先に部屋を整えた方がよろしいですよ」

「自分が求めるものに巡り会えた感激はよくわかりますが、デリアの言う通り、先に部屋を整えてくださいい。まだ荷物は少ないので、それほどの時間はかからないはずです」

楽器を見つけたロジーナを図書館を見つけた自分だと思えば許可してあげたかったが、部屋を整えるのをデリアに手伝ってもらうのに、当人が楽器を弾いているわけにはいかない。名残惜しそうにフェシュピールを見ながらロジーナは部屋へ入っていった。

「マイン様、フェシュピールを弾いてもよろしいでしょうか？」

部屋を手早く整えたロジーナに今度こそわたしが頷《うなず》くと、ロジーナは青い瞳を嬉しそうに輝かせてフェシュピールを手に取った。細い指先でフェシュピールをそっと撫でて一つ弦を弾く。高い音が響き、ロジーナは軽く目を伏せてうっとりとした表情で空気に広がっていく一音を味わっていた。

ロジーナは椅子に座ってフェシュピールを構える。下働きで少し荒れているけれど、細い指が柔らかく弦を撫でるように軽やかに動き出した。とても繊細《せんさい》で儚《はかな》い音だ。同じ楽器を奏でているのに、演者の個性か、選曲の違いか、神官長の音と少し違って聞こえる。細く高い声で歌われる歌はやはり知らないものだったが、ロジーナの潤んだ瞳も綻んだ口元も、何もかもが楽器を演奏できる喜びに満ち溢れていた。

「とても素敵な演奏でした、ロジーナ」

「光栄です。また、演奏できるなんて、わたくし、本当に嬉しくて……。心を込めてマイン様にお仕えさせていただきます」

こうしてわたしの側仕えは二人増え、日課としてフェシュピールの練習が入ることになった。


次の日、わたしは父さんと一緒に門へと向かっていた。ルッツが孤児院へ行って孤児達を連れてきてくれることになっているので、門で合流して森へ行くのだ。

「男の子かな？　女の子かな？　父さんはどっちが良い？」

今の父さんとの会話は赤ちゃんのことしかない。似たような話が続くせいか、トゥーリは最近「マインは父さんと話してくると良いよ」と言って、あまり相手にしてくれなくなった。

「……難しいな。男だったら、家の中にやっと仲間ができるし、女だったら、可愛いからな」

「わたしもどっちでも可愛がるよ！　絵本を作って読み聞かせもいっぱいするもん」

「そうか、そうか」

門に着いて少したつと、孤児院の子供達がルッツに引き連れられてやってきた。

「ルッツ、マインを頼むな」

「わかってる。今日はアイツが背負うから大丈夫」

ルッツが指差したのは見習いの中でも体格の良い男の子だった。わたしが歩くと皆が困るので、背中を向けてしゃがんだ彼に背負ってもらって出発だ。

「マイン様と森へ行くのは初めてだな」

うきうきした様子のギルの言葉にわたしは頷く。神殿に向かうようになってから全く森へ行かなくなった。孤児達を連れて行くルッツの負担が大きくなりすぎるせいだ。今回はわたしを背負える人員を連れて行くことと、皆が森に慣れてきたことで行けることになったのである。

「タウの実を拾って、また木を刈りましょう。冬の薪《まき》や食料を買い込まなければならないもの」

家族四人の冬支度でも大変なのに、孤児院の冬支度なんてどれほどお金がかかるかわからない。神の恵みがあるので足りない分を補うだけだが、どれだけ足りないかがわからないのだ。森で薪を拾い始めたのも最近のことなので、細い木切れならともかく、太い木は一～三年くらい乾燥させなければ薪として使えない。今年の冬の薪は基本的に買うことになる。

「冬に温かい部屋で飢《う》えずにいられたら最高だよな。でも、冬って川が凍って紙も作れねぇから森にも行けねぇんだろ？　何するんだ？」

孤児院の子供達は基本的に孤児院に閉じ込められた生活をしている。森へ行けるようになって紙作りのために森と孤児院を往復するようになったけれど、冬は森へ行けないので、また閉じこもる生活だ。ギルはつまらなそうに唇を尖《とが》らせた。

「孤児院でできる冬の手仕事を考えなくちゃね」

トゥーリと母さんは髪飾りを作る手仕事をコリンナから回してもらう契約になっているが、孤児院の子供達に回してもらう約束はしていない。何か新しい手仕事を考えた方が良さそうだ。

森に着くと、わたしは基本的に集合場所で待機だ。周辺の木切れを拾ったり、実っている果実を採って口に入れたりしているうちに皆が採集を終えて戻ってきた。拾ったタウの実は四つ。星祭りで大量に拾われるし、ぽよぽよに膨らんだ水風船のようなタウの実は獣に踏まれたりすると簡単に割れるので、あまり残っていなかったようだ。

わたしは渡されたタウの実を手に持って、魔力を流し込む。見る見るうちに姿を変えていく実にも少し慣れた。子供達はみんなナイフや刃物を構えて臨戦態勢になっている。

「よし、来い！　にょきにょっ木！」

わたしが「ていっ！」とタウの実を投げると、種が飛び散ってぽこぽこと芽を出し始める。この後わたしの出番はない。最後尾に下がってまたもや待機だ。大きな石に座って子供達の刈り方が手慣れてきたことに感心しつつ、孤児院での冬の手仕事について考えることにする。まず、去年は何をしていたか考えてみた。確か髪飾りを作るのと、ルッツのお勉強で忙しかったはずだ。

……あ！　お勉強もいいかもしれない。

せっかく時間があるのだから、子供達に字を教えるのはどうだろうか。石板と教科書を準備して、冬の間に神殿教室の試みとして読み書き計算を教えるのだ。どうせ側仕えになれば覚えさせられるものなのだから、小さいうちから覚えても問題ないだろうし、側仕えでなくても覚えておいて損はないはずだ。いずれ本を作る工房となるマイン工房の識字率から上げよう。

……だったら、ヴィルマに作ってもらう絵本は子供用の聖典がいいかも。

聖典の内容を子供向けにわかりやすく簡単な言葉に直していけば、孤児院の子供達には普通の物語より取っ付きやすいに違いない。そして、教科書用に絵本を作るならば、ここはぜひとも量産体制をとりたい。教科書用の本に一点一点挿絵を描いてもらうのは無理だ。

……でも、印刷機がねぇ。凸版《とっぱん》は力がないと難しいから、子供達が刷るならガリ版かな？

ガリ版印刷の鉄筆は鍛冶《かじ》工房のヨハンに頼めば問題ないだろうけれど、ロウ原紙をどうするか考えなければならない。蝋《ろう》引きの紙を作るにも、蝋の工房は冬支度に向かって一年で一番忙しくなる季節だ。新しい商品の開発に付き合ってくれる余裕があると思えない。凸版印刷にしてもガリ版印刷にしても道具を一から作ることを考えると、冬までにはできないと思う。

……だったら、今回は版画なんてどうよ？

ヴィルマに頼んで板に絵を描いてもらって、木工工房にでも頼んで彫《ほ》ってもらって刷れば、比較的簡単に複数の絵本ができるに違いない。最初の教科書は一番簡単な版画で作ることにしよう。同時進行でガリ版印刷についても進めていく。まずは原紙を作れなければ話にならない。紙を作るのはマイン工房の仕事だ。

「よぉし、やってみよう！」

本を作るということに燃え上がって、ガッとわたしが拳を握って立ち上がると、トロンベを籠に入れ終わったルッツが次のタウの実を持って、わたしを胡乱《うろん》な眼で見下ろしていた。

「マイン、行動する前に、報告、連絡、相談を忘れるなよ」

……そんな目で見なくても、明日はベンノさんに相談に行く気だったよ。ホントだよ。

側仕えという仕事

木版画で絵本を作るためには板が必要だ。ベンノに報告して、版画のための板を十枚注文したい。

ベンノに意気揚々《いきようよう》と会いに行くと、ものすごく胡散《うさん》臭いものを見るような目を向けられた。

「マイン、今度は何をするつもりだ？」

しかし、本作りに燃えているわたしはその目に構わず、ビシッと挙手する。

「はい！　『版画』で絵本を作ります。木を彫ったらデコボコができるでしょう？　それで上にインクをザーッと塗って、紙で上から押さえたら出っ張った部分だけインクがついて、紙に絵や文字を刷ることができるんです」

さっと石板を取り出して、木の断面図をデコボコに描いて、上からインクのラインを引いて、紙のラインを更に上から描く。石板を睨んでいたベンノが呆れたような顔になった。

「……言いたいことはわかったが、インクは高いぞ？　どれだけいるんだ？」

ベンノの言葉にザーッと血の気が引いて行く。小さな瓶で小銀貨が四枚飛んで行き、羊皮紙より安く値段が抑えられるようになったとはいえ、植物紙もまだまだ高い。本を作るという高揚感だけで突っ走っていたけれど、原価を考えたらとても絵本を複数作るなんてできない。

「げ、原価計算をしてませんでした」

「阿呆《あほう》っ！　原価も計算しない商人がどこにいる⁉」

「わ、わたし、商人じゃなくて巫女見習いだもん。……うっ、いだい、いだい～！」

小さく反論すると無言で頬をギュウッとつねられた。幼女相手に手加減なしだ。ベンノは、時々大人げないと思う。やっと放してくれた頬を撫でながら、わたしはベンノを見上げた。

「量と値段を考えるためにもインクの工房を紹介してください。最悪の場合、インク作りから始めなきゃダメかもしれませんねぇ。印刷に適したインクがあるかどうかもわからないし……」

本を作るにも先はまだまだ長そうだ。高揚感が溜息と共にふしゅるるる、と抜けて行く。

「お前はインクも作れるのか？」

「紙と一緒で作り方は知ってますよ。前は材料が揃えられなかったけど、そろそろ自力で何とか材料は揃えられそうですし、一応人手も増えてるし……。配分や実際にどうなるかという点では試行錯誤《さくご》が必要ですけれど、まぁ、時間をかければ何とかなると思います」

「ほぉ……」

店を出る際、マルクに呼び止められて孤児院用のカルタ板をルッツに持たせたという報告を受けた。受け取りのサインをして板を持って神殿に向かう。ヴィルマに届けて絵を描いてもらうのだ。頼みに行くついでに聖女のような笑顔に癒されたい。

神殿に着くと、門のところにはフランではなくギルが待機していた。わたしの姿を見つけると、ギルはホッとしたように表情を緩める。

「ギルは工房で頑張ってるから門で会うのは久し振りね。何かあったの？」

「……デリアがすっげぇ顔してマイン様を待ち構えてるんだ。今はフランが押さえてるけど、いつ爆発してもおかしくない感じ。にょきにょっ木みたいに文句が出てくるんだぜ」

肩を竦《すく》めながら言われた言葉に、わたしは自分の周囲の全ての動きが止まった気がした。

「……何があったの？」

「新しく入った側仕え……ロジーナだっけ？　あれがちょっと」

ハァとギルが疲れたように歩き始めた。昨日、わたしが森に行っていた間に、デリアとロジーナに何かあったのだろうか。新しいペットを増やす時は昔からいる子に配慮がいるように、側仕え同士のテリトリー争いでもしているのだろうか。

……わたし、ペットを飼ったことがなくて本で読んだ知識しかないけど、対応できるかな？

むーん、と脇道に逸れたことを考えながら足を動かしているうちに自室に着き、ギルが扉を開けてくれた。いつもと違って部屋の中には穏やかなフェシュピールの音が響いている。

わたしはちょっと優雅な気分になりながら階段を上がる。ギルから注意を受けていても、デリアが下りてくる気配もなかったし、何か諍《いさか》いがあるような雰囲気でもなかったので完全に油断していた。

「もおおおおぉー！」

「ひゃっ⁉」

顔を合わせるなり特大の「もー！」を食らったわたしが目を白黒させながら部屋の中を見回せば、

ロジーナは全く動じず椅子に座ってフェシュピールを弾いている。

「マイン様、ロジーナが全く仕事をしないのです！」

ビシッとロジーナを左手で指差しながら、デリアがまたもや「もー！」と怒る。わたしはロジーナに視線を向けたけれど、やはりロジーナの視線はフェシュピールに向けられたままだ。

「ロジーナ、おはようございます」

「マイン様、おはようございます。今日もお天気が良くて清々しい心地になりますね」

わたしが声をかけると、ようやくロジーナは手を止めてこちらを見た。デリアのことは視界に入れていないと言わんばかりの態度に、お互いに腹を立てていることを悟る。

「ロジーナ、デリアが怒っているようですが、仕事をしないというのはどういうことですか？」

「まぁ、仕事をしないだなんて、人聞きが悪いこと」

ゆったりとした動作で首を傾げながらロジーナがそう言うと、デリアはクローゼットから青い衣を取り出しながら噛みつくように言った。

「楽器を弾く以外、全く何もしないではありませんか！　ロジーナはフランが言っても聞きませんもの！　マイン様、何とかしてくださいませ！」

バサバサと普段より少し乱暴な動作でデリアがわたしの衣装を整える。ロジーナはわたしのフェシュピールを準備しながら、デリアの怒りなど素知らぬ顔で優雅に微笑んだ。

「わたくしは側仕えとしてフェシュピールの練習をしているではありませんか。マイン様、このように巫女の仕事もわかっていない者は話になりません。さぁ、練習をいたしましょう」

「もー！　楽器の練習なんてしている場合ではありませんわ！」

デリアの怒りは十分に伝わってくるが、三の鐘まで練習と決められている。このまま二人の言い分を聞いていたら練習時間が完全になくなるだろう。

「デリア、三の鐘が鳴るまでは練習時間だから、フェシュピールを教えるのはロジーナの仕事です。それ以外については後できちんとお話ししましょう。デリアの言い分はその時に聞きます」

「……かしこまりました」

むすぅっとした表情のまま、デリアは自分の仕事へと向かって行く。階段を下りる直前でくるりと振り返って、「後で絶対お話しするんですからね！」と念を押された。

「マイン様、あのような戯言《たわごと》は耳に入れる必要はございませんよ？」

「いいえ、意見が食い違う時は全員の言い分の詳細をきちんと聞かなければならないのです。わたくしはそう神官長に教えられました」

「……さようでございましたか」

不満そうに少し顔を曇らせたロジーナだったが、フェシュピールの練習を始めると途端に笑顔が戻ってくる。三の鐘が鳴るまでロジーナに教えられるまま、フェシュピールの練習をした。

三の鐘が鳴ると、わたしは神官長の執務のお手伝いに行かなければならない。ロジーナにフェシュピールを片付けてもらい、テーブルの上にあるベルを鳴らしてフランを呼ぶ。手伝いに行くのに必要な道具を全て揃えた状態でフランが二階へと上がってきた。

「では、わたくしは神官長のお手伝いに行きます。ロジーナはデリアと水を運んでくださいね」

「まぁ、マイン様。何をおっしゃいますの？　それは灰色神官の仕事でしょう？」

ロジーナは信じられないと目を見開いたけれど、わたしも驚いた。ウチの灰色神官はフランとギルだけだ。フランは実務全般を担っているし、ギルは工房関係のことを任せている。二人とも外を動き回る仕事に忙しい。ロジーナは成人が近いので、様子を見ながらフランの仕事を少しずつ引き継いでもらう予定だが、まだどんな仕事が任せられるかわからない。そのため、ロジーナにはデリアと一緒に仕事をしてもらうことになっていた。

「ギルとフランにはそれぞれの仕事があります。ロジーナにはしばらくの間、デリアと一緒に仕事をしてもらう、とフランとデリアには伝えてあったはずですけれど？」

わたしの言葉にデリアは深紅の髪をパサリと手で払って勝ち誇ったような笑みを浮かべた。

「だから、二階で使う水を運ぶのも、あたし達の仕事だと言っているではありませんか」

「そのような力仕事は殿方の仕事でしょう？」

きょとんとした眼差しで、ロジーナは頬に手を当てる。側仕えになっても見習いのうちは部屋の中の下働きをしながら仕事を覚えていくとデリアが言っていたはずだ。その言葉を元に仕事を割り振ったはずだが、ロジーナの様子を見ていると何だか不安になってくる。

「力仕事や雑用は殿方の仕事で女の仕事は芸事を極めることではありませんか。孤児院にいる時ならばいざ知らず、青色巫女見習いの側仕えとなったのに、わたくしが下働きなどしなければならない理由がわかりませんわ。下働きなどしていたら指を痛めてしまうでしょう？」

「指を痛めるって、青色巫女でもあるまいし、何を言ってるのよ！」

「下働きなど、そこにいる神官にさせればよいのです。それに、ここには巫女見習いとはいえ、芸術を解さない者もいますものね」

コロコロと鈴を転がすような声で笑っているが、言っている内容はとても笑えるものではなかった。デリアが噴火するのも納得だ。その考え方はウチの側仕えにはそぐわない。

「ロジーナ、三の鐘までは音楽の時間だけれど、その後は他の側仕えと同じようにお仕事をしてもらうと言ったはずです。デリアと一緒にお仕事をしてください」

「そんな、マイン様⁉　何をおっしゃるのです⁉」

灰色巫女の仕事ではないと訴えるロジーナの意見をわたしはぴしゃりと撥《は》ね退けた。

「わたくしはまだ神殿のことに詳しくありません。昼食後、全員の意見を聞いて判断します」

個人的な意見を言ってしまうならば「前は前、今は今」だが、ロジーナの意見が正しいのか、デリアの意見が正しいのか、他にも意見があるのか、わからない。フランや神官長の意見を聞いてからでなければ勝手なことは言えない。ひとまず、神官長の意見を聞くために一時撤退だ。


神官長の部屋へと向かいながら、わたしはフランを見上げる。部屋の中ではデリアばかりが怒りを噴火させていて他の意見が全く聞けなかった。

「フランはロジーナの意見をどう思っているのか聞いてもよろしくて？」

「ヴィルマとロジーナの前の主、クリスティーネ様は少し変わった方で、芸術を殊《こと》の外《ほか》お好みの青色巫女見習いでした。詩作に励み、絵画を愛し、音楽に耽《ふけ》る毎日だったそうです。周囲に侍《はべ》る側仕えの灰色巫女は見習いも含めて誰もが貴族の令嬢のような優雅さを身につけていました。クリスティーネ様は芸事に秀でた者を優遇《ゆうぐう》していらっしゃいましたから、フェシュピールの上手なロジーナはまるで青色巫女のような生活を送っていたのではないでしょうか」

「詩と絵と音楽に耽る毎日ですか。道理でロジーナがお嬢様然としているわけですね」

灰色巫女は愛人を目指すのが常識だと以前にデリアとギルが言っていたので、灰色巫女とはそういうものだと思っていた。けれど、ロジーナは芸術仲間として青色巫女見習いに優遇され、芸術に励むだけで下働きはしない灰色巫女見習いだったらしい。正直驚いた。

「どうした、マイン？　遅かったな」

神官長の部屋に入ると、神官長がじろりとわたしを見た。

「……不躾《ぶしつけ》は承知の上ですが、神官長。側仕えの仕事とは何でしょう？」

神官長はわたしの質問に答える前にフランに視線を向けた。何を言われるでもなく、視線を向けられただけでフランは簡潔にロジーナとデリアの主張を並べ始める。芸事以外の仕事はしないと主張している部分にはさすがの神官長も絶句していた。

「……なるほど。側仕えの灰色巫女や見習いなのに、ずいぶんと品や教養がある者達だと感心していたが、下級貴族の令嬢より優雅な生活を送っていたということか」

「あの、神官長。クリスティーネ様というのはどういう方ですか？」

神官長が立ち上がり、扉付きの書棚から一冊の資料を取り出した。どうやら青色神官や巫女について書かれたものらしい。パラパラと捲《めく》られ、長い指が該当箇所《がいとう》を探して書面を滑る。

「これだな。クリスティーネは愛妾《あいしょう》の娘だが、魔力が高くて父親は正式に引き取りたいと考えていたらしい。正妻が断固として反対したことが理由で、その身を守りながら教育するために神殿に送られてきたようだな」

パタリと書類の綴《と》じられた資料を閉じて、神官長はアルノーに渡す。

「いつでも父親が手元に引き取れるように、と考えていたようで、家庭教師や芸事の教師もよく出入りしていた。財力のない貴族や魔力が低すぎて預けられた青色神官とは事情も生活環境も違っていたことは記憶している」

特殊な青色巫女の下、特殊な灰色巫女が育ったらしい。ロジーナの意見は灰色巫女見習いとしては一般的でないと考えて良さそうだ。

「芸事以外に仕事ができない側仕えを養っていけるほど、わたくしの心にもお財布にも余裕はないのですが、ロジーナにデリアと同じ仕事をするように命じても問題ありませんか？」

日がな一日フェシュピールばかり弾いているような、わたしより優雅な生活を送る側仕えは必要ない。わたしだって一日中図書室に籠もりたいのを我慢しているのだ。

「主によって側仕えに求めるものが違うのは当然だ。フランは何も言わなかったのか？」

神官長の質問にフランは苦い顔をしてゆっくりと首を振った。

「聞き入れられませんでした。ロジーナは見習いという立場も弁《わきま》えず、私にも命令口調です。彼女の中で灰色神官はずいぶん下に見られているようですね」

「あぁ、それはダメだわ」

わたしの部屋はフランの采配で全てが回っている。フランの命令に従えない側仕えなど全く使えない。即座に孤児院にお帰り願いたいくらいだ。

「一番困るのは夜遅くまで楽器を鳴らすことでしょうか。初日だけならば、久し振りの楽器に浮かれたのだろうと我慢もできますが、次の日も続けばさすがに……。一階の私がそう思うのですから、隣室のデリアは尚更我慢できないでしょう」

なんとロジーナは普通の側仕えの仕事をしない上に、騒音娘だったらしい。

「神官長、ロジーナを孤児院に戻してもいいですか？　ダメならば、神官長が引き取ってください。授業料を支払うので音楽の時間だけこちらに向かわせてくれると助かります」

「主の言葉が聞けぬ側仕えなど必要ないので、こちらでも引き取るつもりはない」

神官長の言葉にわたしとフランは目を見合わせて軽く頷いた。

「昼食後に側仕え全員を集めて話をすることになっています。それまでにヴィルマからも話を聞きたく存じます。大変申し訳ございませんが、本日は失礼してもよろしいでしょうか？」

「そうだな。全員の意見を聞くことは重要だ。行きなさい」

神官長の「少しは成長したか？　いや、要観察だな」という呟きと共に、退室の許可を得たわたしは孤児院に向かう。ヴィルマならば、同じ主に仕えていたということで、ロジーナに味方する意見や事情も聞けるかもしれない。

食堂にヴィルマを呼び出して話をする間に、フランには部屋へカルタ用の板を取りに行ってもらった。そうすれば、成人男性であるフランがいるよりはヴィルマが話しやすいだろう。

「そういうわけで、午後から側仕え全員の意見を聞くことになりました。ヴィルマは部屋に来られないので、先に意見を聞きたいと思ったのです。ロジーナと同じようにクリスティーネ様にお仕えしていたヴィルマも手が荒れるので下働きはできないのかしら？」

汚れていた子供達を洗うために一番に駆け付けたのはヴィルマだった。ヴィルマが下働きを忌避《きひ》しているとは思えないけれど、クリスティーネの側仕えの考えはどうなのだろうか。

「マイン様、わたくしの仕事は子供達の面倒を見ることです。下働きはしたくないなどと言っていては務まりません」

静かにヴィルマがわたしを見つめてそう言った。穏やかでも芯の強い瞳に、安堵の息を吐きながら、わたしはロジーナについて尋ねる。

「では、やはり、下働きをしたくないと思うのは、ロジーナだけなのかしら？」

「ロジーナはその思いが他の灰色巫女に比べても強いのでしょう。わたくしは十歳の時に目をかけられて側仕え見習いとなったのですが、ロジーナは孤児院を出てすぐに引き抜かれたので、孤児院に戻るまで下働きをほとんどしたことがなかったのです。クリスティーネ様のお部屋にいる時分には、ロジーナの言う通り雑務や力仕事は全て灰色神官がするものでした」

ロジーナの幼い頃は洗礼前の子供達の面倒を見る灰色巫女もいた時代だ。それならば、母親達に世話をされ、洗礼式を終えるとすぐに側仕え見習いとなったロジーナは本当に下働きの仕事をせずに育ったに違いない。平民育ちのわたしよりよほどお嬢様育ちだ。

「クリスティーネ様は芸事に一途な方でした。本来ならば年功序列になる側仕えの順位も芸事に秀でた順で優遇していました。あの頃はそれが当たり前だったのです」

だからこそ、主の歓心を買うためにいつも芸事に精を出していた、とヴィルマは語る。

「クリスティーネ様が貴族社会に戻られ、孤児院に戻されたロジーナは生活の違いに愕然《がくぜん》としていました。わたくしもまた孤児院に戻って他の方の話を聞いて初めて、今までの自分達の境遇こそが特殊であったと知ったのです」

それでも、十歳までの下働き経験があったヴィルマは今までが特別だったと現実を受け入れられたが、ロジーナは厳しい現実から目を逸らしたらしい。

「ロジーナは音楽のある生活に戻りたくて仕方がない様子でした。青色神官に召し上げられたならば、以前と同じ側仕え生活にはならないことを覚悟できたと思います。青色巫女見習いであるマイン様だからこそ、ロジーナは以前と同じ生活が戻ると思い込んだのでしょう」

「貴重な意見でした、ヴィルマ。これ、孤児院のカルタです。絵をお願いしますね」

フランが戻ってきていることに気付いて、わたしはヴィルマにカルタの絵を依頼して立ち上がる。

ヴィルマは両手を胸の前で交差すると軽く腰をかがめた。

「マイン様、できればロジーナに自分を見つめ直す時間を与えてあげてくださいませ」

「……他ならぬヴィルマのお願いですもの。できるだけ考慮いたします」

考慮はするけれど、仕事をしない子は必要ないという基本姿勢を変えるつもりはない。ギルや孤児院の子供達にも言っている通り、「働かざる者、食うべからず」だ。

どう考えてもロジーナの環境が特殊なので、全員で一人を吊《つ》るし上げるような雰囲気の話し合いになるだろう。気が重くなるのを感じながら昼食を終え、わたしはお祈りの言葉を覚えながら側仕え達が昼食を終えるのを待っていた。

「では、マイン様。あたしのお話を聞いてくださいませ。うるさいのです、フェシュピールが！それにロジーナは仕事もしません。一体何のための側仕えですの⁉」

ずっと言いたいことを我慢してきたせいだろう。水色の瞳に怒りの炎を燃やすデリアが堰《せき》を切ったように話し始めた。ギルが「デリアの文句はにょきにょっ木」と言ったように次々と文句が出て来る。よくここまで文句が出てくるな、と苦笑してしまうくらいだ。

デリアは同じような文句を繰り返し言っているけれど、その内容をまとめると、夜遅くまで楽器を奏でるので騒音がひどくて眠れない。ロジーナ自身は朝起きないし、下働きの仕事もしない。この部屋の筆頭側仕えであるフランの言うことを聞かない、というものだった。

「デリアの意見はわかりました。ギルはどう思うの？」

「楽器はうるせぇし、人の言うことは聞かねぇし、働かねぇ。何で食べてるんだよって思う」

ギルの中には「働かざる者、食うべからず」が完全に定着したようだ。側仕えとしての仕事を真面目にしないロジーナが側仕えとして遇《ぐう》されることが腹立たしいらしい。

「フランも同じかしら？」

「そうですね。夜遅くのフェシュピールも迷惑ですが、当人が起床時間に起きてこないことにも困っています。指示を出しても動かず、音楽を奏でるだけですから」

わたしはロジーナへ視線を向けた。ロジーナは全員の意見を聞いても涼しい笑顔で姿勢良く座っている。皆から一斉に批判されることで泣き出したらどうしようかと思っていたけれど、そうならなかったことに胸を撫で下ろした。

「ロジーナ、皆の意見に間違いはないかしら？」

わたしが尋ねると、ロジーナはお嬢様らしい微笑みのままおっとりと首を傾げる。

「マイン様にフェシュピールを教えるわたくしが芸事に精を出すのは当然です。下働きの仕事などしていては指を痛めてしまいます。こちらには巫女見習いがいるのに芸術を全く解さないようで嘆かわしいことですね」

やはりロジーナの主張はクリスティーネに仕えていた時のことを基準にしている。

「芸術に造詣《ぞうけい》が深いのは結構ですけれど、夜遅くの楽器は皆の迷惑です。七の鐘が鳴ったら終わりにして、朝は皆と同じ時間に起きてきてください」

「……かしこまりました。けれど、わたくしはマイン様にもっと芸術について造詣を深めてほしいと存じます。芸術についてよく知ればわたくしの言葉を理解してくださるでしょう」

悲しげにそっと息を吐きながらロジーナは自分の意見が全く通らないことに不満を述べた。残念ながら、わたしは必要最低限の教養が欲しいのであって芸術にどっぷりとはまる予定は全くない。本こそが我が芸術。読書こそが我が望みなのだ。

「ロジーナ、以前と同じことを望まれてもわたくしには叶えることができません」

ロジーナを見つめ、わたしはできるだけ主らしい威厳が出るように背筋を伸ばす。わたしが青色巫女見習いらしくないのは事実だが、ロジーナも側仕えらしくない。それを自覚しなければ、ロジーナは次もまた主とぶつかるだろう。

「クリスティーネ様と違って側仕えに音楽だけをさせる余裕はありませんし、ヴィルマは孤児院と絵のお仕事をしています。ロジーナも音楽と他の仕事をしてください。楽器を扱うのに手が大事なのは理解できますから、下働きをしたくないならば実務をお願いします」

今のところデリアとギルで部屋の掃除などはこなせている。わたしとしては書面の代筆、それから、部屋や工房や孤児院の帳簿《ちょうぼ》の計算など、フランの仕事の一部をこなしてほしい。

「ロジーナはもうじき成人ですから、字も書けるでしょう？　書類仕事をしてほしいのです」

書類仕事などしたことがございません、と言いながらロジーナは頬に手を当てて少し首を傾げた。青の瞳はこちらの意見を聞き入れる気がないようにそれとなく逸らされている。

「知らないこと、できないことはこれから覚えればいいのです。わたくしも知らないことばかりですから。……けれど、最初からお仕事をしないと言い切る側仕えは必要ありません」

ロジーナがわたしを見て、何度かゆっくりと瞬きをする。わたしは澄んだ青の瞳をしっかりと見つめながら最後の通告をした。

「ロジーナ、明日までに考えてください。孤児院に戻るか、クリスティーネ様の時と違う環境を受け入れるか。わたくしでは貴女のクリスティーネ様になることはできません」

次の日、少し目を腫《は》らしたロジーナが「マイン様の側仕えとして努力したいと存じます」と申し出てきて、苦手な計算や書類仕事に取り組むようになった。一人で二階の仕事をするデリアはちょっと不満そうに唇を尖らせたけれど、成人が近くて読み書きができるロジーナにフランの負担を減らしてもらうこと自体には文句を言わなかった。フェシュピールを弾く時間もきちんと守っていてくれているようで、デリアがこっそり楽しみにしているのも、興味深そうにフェシュピールを見ているのも知っている。「教えてほしいって頼んでみたら?」と言ったら、「そんなんじゃありませんもー!」と怒られたけれど、多分時間の問題だろう。

そして、わたしはロジーナを見ては自分の品の無さにガッカリする毎日を送っている。一挙手一投足が違うのだ。ロジーナは歩くだけでも、まるで舞を見ているように軽やかで優雅だし、一つ一つの動作はゆったりとしていて決して速くないのに流れるようで遅くはない。不思議なリズムがある。首の傾げ方やペンの持ち運び、衣装の裾さばき、どれもこれもが末端まで神経を使っているように上品だけれど、取ってつけたような感じは全くなくて、あくまで自然。

「ロジーナのような立ち居振る舞いなんて、本当に身につくのかしら?」

「立ち居振る舞いより、計算の方が難しいですわ。その年齢でマイン様がどのようにして計算能力を身につけたのか、教えていただきたいです」

ロジーナと顔を見合わせて小さく笑った。苦手克服は練習あるのみだ。ロジーナの細かい注意を受けながら、わたしとデリアは立ち居振る舞いに気を付ける。愛人になりたいという目的を持っているデリアの方が実は上達が早い。

そんな中、神官長からランチのお誘いの招待状が届いた。指定された日時は十日後だ。「練習の成果を見るので楽器を持ってくるように」と招待状にある。血の気が引いているロジーナと一緒に猛特訓したところ、神官長から与えられた第一課題は三日で問題なく弾けるようになった。

……目標と締め切りは人を成長させると実感したよ。

フェシュピールの先生をしてくれたロジーナには初めてのご褒美《ほうび》として外出用の服を贈り、カルタを仕上げてくれたヴィルマにはスケッチに使えるように紙の束を贈った。

イタリアンレストランの内装

「ベンノさん、インク工房に連れて行ってくれるのはいつになりそうですか？」

冬になる前にインクを作ってみたいと思っているので、自作する前にインク工房の見学をしたい。わたしが神殿に行く前に店に寄って尋ねると、ベンノは軽く頭を振った。

「インクは後回しだ。そろそろレストランの工事が終わる。内装についてもう少し話がしたい」

インク工房に連れて行ってもらおうと思ったら、何故かイタリアンレストランに連れて行かれることになってしまった。

「食事処の外側が完成したんだ。次は内装だが、神殿の貴族区域を参考にタペストリーや美術品の飾りについて意見が欲しい。フランは絶対に連れてこいよ」

ベンノの言い方ではフランの意見が欲しくて、わたしの方がおまけ扱いのような気がする。確かにわたしは貴族の内装について詳しいわけではないから仕方がない。そう考えていたところでハッとした。もう一人、わたしの側仕えには美術品や内装に詳しそうな人材がいる。

「ベンノさん、美術品について意見が欲しいなら、ロジーナも連れて行きましょうか？　新しい側仕えなんですけれど、芸術好きな貴族に特別可愛がられていた子で下級貴族より貴族らしい灰色巫女なんです。多分女性貴族の視点での意見が出てくると思いますよ？」

フランは神官長の教育を受けているので、こうするべきという貴族の規定には詳しいけれど四角四面で柔軟性が少し足りない。神官長自身が無駄を嫌うので「シンプルが一番」という傾向があるのだ。その点、ロジーナは芸術巫女の薫陶《くんとう》をたっぷり受けているので何に関しても遊びの部分があるし、物の配置や見せ方にセンスがある。ロジーナが来てから部屋の中に花が増えたり、隠す収納から見せる収納に変わったりしている。

「それはいい。だったら、明日の午後、神殿に馬車を差し向けるからレストランを見に行くぞ。それから、フーゴもレストランに向かわせるから明日の食事は残りの人員で何とかしてくれ」

インク工房への見学があっさり流されたことにはガッカリしたけれど、レストランの外装ができあがったのは嬉しいことだ。ルッツと一緒に「楽しみだね」と話し合いながら神殿に行って、皆に明日の予定を伝えた。

「明日はベンノ様が馬車を差し向けるので、午後からレストランの方へ来てほしいと言われました。

従者としてフランとロジーナが同行してくれますか？」

「かしこまりました」

「それから、フーゴにも厨房を見てもらいたいそうです。明日はフーゴをお休みさせて、ギルベルタ商会に向かうように伝えてちょうだい。新しく入った料理人のトッドは大丈夫かしら？」

「エラがいれば、問題なく進められると思われます」

フランを通して、フーゴ達にも通達してもらった。トッドは不安そうだが、もともとフーゴだってエラと二人でずっと料理してきたのだから何とかなるはずだ。


次の日、昼食を終えた後、フランとロジーナには外出着に着替えてもらって、わたしもデリアに手伝ってもらいながら青い衣を脱いで、袖口の長い貴族っぽいブラウスに着替えた。現場に行くとフーゴがいるので、お貴族様な装いと立ち居振る舞いが必要なのだ。

「あたしも行きたかったですわ。もー！　あたしばかりお留守番ではないですか」

「ごめんなさいね、デリア。今回はロジーナの意見が欲しいのです」

恨みがましい目で見ながら支度を手伝ってくれたデリアにそう言っておく。どれだけ神殿長に伝わるかわからないので、今回デリアは連れて行けない。それに、お留守番ばかりになるのはデリアが孤児院に行きたがらないし、森に行くより自分磨きがしたいと言ったからなのだが、そういうことは都合良く忘れているらしい。

「いつもお留守番をして、部屋を整えてくれるデリアにご褒美が必要かしらね？」

デリアにはそう言い置いて、わたしとフランとロジーナはベンノが差し向けてくれた馬車に乗り込んだ。フランはいつもの茶色の服で、ロジーナはモスグリーンのワンピースに幾何学模様の刺繍が入った深緑のボディスをつけている。ふわふわとした栗色の髪とよく合って、どこから見ても深窓の御令嬢である。わたしがロジーナを褒めると、「褒めすぎですわ、マイン様」と恥ずかしそうにスカートの裾を軽く引っ張った。

……照れ方が奥ゆかしい感じで非常に可愛いのですが、わたしにも真似できると思いますか？いいえ、思いません。

わたしは馬車の中でロジーナにイタリアンレストランと今日の仕事内容を説明する。

「イタリアンレストランは貴族の食堂のような雰囲気を目指しています。お客様として大店の旦那様のような富豪層を考えているので、内装も気を使うつもりなのです。貴族が使う食堂と想定した上で、フランとロジーナの意見が欲しいのです」

「クリスティーネ様のお部屋を整えるように考えればよろしいのですか？」

ロジーナの言葉にわたしは頷いた。フランも神官長や神殿長の部屋を想定して意見を述べてくれるようにお願いする。

「では、我々が意見を出しますので、マイン様はあまり意見しないようにお気を付けください。フーゴがいるようですし、必ず我々を通して意見をおっしゃるようにお願いいたします」

わたしはベンノと商売関係の話が始まったら、どうしても熱くなって口数が多くなってしまう。今日は思いついたことを書字板に書き込んでいくしかないようだ。

……お嬢様にだけはなりたくないよ。お喋りする自由もないなんて……

ガタゴトと揺れる馬車が外装の工事が終わったレストランに着くと、ルッツが入り口で待っていた。今日はわたしもお貴族様仕様だが、ルッツも貴族に対応する商人見習いらしく、姿勢を正している。お互いの澄まし顔に笑い出さなかっただけ上出来だろう。

「ようこそおいでくださいました、マイン様」

わたしとルッツは茶番のような挨拶を済ませ、装飾的な大きな木の扉の向こうへ足を踏み入れる。そこはわたしの部屋の一階に似た感じの小さなホールになっていた。

「こちらが受付や勘定をする待合室、左が厨房で右が食堂になっています」

ルッツがそう言いながら、右側を示せばこれから扉が入る予定なのか、四角に穴の開いた白い壁がある。その奥にはベンノがいて、わたし達に気付いて出てきてくれる。

「マイン様、ようこそおいでくださいました。こちらがレストランの食堂になります」

ベンノも貴族対応の言葉遣いで出迎えてくれた。ここの内装はベンノにとって一番身近な貴族の部屋である孤児院長室がモデルになっているらしいが、あまりにも白くて殺風景だ。

「腰壁《こしかべ》を張り巡らせる予定ですが、彫刻に凝《こ》った腰壁がなかなか納品されてこないのです」

喋ることを制限されているわたしは書字板に「腰壁の納期」と小さく記す。

「腰壁や飾り棚はどのような物にするか決まっていますが、まだ棚に飾る美術品が決まっていないのです。タペストリーや絵画、彫刻、植物などを選び、どこにどう配置するか、ぜひ、マイン様の意見を伺いたく存じます」

わたしの意見を聞きたいと言いながら、ベンノの視線はフランとロジーナに向いている。

「こちらに置かれるのは、どのような飾り棚を予定していますの？」

「大きさや幅、色によって、飾る物も変わるのでは？」

二人の質問にベンノが答える。貴族の館に出入りする商人なのだから、ベンノは貴族の中の流行は知っている。けれど、美術品や飾りのセンスは予想通りロジーナの独壇場《どくだんじょう》だった。そして、ロジーナの意見にフランが金額的に安い代案を出したり、ここまでは必要ないと華美になりすぎるのを抑えたりしている。わたしは口を挟まず、二人の意見を聞きながら、ちょこちょこと書字板にメモを取っていた。傍から見ればどちらが従者かわかるまい。

「マイン様は内装に必要だと思われる物はございますか？」

「……そうですね。片隅に本棚を置くと、とても素敵だと思います」

ぐわっと目を見開いたベンノが「阿呆！　却下だ。どれだけ金をかけるつもりだ⁉」と言いたいのを、辛うじて呑み込んだような顔でわたしを睨んだ。

「マイン様、飾りとして本を揃えるのは、さすがに金額的に無理ではないかしら？」

「食堂に置くと、匂いも移りますから」

側仕えの二人にも却下され、わたしはコクリと頷く。無理なことはわかっている。質問されて、欲しいなと思ったから、一応意見として述べただけだ。口を閉ざして、わたしはおとなしく二人の側仕えが話しているのを聞いておくことにした。

「開店が春以降になるならば、タペストリーよりカーペットを重視した方が良いのではないかしら？　貴族の部屋にはカーペットが必ず敷かれていて足音やワゴンの音を消しています」

「ワゴンを動かしやすく、厚みがある物を探すのは大変ですが、それだけの価値はあります」

貴族としてだけではなく、給仕する従者としての視点からも意見が出てくる。わたしとベンノは書字板に二人の意見をメモしていった。テーブルの数、椅子の数、予備を置いておくスペースについて、どんどんと話が進んでいく。

「そうですね。貴族の食事という雰囲気を出したいなら、テーブルクロスではなく、ナプキンを使うのはいかがでしょう？　個人個人で手を拭くために、テーブルクロスを小さく切った物なのですが、最近、貴族の間ではナプキンを使うようになってまいりました」

フランの言葉にわたしはパァッと顔が輝いていくのがわかった。テーブルクロスは麗乃時代のように見栄えを良くするためにあるのではなく、食事で汚れた手を拭いたり、口元を拭ったり、ひどい時には鼻をかんだりすることに使われている。新品ならまだしも、何度か使えば食べ物の染みは落ちないし、ここの衛生状況では赤痢《せきり》などの疫病のもとになることもあるのだ。

「フラン、素晴らしいです。汚れの落ちていないテーブルクロスを使うと高級感がなくなりますもの。個人個人で使う大きさならば、汚れても新しい物に変えやすいですよね？　飲食店は清潔感が第一です。テーブルクロスがあれば使うお客様がいらっしゃるでしょうから、いっそテーブルクロスは退けてナプキンを準備することにしましょう」

ふぅむ、とベンノは何か考えるように顎を撫で、わたしはロジーナにそっと肩を叩かれて口を閉じるように示された。

……興奮しすぎた？　でも、ホントに汚いテーブルクロスは嫌だったんだもん。

そして、食堂の方の打ち合わせが終われば、次は厨房だ。孤児院長室とほぼ同じだが、広くなっている厨房をぐるりと見回すと、フーゴとマルクが話をしている。調理道具や食材、薪についてどんな話がまとまったのか、フランに聞いてもらった。

「マイン様の厨房で使い慣れている道具と同じ物を準備してもらうことにしています」

そうフーゴは答えた。聞こえているけれど、フランが復唱し、わたしの意見を求める。

「調理道具は使い慣れた物を揃えるので良いでしょう。ただ大きさや数はよく考えて注文してくださいね。忙しくてすぐに洗えない時のために複数準備しておいた方が良い物もあります」

フランに囁《ささや》くように意見を述べると、フーゴは目から鱗《うろこ》が落ちたような顔をした。マルクがいつの間にか作っていたらしい書字板にメモしているのが見える。

「食材は新鮮であることと味の良い物を提供してくれるお店を三つほど確保した方がよろしくてよ。それから、薪はオーブンを使うことになると大量に必要になるでしょう？　余所の街から仕入れることも視野に入れて、早目に確保を始めてくださいませ」

厨房でのまどろっこしい意見交換を終えると、マルクとフーゴを残して、残り全員で馬車に乗ってギルベルタ商会へと向かった。店の中で忌憚《きたん》なく意見交換をするためだ。

店の奥に入ると、わたしはぺいっとお嬢様の仮面を投げ捨てた。ロジーナが顔をしかめたけれど、ベンノと商談するのにお嬢様らしい態度では、意見が通じたのか通じてないのかわからなくてまどろっこしい。書字板を開いたわたしはバッと挙手した。

「じゃあ、ベンノさん。わたしが気になったところから質問します。腰壁の納品が遅れていると言っていましたけれど、いつになるんですか？　内装の要ですよね？　腰壁がなかったら絵を飾ることも棚を入れることもできないじゃないですか」

「工房でも急いでくれているようだが、確実に冬は越えるだろうな。腰壁だけではなくて、扉や窓枠もあるから時間がかかっても仕方がない」

わたしはベンノの言葉にものすごく引っ掛かるものを感じて、むむっと眉根を寄せた。

「えーと、もしかして、一つの工房に頼んでいるんですか？」

「……普通は専属の工房に頼むだろう？」

複雑な彫刻を依頼しているのに、腰壁だけではなく、扉や窓枠も注文するのは明らかにオーバーワークではないだろうか。

「いくつかの木工工房に分けて注文すればいいじゃないですか。一つの工房に頼んでいたら完成するのは一体いつになるんですか？　腰壁はここ、内扉の装飾や窓枠の装飾はあそこ、飾り棚や家具はそこというように割り振らないといつまでたっても完成しないと思うんですけど」

しかし、ベンノによると専属契約している工房に頼んで、一つの店を作るにもずいぶんと時間をかけるのが普通らしい。これまで工房の準備はすでに設備があるものを買い取るだけだったので、それほど時間がかからなかったというだけで、これが一般的だそうだ。

「一つの工房に任せるのが一般的だと言うなら、商人の世界のことはベンノさんにお任せします。……ただ、木の素材とデザインを細かく指示すれば、職人なら普通に仕上げてくれますし、色々な工房と繋がりを作るのも悪くないと思いますよ？」

「……考えておこう」

ベンノが木札に何やら書き込んでいるうちに、わたしは次の項目に視線を移した。

「食器はどうするのですか？　貴族の食器に木の器はあまり使われませんけれど？」

「……一応ピューターの皿を想定して注文を出しているが、これもまた時間がかかりそうだな。同じ物で数を揃えるのが大変なんだ。貴族は使い回しをしないからな」

安い食堂なら手づかみが当たり前だし、カチカチのパンをお皿に使う。最近は少しずつ減ってきたけれど、食器の共有も珍しくはない。ただ、貴族は違う。貴族のやり方に合わせて全員分の食器を準備しようと思ったら、基本的に手作りなのだから時間がかかるのは当然だ。だからこそ、あちらこちらの工房に依頼すればいいのに、と思う。

「テーブルごとに工房を変えるとか、料理の値段によって変えるとか……どうでしょう？」

「お前は少し急ぎすぎだ」

複数の工房に一度に依頼するのは、あまり歓迎されないことらしい。ベンノの苦い顔にわたしも同業ではない工房を使うことを提案してみる。

「だったら、ピューターだけじゃなくて、銀食器や陶器にも手を出してみたらいかがです？」

ベンノが「高すぎるぞ」と嫌そうに顔をしかめた。

「上等の客だけに使って特別感を付けるんです。普段は飾っておけばいいじゃないですか」

「……なるほどな。二人はどう思う？」

ベンノがフランとロジーナに視線を向けると、フランが口を開いた。

「マイン様の意見は比較的有効だと思われます。貴族でも招く主賓《しゅひん》とそれ以外でお皿を変えることもございますから。ただ……」

フランやロジーナによると、貴族は食事に行くのに自分のカトラリーとコップを持参するものらしい。その品質を自慢し合うこともあるし、代々引き継がれる食器もある。食器というのは財産なのだ。何より、毒殺を考慮する者は自分で皿を準備することも当たり前だと言う。

「平民にはそのような習慣はないな」

「貴族の習慣を広げればいいじゃないですか。店にも準備はしておくけれど、最初の試食会の招待状には貴族の習慣としてカトラリーとコップを持参してもらう旨を書けばどうですか？　富豪だったら自慢の食器を持っていそうだし、自慢したくて新しく準備する人もいるかもしれませんよ。ベンノさんは自慢の食器ってないんですか？」

わたしの言葉にベンノが小さく唸った。

「……ある。自慢合戦が始まったら収拾がつかなくなる気がするが、持って来いと言われたらいそいそと持って行きたくなる食器は持っている」

「じゃあ、基本的に持参してもらうようにすれば、店で準備するカトラリーはそれ程多く必要ないと思いますよ。高価な食器をお客様に盗まれる心配も減りますし」

内装を貴族の館のように整える上で一番の心配事が、客による盗難や略奪、破壊だとベンノは言った。店の物を盗むというのがわたしには理解できないが、珍しくないそうだ。

「あぁ、そういえば……以前に支払いの踏み倒しや盗難防止の策を思いついたと言っていたな？　説明してくれ」

わたしはグッと胸を張って答えた。

「それは、ですね。『一見さんお断り』です」

レストランのシステム作り

一見さんお断りについて簡単に説明すると「……紹介や口利きなら普通だろう？」とベンノは肩を竦めた。この街では服装や紹介がないことで入店を断られるのはよくあることだ。

「紹介されたところで客の金払いと振る舞いは別物だ。金払いが良いからといって、上質の客だとは限らない。逆に金払いが良いせいで傲慢で横柄になることもあるから困るんだろうが」

厄介《やっかい》な客も多いのか、溜息混じりにベンノがぐしゃりと髪を掻《か》き上げた。わたしはこの街で行われている紹介と一見さんお断りの違いを丁寧に説明する。

「ただの紹介とは違うんですよ。紹介されてお客様になった方が装飾品を盗んだり、騒ぎを起こしたり、問題を起こした時は、紹介した人に支払いや解決の責任を取らせるんです」

「紹介者に支払いをさせるだと⁉」

ベンノが目を剥《む》いて机を叩くようにして立ち上がる。かなり予想外だったのか、呆然《ぼうぜん》とした顔でわたしを見下ろした。

「えぇ。もし、面倒事を起こせばお店とお客様だけの問題ではなくなりますから、厄介事に関する抑制《よくせい》効果は高いと思います。紹介する側も適当な人間は絶対に紹介できません。何か問題があれば結局は自分に返ってくるから当然ですよね？　信用できる人間のみ紹介されるようになります」

「……だが、それは、紹介する客に負担が大きすぎないか？」

座り直したベンノがぐりぐりとこめかみを押さえる。予想以上にショックを与えてしまったようだ。店を紹介することはあっても、その後の責任を負わされることはないからだろう。

「店の雰囲気を大事にして面倒事の起こらない心地良い時間と料理を提供するんですから、結果的には常連のお客様を大事にすることになると思いますけど？……まぁ、取り入れるかどうかはベンノさんの判断に任せます」

意見を取り入れるかどうか判断するのはベンノの役目だ。わたしは質問されたから、思い当たる解決策を提示しただけである。見習いにもならずに終わった商人見習い未満のわたしでは自分が知っているシステムがこの街に合うかどうかもわからない。

「ただ、貴族の料理が食べられる高級レストランという店自体が初めての試みだから、馴染みのない規則だとしても最初から決めておけば大きな問題にはならない気がします。途中から導入するのは無理ですけれど」

ベンノがくっと眉間に深い皺を刻み込んで空を睨む。

「取り込むとしたら、相当細かく決めておかなきゃならんぞ？」

「うーん……絶対に譲れないところだけ決めておいて、後は店や周囲の状況で少しずつ改変していけばいいんじゃないですか？　初めて導入するものなんですから、あまりカッチリ決めないで、多少余裕を持たせた方がいいですよ。多分」

「ふぅむ……」

ベンノが考え込むのを見た後、わたしは自分の書字板に視線を落とした。

「じゃあ、『一見さんお断り』はこのくらいにして、開店までに店で準備しておかなきゃいけない物を考えましょう」

「準備しておく物だと？　内装のことは決めただろう？」

怪訝《けげん》そうにベンノがわたしを見た。自分の書字板に書き連ねられている「気になった項目」を見て、わたしはむぅっとベンノを睨んだ。

「何を言ってるんですか？　内装しか決まっていないじゃないですか。各テーブルにメニュー表やベルが必要でしょう？　貴族らしさを重視して品の良い物を準備しなければダメです」

「メニュー表？　メニューは給仕が教えるものだろう？」

この世界においてメニューとはテーブルに付いた給仕が口頭で教えるものらしい。どこにいっても腸詰《ちょうづめ》を焼くのか煮るのか程度の違いしかないような平民の店や、すでにメニューが決まっていて「今日のメニューはこれ」と宣言するだけで良い貴族の家での食事ならば給仕が教えるので問題ないかもしれない。けれど、どんな料理かよくわからない複数のメニューの中から複数の人が自分の食べたい物を選ぶのにメニュー表がなければ給仕の方が大変だ。

「メニュー表に店で作れる料理や準備されているお酒の銘柄を書いて各テーブルに置いておけば、給仕に一々尋ねなくても大体はわかるし、ゆっくり選べるでしょう？　どれだけの給仕を付けるつもりなのか知りませんけれど、少しでも手間が省《はぶ》けるところは省いた方が良いですよ」

「メニュー表を作ったとして、字が読めない者はどうする？」

ベンノの苦々しい顔にこの街の識字率の低さを思い出したが、大した問題ではないと思う。

「レストランの最初のお客様は大店の旦那様でしょう？　商人見習いになるためにルッツでさえ文字を覚えさせられたのに、大店の旦那様が読めないということはないでしょう？」

それに、大店の旦那様の会食は仕事の話が中心になるので必ず資料や筆記具を持った従者が脇に控えている。主従揃って字が読めなかったら話にならない。契約書で何が書かれていてもわからないようでは仕事になるはずがないのだ。

「あ、それで、メニュー表なんですけど、ちょっと厚めの紙を漉いてもらって、前に作ったみたいに植物の透かしを加えてみませんか？　定番料理と季節の料理の表を準備するんです。植物紙の宣伝にもなるじゃないですか」

ちょっとオシャレな感じにしてみたい。可愛いのではなく、綺麗な雰囲気で。今の季節ならどんな植物が合うだろうか。いっそ色付きの紙を作ってみるのはどうだろうか。

「わざわざ紙を使うのか？　メニュー表はそこまで必要か？」

「レストランにメニュー表は必須ですよ！　あ、マイン工房で準備しましょうか？　ウチの側仕え、うっとりするくらい字が綺麗なんです。すごいでしょう？　ふふん」

「……必要性も、どんな物かも、いまいちわからん。お前に任せる」

疲れたようにベンノが頭を抱えた。新しいお仕事を獲得したわたしは脳内でメニュー表のデザインを考えてニヨッと笑う。

「はぁい、任されました。それから、給仕はどうします？　貴族らしさを追求するなら、その辺りで雇った平民に給仕は務まりませんよ？」

平民が行く店の給仕と貴族の給仕は大違いだ。それはフランを始めとする側仕え達の給仕を受けているわたしが一番よく知っている。大量の料理を運ぶせいで乱暴だろうが零れようが気にしない下町の給仕とフラン達を一緒にしてもらっては困る。ベンノもそれをよくわかっているようで、少しばかり情けない顔でわたしを見た。

「……お前のところで何とかならないか？」

「それは、給仕もわたしの部屋で練習させるということでしょうか？　うーん……料理人はともかく、給仕は中に入れる許可が取れない気がします」

「逆に、神官を外に働きに出すのはどうだ？」

「明日、神官長の昼食にお呼ばれしているので聞いてみます。期待はしないでくださいね」

以前に、「紹介をしてくれたり、面倒を見てくれたりする人がいないから孤児は神官や巫女にしかなれない」と神官長は言っていた。その時は「後見人がいれば外に出せる」という意味で受け取ったけれど、孤児院や神殿の現実を知ってしまうと額面通りには受け取れない。今は余っている神官が多いので、お金を稼いで来られるなら良いと言われるかもしれないし、神殿のシステムが壊れる可能性があると判断されるかもしれない。微妙なところだ。

「そうですね。……あとは、最初の試食会に神官長をお招きしようと思うんですけれど、ベンノさんはどう思いますか？」

「ちょっと待て。神官長だと？　本物の貴族を呼んだとして本当に来るのか？」

貴族が平民の店にやってくるという状況はあり得ないことだ。基本的に貴族街の自分の家に呼び付ける。神殿は貴族街と平民の街の境にあるので、両方に通じる門がある。しかし、青色神官が儀式以外で平民の街に出ることはない。

「わたしが考案した料理やお菓子に神官長は興味があるみたいでした。攻め方によると思うけど、連れ出せない雰囲気ではなかったと思います」

興味深そうにベンノが顎を撫でながら、「ほぉ」と言って考え込む。

「ですから、本当にベンノさんが信用できる人だけを最初の試食会にお招きするのはどうですか？　貴族と一緒に食事って特別感が出ませんか？」

「……間違いなく出るだろうな」

「本当に貴族も出入りするって店になれば、イタリアンレストランにも箔《はく》が付くでしょ？」

ベンノの赤褐色の目が利益を見据えた肉食獣のようにギラリと光った。

「カトルカールの試食会と違って、大勢を招いて一度にしようと思わないで少人数ずつ信用できる人だけを招きましょう。料理人の人数を考えても一度にたくさんは無理ですよ。料理が高価だから、それほどたくさんの潜在顧客数がいるはずないんです。選ばれた人だけが入れる店として、できるだけ高級感を出す方向で行けばどうです？」

「神官長の協力が得られるなら、行けるだろう。失敗するなよ、マイン」

ガシッと握手してニヤリとベンノと二人で笑っていると、ロジーナがおっとりと首を傾げた。

「あの、マイン様。音楽はどうなのでしょう？　貴族の食事会であれば、奏者が複数呼ばれて代わる代わる演奏するものですけれど、レストランでは音楽はなさいませんの？」

……音楽については何にも考えてなかったね。

わたしがゆっくりとベンノに視線を向けると、ベンノはお手上げだと軽く肩を竦める。

「残念ながら、貴族の会食で演奏できるような奏者に伝手がない」

「……ロジーナの気持ちはどうかしら？　レストランで演奏してみたいと思いますか？」

「楽器を触っていられる時間が増えるならそれに越したことはございません」

きっぱりとそう言い切ったロジーナを見る限り、むしろ、自分がフェシュピールを弾きたいからこそ音楽について言い出したような感じに思えた。

「レストランは昼食をメインに開店するんですよね？　それならば、予約時に要求があって別料金を支払うなら、って感じになりますけど……ロジーナを貸し出せます」

昼食時に別料金を支払っても音楽が欲しいお客様がいればロジーナをその時だけ貸し出すのは構わない。三の鐘が鳴って音楽の練習が終わった後レストランへ向かえば間に合う。ただ、実務も覚えてもらわなければならないし、毎日になると神官長へのお伺いが必須だ。

「……おい、夜はどうするんだ？」

「え？　却下に決まっているじゃないですか。夜はお酒が入るかもしれないでしょ？　ロジーナみたいな可愛い子を酔っ払いの前に出すつもりなんてありません。夜に音楽を使いたいなら、ベンノさんが奏者を探してください」

普通、夜に酒場で働く女給は売春婦を兼ねているので、余所とは違うと言っても客が聞き入れない可能性がある。わたしは夜にロジーナを出すつもりは爪の先ほどもないのだ。

細かいことについて話し合っているうちに、六の鐘が鳴った。仕事は終わりの時間だ。今日話し合った色々な項目をベンノがまとめながら、わたしを見据える。

「お前、明日は神官長のところで色々見てこいよ」

「任せてください！」

「……くっ、不安で仕方ない」

胃の辺りを押さえるベンノを見たわたしは、むぅっと頬を膨らませた。

「わたしはレストランがいつ仕上がるのか不安で仕方ないですけどね」

次の日は神官長の昼食にお呼ばれだ。三の鐘が鳴るまでは最後の追い込みで、気迫のこもったロジーナにすごい目で見られながら練習した。フェシュピールだけなら間違うことなく弾けるけれど、歌に気を取られると弦の位置を見失いやすくなる。そこに注意すれば大丈夫だ。

練習の後は神官長のお手伝いである。フランは昼食会の準備があると言って、執務への同行をギルに任せた。わたしにとっては相手が神官長なので多少失敗しても問題がない気楽なお呼ばれだけれど、フランとロジーナは神経を尖らせている。

……対貴族ってことになると、あの二人、とっても息が合うんだよね。

四の鐘が鳴った後、執務のお手伝いを終えたわたしはギルと一緒に一度部屋に戻った。デリアの手によって軽く身だしなみを整えた後、大きいフェシュピールを抱えたロジーナとカトラリーや小さなフェシュピールの入った箱を持ったフランを連れて出陣である。一応課題曲は弾けるようになったけれど、緊張してすでに手が震えているわたしと違って、神官長の部屋で食事中にフェシュピールを弾くようにと要望を受けているロジーナは涼しい顔をしている。

「……ロジーナは緊張しないのでしょうか？」

「しております。胸の辺りがざわめき、とても落ち着かない心地ですわ」

にっこりと柔らかな微笑みを見せながら言われても全く信用できない。けれど、ロジーナの笑顔は貴族の令嬢と同じ武装だ。自分の身を守り、相手に隙を見せないための。

「ちっともそうは見えませんけれど、緊張を見せないようにしなければならないのですね？」

「えぇ、笑顔で余裕があるように見せるのです」

神官長の部屋へ着くと、数人の灰色神官により家具の配置が変えられ、昼食の準備が始められていた。無駄のない動きでテキパキと働く神官長の側仕えを視界の端に留めながら、わたしは招待してくれた神官長に貴族の挨拶をする。フランによって叩きこまれた挨拶文とロジーナによって叩きこまれた優雅なお辞儀だ。フランとロジーナが二人がかりで考えた挨拶は神々の名前から始まり、招待を受けたことをいかに栄誉に思っているか詩的に表現したもので、かなり長い。その挨拶を片膝を立てて跪《ひざまず》き、両手を胸の前で交差した体勢を崩すことなく言い切らなければならない。そこに優雅さを求められると、筋力がないわたしには苦行でしかなかった。

挨拶文の暗記に付き合わされたルッツもげんなりしていた。「面倒くせぇな。本日はお招きいただきありがとう存じます、でいいじゃん！」と言っていたくらいだ。ルッツもギルベルタ商会のダプラとして貴族に関わるようになるので今から一緒に覚えているのだが、言い回しの難しさや多くて長い神の名前に辟易《へきえき》している。こんな時ばかりは一神教が良かったと思う。

でも、練習の成果はあったようで、神官長を前にしても度忘れして頭が真っ白になることもなく、普段と比べて二倍くらいは優雅に挨拶できた。最後に衣装の裾を踏んですぐに立ち上がれなかったけれど、転びはしなかった。わたし、成長した。

「まぁ、いい。良くできた部類だろう。ご苦労だったな、二人とも。……それで、フェシュピールの練習はできたか？」

挨拶については指導係の二人を褒め、フランが持っているフェシュピールを見て、神官長はわずかに唇の端を上げる。わたしは笑顔でロジーナを見た。

「先生が素晴らしいので、上達したのではないでしょうか」

「まぁ、そんなことございません。マイン様には音楽の才能がおありなのです。音階もあっという間に覚えてしまわれましたし、お耳も良いようで音を察する能力もございます。まだ指の動きがぎこちないですが、それは練習次第ですもの」

「……やめてぇ！　才能なんてこれっぽっちもないから！　麗乃時代のピアノ経験と音楽の授業の残りかすなんだよっ！」

　もう勘弁してください、と土下座で謝りたい気分だが、狼狽《うろた》えてはならない。先程ロジーナに言われた通り、ひとまず笑ってみたが、笑顔が引きつっているような気がする。

「ほぅ、それは楽しみだ。食事の準備が終わるまで君の練習成果を見るとしよう」

　神官長の言葉に灰色神官が椅子をさっと準備して、わたしを座らせてくれる。フランがわたしにフェシュピールを手渡しながら小さく「大丈夫ですよ」と励ましてくれた。

　練習通りにやればいい。最初の課題なのでそれほど難しい曲ではない。落ち着いてやれば大丈夫だ。ゆっくりと深呼吸した後で顔を上げると、ロジーナの方が緊張しているように顔を強張らせているのが目に入った。まるで初めての授業参観を見守る母親のようだ。

　わたしはフェシュピールの弦をピィンと弾く。最初に覚える短い練習曲は「秋の実り」だ。歌詞としては食べ物の名前が並んでおいしいな、という歌で、指さえ動けば難しくはない。

「森の恵み、秋の実り～……」

　一応間違わずに弾けて、ホッと安堵の息を吐いた。

「……よくできているな」

「えぇ、マイン様はとても覚えが早くていらっしゃいます。せっかくの機会なので、この間、作っていらっしゃった歌も神官長に披露してはいかがですか？」

「え？……作った歌？」

……何だろう？　全く覚えがないんだけど……？

「確か……このような旋律の……」

子供だからだろうか、この身体が優秀なのか、マインの耳は麗乃の時よりも音が拾いやすい。絶対音感とは言わないけれど、かなり音感があるのだと思う。記憶にある曲を音階に置き換えるのが、麗乃時代より容易なのだ。こっそりと記憶にあった曲をフェシュピールで弾いてみたのだが、ロジーナにしっかり記憶されていたらしい。

「まだ、歌詞ができてないから……今回は見合わせます……」

さすがに英語の映画の主題歌をこちらの言葉に即興で直して歌うのは無理だ。わたしがゆっくりと首を振ってそう言うと、神官長は興味深そうに目を輝かせながら微かに笑った。

「では、次回を楽しみにしておこう。次の課題曲はこれだ」

……のぉぅ。また自分でハードル上げちゃったよ。

新しい譜面を受け取りながら、わたしは心の中で涙する。次回は課題曲に加えて、自作の歌まで披露することになってしまった。

「では、こちらへ」

銀に輝く食器が神官長の前には並んでいる。わたしの前にはフランが持参した食器がフランの手によって並べられる。壊したり、盗まれたりする危険がある食器は自分の従者が扱い、他の者には触らせないのが普通だそうだ。

わたしが部屋で使っているのは前の孤児院長が残していた食器で、物は良いらしい。フランは買い替えた方が良いと言ったけれど、部屋に見合う食器は高いので却下した。「前の孤児院長がどんな人か知らないけれど、物に罪はないのです」と主張して勝手に譲り受けている。

貴族の食事はギルド長の家でも食べたことがあるように、わたしが知っているコース料理の順番によく似ていた。飲み物が注がれて、前菜の次にスープで、メイン料理が続き、果物やデザート、食後のお茶へと続く。ただ、量と種類が半端ない。残った分が従者に回されるせいだろうと思われるが、前菜だけで八種類の皿が並んでいる。給仕する側仕えが少しずつ主の皿に盛っていくのだが、前菜だけでお腹いっぱいになりそうだ。

わたしの食べられる量を把握しているフランは、わたしが好みそうな物を三種類だけ取り分けてくれた。はむっと食べながら、わたしは自分達の料理の改善点を探す。

……味はいい線いってるけど、料理の飾り切りや盛り付けにもっと工夫が必要かも。かなり見た目のレベルが高いよ、貴族料理。

スープは神官長のところでも味気ないものだった。スープだけならわたしの勝ちだ。メイン料理も数種類あって食べられるだけ切り分けるらしい。神官長のところでもメインは肉料理で、魚料理は見当たらない。どうやら貴族でも魚はほとんど食べられていないようだ。

食事中はフェシュピールの練習のこと、執務内容に関するちょっとした疑問点、今の孤児院の状況、マイン工房の状況などの話をした。神官長は基本的に相槌を打つだけだ。たまに遠回しに何か言うのだけれど意図がつかめない。わたしが首を傾げて、神官長が諦めの溜息を吐くまでがワンセットになっていた。

……給仕はフランがやる通りで問題ないね。音楽はできればあった方が良いかも。

ロジーナのフェシュピールを聴きながら食事をしていると、そう感じずにはいられなかった。麗乃時代は店に入れば音楽が流れているものだったけれど、ここで音楽を聴くのはそう簡単なことではない。だからこそ、ひどく心豊かな気分になれる。

「……何やら考え込んでいるようだが、この食事は参考にはなったのか？」

食後のお茶を飲みながら、神官長が問いかけてくる。

「はい、とても。……神官長、わたくし、相談があるのですが」

「待ちなさい。君の相談事はあちらで聞く」

神官長に遮られ、わたしはゆっくりと香り高いお茶を飲み干した。隠し部屋へと案内されて、わたしは神官長について中に入る。神官長が椅子を準備している間に長椅子の上を片付けて自分の場所を確保することにも慣れてきた。

「では、聞こう。今度は一体何だ？」

外に出るということ

「余っていると言われている灰色神官を外で働かせることはできませんか？　貴族が食べているような料理を出すお店、レストランでの給仕をさせたいのですけれど」

以前にわたしの部屋で話した時のことを思い出したのか、あぁ、と神官長が小さく呟いた。

「給仕ということは灰色神官の中でも側仕えを経験した者でなければならないわけだな？」

「側仕え経験のある灰色神官は物腰も柔らかくて、人当たりも良くて、姿勢も良いので、一番合うと思うのですけれど、側仕えになったばかりのギルでもある程度できるようになっているので、教育すればすぐにできるようになると思います」

経験者が一人はいた方が助かるけれど、側仕え経験のある灰色神官でなくても特には問題ない。孤児院の子達は見ている対象が側仕えや青色神官で、暴力はいけないと教え込まれるせいなのか、閉じ込められて従うことを生まれた時から教えられるせいか、基本的におとなしくて従順だ。お手本が身近にいるので、教育するのもそれほど大変ではない。

「……すぐにできるようになるならば、下町の平民を教育すればいいだろう？」

「貴族を身近に知っているかどうかという点で大きな違いがあるのです」

教育が簡単ならば、ベンノも悩まないのだ。下町の飲食店の給仕は大体が売春婦も兼ねた女給だ。

そして、忙しい時は料理人見習いも駆り出されるけれど、基本的に程度の低い仕事だと思われている。給仕として雇わなければならないが、募集してもやってくるのは間違いなく貧民に近い女性ばかりになるだろう。それでは、店の高級な雰囲気が壊れてしまう。教育するにもルッツが大変な苦労をしているように、姿勢や言葉遣いの全てを改めるのは簡単なことではない。

「ベンノの店ならばそれほど質は悪くないだろう？　あの時の従者ならば務まると思うが？」

神官長が知っているベンノの従者はマルクだ。マルクはギルベルタ商会の中でも群を抜いて優秀なのだ。マルクが教育しているので従業員は誰もが物腰も言葉遣いも良いけれど、彼らに給仕はさせられない。ベンノの店で契約しているダルアは、基本的にギルベルタ商会と繋がりを持ちたい商人の子供達だ。服飾関係の仕事や書類仕事ならばともかく、給仕は仕事内容に入っていない。また、させたら大変な反発を食らうはずだ。

「側仕えであった灰色神官ならばできて当然の仕事ではあるが、後見人もなく働かせることができるのか？　一体誰が後見人になるのだ？　そして、その者だけが外で給与を得れば孤児院内でも格差が生じることになるが、それについて君の見解は？」

一人くらいならばベンノが後見人になれるかもしれないが、何人も必要な給仕全ての後見人になれるかどうか、わたしにはわからない。そして、孤児院で起こる給料格差については全く考えが及んでいなかった。

「……すぐには答えられません」

「さもありなん。そう簡単な問題ではないからな」

神官長は当たり前の顔でそう言った。簡単な問題ではないけれど、その回答がない限り許可が得られないことはわかる。

「今日すぐに許可をいただこうとは思っていません。ただ、神官長のお考えを伺いたかったのです。……灰色神官を外に出すことに関して神官長はどうお考えですか？」

わたしの質問を真っ直ぐに受け止めて、こめかみを指先でトントンと叩きながら神官長は軽く目を伏せて考え込んだ。

「ふむ。そうだな。厳しいと思っている。君を見ていればわかるが、外と神殿では大きな違いがある。神殿の中しか知らない灰色神官達がいきなり外の世界に馴染めると思うか？」

フランやギルを連れて初めて外を歩いた時のことを思い出して、ゆっくりと頭を振った。

「レストランの中だけならば何とかなると思います。それ以外は……」

貴族の部屋を模したレストランの中で客を貴族に見立てて接する仕事中ならば、給仕する灰色神官達の行動が基本的に正しいことになる。商売としてのやり取りがあるけれど、マイン工房での言動を見れば大丈夫だと思う。だが、一歩レストランの外に出ると、そこは完全に神殿の常識が通じない世界になる。

「それに、働きに出ることで外を知った神官達が外での生活を望んだらどうする？　君に外での生活が保障できるのか？」

「それは……難しいと思います。わたしは子供なので後見人にはなれませんし、ベンノさんに頼んだとしても、用意できるのは住み込み見習いと同じ扱いになるでしょう。何もかも神の恵みとして与えられることに慣れている神官が外で、一人で生活するのは厳しいです」

神殿の下働きをして戻ってきたらご飯がある。特に今は皆がある程度満足できる程にはご飯が食べられる。でも、神殿の外で生活するとなれば仕事の後に自分で作るか、外で食べるかになるが、貴族の食事を分け与えられることに慣れている神官に外の味が我慢できるとは思えない。それに、お金の概念や使い方がいまいちわかっていない神官を外に出すのは少し怖い。悪い人に騙されて、あっという間に身ぐるみを剥《は》がされそうだ。

「それから、これが私にとっては一番重要なのだが、孤児だった者を雇うことに対する世間の目はどうだ？　好意的に受け入れてくれるのか？　そうではないだろう？」

「……厳しいと思います」

わたしが神殿に入ろうとした時の家族の反応を考えても、孤児に対する風当たりや神殿に対する印象は良くなかった。仕事内容を見てもらえば評価はされると思うが、それまでの偏見の目はかなりきついと予想できる。

「さらに、外へ出ることで神殿内で働く者との間に生まれる格差が原因で、孤児院に居るのが辛くなる可能性はないのか？　確かルッツという少年の家族の軋轢《あつれき》も、仕事の業種が変わったことから始まったのではなかったか？」

仕事の種類が違えば給料も違う。平等をうたっている神殿、孤児院の中で格差が生じるのはそれまでの常識が通用しなくなるということだ。ルッツの家族に起きた軋轢よりもひどいことになるかもしれない。そして、わたしは孤児院長という肩書をもらっている以上、その混乱を収拾しなければばならないのだ。

……怖いな。

急激な変化による混乱は先が全く予測できない。その全ての責任を取れるかと言われると、逃げ出したくなる。わたしの中の怯えを見通したように、神官長の鋭い視線がわずかに緩んだ。

「マイン工房で働く分には問題ないと思っている。君が言った通り、収益も出ているし、孤児院の環境も整った。ベンノ達商人が出入りし、森との往復だけだが外と触れあうことで子供達が元気になっていると聞いた。だが、神殿内で神殿の規則に則《のっと》った上で、少しの外に触れながら仕事をするのと、外に出て外の規則に則って働くのは大きな違いがあるはずだ」

わたしが頷くと、神官長はわたしが納得したことに少し安堵の表情を見せた。

「何より、ベンノが後見人になると言っても私はまだベンノをよく知らない。下働きとして灰色神官達を買って行く下級貴族より信用が置ける対象なのかどうかの判断基準さえない。レストランという場所が神官達にとって働ける環境かどうかもわからない」

「じゃあ、神官長が試食会に来てくだされば、環境なんかをご自分の目で見て判断していただけるんじゃないですか？」

わたしが神官長に笑顔で提案すると、神官長は呆れたように肩を竦めて首を振った。

「何を企《たくら》んでいるのか知らないが、よからぬことを考えていることが顔に全部出ているぞ。感情は隠せるようになりなさい。……とにかく、マイン工房までの商人の立ち入りは認めるし、仕事内容を増やすことは許可できるが、神官が外に働きに出るのは却下する」

却下されることは予想していたので、それほどのガッカリ感はなかった。むしろ、少しずつ変えていって、そのうち神官長に認められれば良いと思う。

「……わかりました。レストランができるまでの間に、ゆっくりでもいいので、神官長にベンノさんのことをわかってもらえるように努力します。ベンノさんが」

「君が努力するのではないのか？」

「多少はしますけど、わたしは他に努力することが山積みなのです」

クッと小さく神官長が笑った。「確かに貴族らしい振る舞いを身につける方が優先だ」と。

……残念ながら優先するのは、これから生まれる赤ちゃんのための絵本作りですけどね。


「そういうわけで、神官が外に働きに出るのは却下されました」

神官長との会食があった次の日、わたしはベンノの店でいつも通り報告をした。貴族の会食で目についたことを列挙した上で、神官が外に出ることは却下されたことを報告する。ベンノも却下されることを想定していたのか、「やはりな」と呟いていた。

「なぁ、工房までの立ち入りが許されたんだから、工房の仕事に給仕教育を入れないか？」

「うーん、紙作りができない冬の間の資金稼ぎにはちょうどいいかもしれませんね。でも、手仕事をさせるつもりなんですけれど」

冬は薪や食料が大量にいる季節だ。森で探すこともなかなかできないのでどうしても購入が必要になる。雪の中に閉じ込められるので、暇潰しを兼ねて金稼ぎができる手仕事は大事なのだ。

「孤児院では何をさせるんだ？」

「色々な玩具《おもちゃ》作りを予定しています。木工工房から板をたくさん仕入れたいんですけど、ベンノさんのお知り合いの工房の方はレストラン準備で忙しいんですよね？　他の工房を紹介してくれませんか？」

これ以上レストランの納期が延びるのは嫌だ。ここでは普通だと言われても、わたしには計画倒れになる気がして堪《たま》らない。それに、「他を紹介するのか？」と言ってベンノは渋るけれど、これから頼む仕事を後回しにされるのは困る。確実に納品してくれる工房に頼みたい。

「孤児院の冬支度になるので、納期が大事なんです。付き合い上、ベンノさんが紹介するのがそれほど難しいなら、他の人に紹介してもらってもいいんですけど？」

「お前の他の人はフリーダだろう？　駄目だ」

フリーダならばベンノとは間違いなく別の工房を知っていると思ったのだが、わたしが名前を出す前に却下されてしまった。

「……ハァ、仕方がない。工房の親方に話を通した上で、別の工房を紹介してもらおう」

「じゃあ、先にインク工房をお願いします。インクも欲しいんです。むしろ、板だけあってもインクがなかったら意味がないんですよ」

わたしが、インク、インク、と何度か言い募ると、ベンノは面倒くさそうに頭を何度か掻いた後、立ち上がった。ガッとわたしを抱き上げて大股に歩いて部屋を出る。

「マルク、マインを連れてインク工房と木工工房を回ってくる。ルッツ、来い」

「はい、旦那様」

わたしはベンノに抱きかかえられたまま、インクを売っている店へ向かう。そこで棚に並べられているインクの値段を確認して、あまりの値段の高さに頭がくらりとするのを感じた。

「他のインクはないですか？」

「ここでは売ってないよ。どうしても気になるなら、直接工房に行ってごらん」

項垂《うなだ》れるわたしの横でベンノがインクを作っている工房の場所を聞いてくれて、今度は職人通りへと向かった。職人通りのインク工房に行くと、雑多な臭いで鼻がツンとするのを感じる。ベンノに下ろしてもらって自分で歩いて工房に入った。

「……客が直接こっちに来るなんて珍しいな。こんなところに何の用だ？」

インクを必要とするのは、字の読み書きができる富豪層に限られるので、工房ではなく取り扱っている店で注文するものらしい。薬品のようなきつい臭いがする工房にやってくる者はいないようだ。顔や服のあちらこちらに黒い染みがついている工房の親方が、怪訝そうな顔でわたし達をじろじろと眺める。色素を抽出したり、インクの配合をしたりするのは細かい仕事なのだろう。神経質そうな男の人だ。

「あの、作られているインクの種類が知りたいんです」

親方は普通にしていても刻まれている眉間の皺を更に深くして、わたしを見下ろした。

「どんな風に作っているインクがあるんですか？」

「嬢ちゃん、製法は余所に教えるものじゃないんだ」

話にならないと言いたげに鼻を鳴らした親方が、今にも話を切り上げそうで、わたしは慌てて言葉を足した。

「製法を知りたいわけじゃなくて、インクの種類が知りたいんです。『没食子《もっしょくし》』インクなのか、粘度の高い『ランプブラック』なのか……。そういうことが知りたいんです」

「……はぁ？　何だって？」

わたしがこの世界でインクの種類の名前を知らないので、親方には全く通用しない。自分が知っている単語の中で何とかインクの種類を特定できないか、わたしは必死に考える。

「えーと、ここではインクは何種類扱っていますか？」

「インクはインクだ。一つしかない」

当たり前のことを聞くな、と親方が肩を竦める。

「じゃあ、大まかな作り方をこちらが言うのでどんなインクを作っているか、教えてください」

面倒そうに軽く目を閉じた後、親方がゆっくりと頷いた。多分没食子インクが作られているのではないかと仮定して、わたしはその製法をなるべくわかりやすく簡単に説明する。

「植物の瘤《こぶ》から染料を採り出して発酵させて、『鉄イオン』……鉄の塩を混ぜ合わせて、木の皮の……」

「それだよ！　なんで知ってるんだ⁉」

息を呑んだ親方が先程までの面倒そうな表情をかなぐり捨てて、身を乗り出してきた。あまりの勢いにわたしはベンノの後ろに隠れながら答える。

「なんでと言われても、興味があるから覚えていただけです。他の種類はないんですよね？」

「……他のインクがあるのか？」

クッと目に力を入れた親方の反応から察するに、どうやらここでは本当に没食子インクしか扱っていないようだ。ガッカリした気分を拭えず、わたしは肩を落として首を振った。

「作ってないならいいんです。買うのはここで注文するよりお店で買う方が良いんですよね？」

腕を組んでしばらく何か考えた後、親方は渋い顔でゆっくりと頷いた。

「そうだな。買うだけなら店の方がいいだろう。……嬢ちゃん、名前は？」

「ギルベルタ商会のベンノが後見人だ。話があるならこちらに頼む。邪魔したな」

ベンノはわたしの口を押さえて名乗りを止めると、わたしを抱き上げて踵《きびす》を返す。ベンノの背中、抱き上げられているわたしにとっては正面から親方の視線が投げかけられた。

「……ギルベルタ商会だな。わかった」

インク工房を出た瞬間、わたしはベンノに雷を落とされた。

「お前はいきなり何を言い出すんだ⁉」

「え？　インクの種類を確認しただけですけど？」

「もうちょっと何とか……あぁ、お前には無理か」

喧嘩を売ったつもりもないし、穏便にお話ししただけだと思うのだが、ベンノから見るとそうではなかったらしい。だが、ここではインクの種類がない以上、他にどんな聞き方があると言うのか。

墨とか印刷用インクと言っても通じるとは思えない。

「インクが一種類と聞いた時から予想はしてましたけど、作られているのは『没食子』インクだけでしたね。残念です」

没食子インクはヨーロッパで一般的に使われていたインクだ。製造の容易さと耐久性、耐水性の高さから広く使われていた。墨とは違って、羊皮紙に書くにはしっかりと付着し、擦《こす》ったり洗ったりしても消すことができない点も長所だ。しかし、鉄分が混じり酸化するので、乾いたインクが繊《せん》維《い》の間に絡みついて筆記面が腐食《ふしょく》する。羊皮紙と比べて植物紙の方が腐食は速くて、数十年や数年で文字の部分に穴が開いてしまうこともあるのだ。

これから生まれてくる赤ちゃんや保存しておきたい本に使うにはちょっと問題があると言える。燃えにくいトロンベ紙なら鉄分の酸化くらい何ともなさそうだが、今度はコストがかかりすぎてお手上げになってしまう。

「やっぱりインクも自分で作った方がいいのかな？」

没食子インクの酸性を薄めて中性に近付ければ良いのかもしれないが、それこそ既得権益に喧嘩を売るようなことになりかねない。没食子インク以外のインクを開発する方が良さそうだ。

「あぁん？　インク協会に正面から喧嘩売るのか？」

「なんでベンノさんはわくわくしてる顔になってるんですか？　別に喧嘩を売るつもりなんてないですよ。インクが色々あったら比べて買うだけで終わったのに、作らなきゃいけなくなったんだから面倒だなぁ、と思ってますけど、基本的に争い事は嫌いなんです」

わたしの反論にベンノは面白くなさそうに鼻を鳴らして、歩き始める。ベンノの歩みに揺られながら、わたしは一人でインクについて考えた。

「植物紙には『墨』の方がいいかも。でも、版画にしようと思ったら、ある程度粘度の高いインクが欲しいよね。あ、ちょっと待って。『博物館』には『古代中国』の版画があったし、『墨』で何とかなるのかな？　いっそ、『油性絵具』を作ってみる？　それとも、『岩絵具』？　クレヨンは擦れたら汚れるから、版画や絵本にはちょっと向かないよねぇ」

麗乃時代に「これなら興味が持てるでしょ？」と言ったお母さんと一緒に没食子インクも油性絵具もクレヨンも作ってみたことはあるけれど、どれもこれも材料は店で買ってくることができた。ここでは器材と材料を揃えるのが大変だ。

……クレヨンなんて口紅やリップクリームのケースに入れて固めたもんね。絵具を詰める密閉容器にしてもそうだけど、ここでは何を使えばいいんだろう？

「おい、ルッツ。マインは何を言っているんだ？」

「考えていることが勝手に口から漏れているだけだから、聞き流していればいいです。きちんと自分の中で答えが出るまで、このままです」

何を作るにしても顔料を揃えるのが難しい。煤《すす》鉛筆の時と同じように、また煤を掻き集めてくるしかないのだろうか。でも、昔と違って、今は膠《にかわ》も蝋《ろう》も手に入れようと思えば手に入るから、釘を一本買うお金もなかった頃に比べると、今はまだ材料が手に入りやすくなっている。あの頃よりは確実に難易度は下がっているはずだ。

「ねぇ、ルッツ。紙の時と同じで、ひとまず試作品くらいは作らないと、こういうのが欲しいって言ってもわかってもらえないよね？」

わたしがベンノの肩から身を乗り出すようにしてルッツに問いかけると、ルッツはやれやれと肩を竦めた。

「……決まったのか？　どんなインクを作るんだ？」

「版画のインクになりそうな物を片っ端から作ってみる。一番良くできたので絵本を作るよ」

わたしの言葉にルッツは「まだ絵本を諦めてなかったのか」と呆れ顔になった。

「赤ちゃんへお姉ちゃんからのプレゼントだよ？　諦めるわけがないでしょ？」

「……だよな？　やっとマイン工房が落ち着いてきたと思ったのに、また忙しくなりそうだ」

そう言ってルッツは困ったように、でも、やりがいを見出したように笑った。

インク作りの下準備

インク作りの決心をしたものの、すぐさまインクが作れるわけではない。まずはジークの木工工房へ行って、親方に別の木工工房を紹介してもらわなければならない。木工工房に着くと、前にいた補佐がカウンターのところで細かい仕事をしていた。顔を上げてハッとしたように愛想の良い笑顔を向けてくる。

「やぁ、ベンノさん、ジークの弟さん」

「親方を呼んでくれ」

ベンノの言葉に補佐は即座に身を翻《ひるがえ》して奥へ入って行く。「親方！」と叫ぶ声が小さく聞こえた後、二の腕が太くて髭《ひげ》もじゃの親方が服についた木くずを払いながら、のっそりと出てきた。

「やぁ、ベンノさん。悪いが、まだ腰壁は全部仕上がってなくてな」

「あぁ、今日は別の木工工房を紹介して欲しいんだ」

「……どういう意味だ？」

カッとしたように親方が目を険しくさせる。ベンノはその様子を見ながら軽く肩を竦めた。

「別にウチの契約を打ち切るわけじゃない。コイツの仕事を注文したいんだが、繋がりがあって、ここから仕事を回せるような木工工房はないか？　さすがに他の仕事は無理だろう？」

ベンノがそう言いながらグイッとわたしを前に押し出すと、親方はホッとしたように表情を緩めた。そして、わたしを上から下までじろじろと見ながらもじゃもじゃの髭を撫でる。

「ふん。じゃあ、インゴのところに回してやるか。行くぞ」

親方がそう言って、インゴという人の工房へと連れて行ってくれることになった。インゴは最近独立したばかりのまだ若い親方だそうだ。若いとは言ってもベンノより少し年上のようだけれど、親方と呼ばれる人が大体四十歳以上の風貌《ふうぼう》の人が多いことを考えると、三十代ならかなり若い部類に入る。こうしてわざわざ親方が一緒に行くのは、直々に紹介することで本来はどこの客なのかしっかりと知らしめるためらしい。工房間の力関係にも色々あるようだ。

「今回はウチで引き受けられないからな。インゴ、どうだ？」

「そういえば、でかい仕事が入ってたもんな。こっちでも一枚噛ませてくれるのか？」

「別件に決まってるだろ？　お前の客はこのちっこい嬢ちゃんだ。あとはよろしくな」

そう言ってジークのところの親方が帰って行く。インゴと呼ばれていた親方はわたしを見下ろして、あからさまにガッカリした顔をした。ちょっとだけムッとしたけれど、わたしは洗礼式も終えていないように見える子供なので仕方がない。

「冬の手仕事のために板を準備したいんです。ですから、納期だけは絶対に守ってください」

わたしは板のサイズを指定して注文する。今年、孤児院で冬の手仕事にするのはリバーシとトランプ作りである。リバーシの台は厚めの板に作ったインクで上に線を引いてマス目を書けばいいし、石は板を小さく切って片方だけにインクを塗ればいい。マス目に収まる大きさなら別に丸でなくてもゲームに支障がないところが嬉しい。

ついでに、チェスの駒を作れば、同じ板で一緒に遊べると思う。ただし、チェスの駒は造形が複雑なので却下だ。孤児院で行う予定の「初めての木工教室」にはレベルが高すぎる。将棋の駒で代用だ。板に名前を書けばいいのだから作るのが簡単でいい。

……将棋とチェスは違う？　そんなことを知っている人はいないから、駒の動きだって名前だって適当に決めればいい。そう、わたしがルールだ。

トランプは紙で作ることも考えたけれど、コストは紙より板の方が安い。そして、マイン工房で作られているのは和紙なので、ちょっと改造するなり加工しないとトランプには向かないと思う。

薄い板で作れば子供達が少々乱暴に扱っても大丈夫だろう。色やマークについてはそのままでもいいかもしれないが、J、Q、Kの扱いをどうするべきか考えた方がいいかもしれない。絵を描くのが大変すぎる。

「それにしても、こんなに大量の板、一体何に使うんだ？」

ギルドカードを合わせてインゴに前金を払う。わたしが工房長のギルドカードを持ち、さっさと金が払えたことから信用度が上がったようで、インゴが少し砕けた態度になった。

「冬の手仕事ですけど、詳しい内容は秘密です。よく売れたら来年もお願いしますね」

「……来年もって、あっちが専属じゃないのか？」

インゴは親方が去って行った扉をくいっと親指で示した。

「ベンノさんの専属はあちらの工房ですけれど、わたしはまだはっきりと決めてないので仕事の品質と納期などの信用を見てから判断します。納品はギルベルタ商会にお願いしますね」

「そうなのか。こちらこそ今後ともよろしく」

板の注文を終えたわたしはベンノに抱きかかえられたまま店へ戻った。店に戻ると、奥の部屋のテーブルに座らされる。正面にベンノとルッツで、早速今後の予定についての質問攻めを受けることになった。ドンとテーブルを叩きながら、「さぁ、洗いざらい吐け」とわたしを睨むベンノを見て、まるで刑事ドラマの取り調べのようだと思った。

「何をですか？　わたし、何も悪いことしてません。冤罪《えんざい》です。無実です」

「何を言っているんだ、阿呆。喋るのはこれからお前がしでかすことについてだ。あの板は何に使う？　インクはどうするんだ？　どう作る？　何がいる？　全部吐け」

ベンノの勢いを宥めるようにルッツが横から身を乗り出した。困ったように眉尻を下げて、意見を挟んでくる。

「マイン工房の紙作りとの兼ね合いもあるからな。予定が立たないのは困るんだよ。今回作る物に、森へ採りに行くような物は必要ないのか？」

「えーと……ちょっと待って。頭の中を整理したい」

書字板を取り出して、これから作る物とそれに必要な物を書き出す。玩具作りには板とインク。インクを作るには……、と書くことで頭の中が整理されていく。わたしが頭を整理しているうちにベンノやルッツもメモの準備をしていたようで、木札やインクが準備されていた。

「冬の手仕事で作るのは、『リバーシ』、『将棋の駒』、『トランプ』を予定しています。これを作るのに必要な物が、板とインクですね」

わたしの言葉にベンノが訝《いぶか》しむような顔になって首を傾げる。

「……今並べた物は一体何だ？」

「カルタと同じような玩具ですよ。あ、でも、字を覚えることを目的としたカルタと違って大人も遊べますね。冬の暇潰し用に最適だと思います」

吹雪で家に閉じ込められている間の暇潰しになるはずだ。手仕事ばかりでは飽きてくる。貧民は手仕事で小銭を稼ごうとするけれど、富豪は一体何をして過ごしているのだろうか。

「何を作るにしてもインクが必須なので、なるべく早くインクを作りたいと思っています」

「お前はインク工房で別のインクを作ると言っていたな？」

「はい。工房で作られているインクと全く違う製法で作るインクなら、勝手に作ることに許可もいらないし、文句も言われませんよね？」

製法が秘密にされていて協会から許可を得た工房で作られている物は下手すると契約魔術に引っ掛かったり、勝手に作ると何かに違反していて罰則が付けられたりすることがある。

「まぁ、確かに製法が知られていない新しい物なら、誰かの許可が必要になるわけでもないからな。ちょっとした文句は言われるだろうが、鼻で笑ってやればいい。ただ、お前がインク工房の親方に余計なことを言ったせいで、探りや情報収集がこっちに来るのがな……」

「あれ？　余計なことなんて言いましたっけ？　必要最小限のことしか言ってないですよ？」

認識の差が大きいな、と思っていると、ベンノはぎりっとまなじりを吊り上げた。

「今作っているインクの製法を知っているばかりか、他にもインクがあって、その製法を知っているなんて余計なことじゃなかったら何だ⁉」

「え？　でも、今のインクの製法はインクの種類を特定するためだったし、新しいインクの情報だって心の準備のためじゃないですか。わたしとしては試作品ができたらインク協会に製法を売って量産してもらった方が良いと思ってるから、それほど余計なことじゃないですよ」

そう言った途端、ベンノはきつく目を閉じてこめかみを押さえた。理解できないと言うように何度か頭を振った後、じろりとわたしを睨む。

「ちょっと待て。インク協会に製法を売るだと？」

「そうです。だって、ベンノさんは植物紙協会を作る時、既得権益とぶつかって大変だったじゃないですか。今だって手伝わされてるオットーさんは兵士と兼業で苦労してるでしょ？　手を広げすぎて従業員の人数が追いついていないのに、インクまで製法で分けて新しい協会を作るなんて無理ですって。やりたい人がいるなら丸投げしましょうよ」

　植物紙協会はわたしが知らないうちに作られていたものだし、まだ何とか人手は足りて回っているようだから諦めもつく。けれど、余所の町にも植物紙の協会を作り、工房を作ることにベンノが親戚を回って大変なことになっていることをルッツから聞いている。イルゼに対抗するために始めたイタリアンレストランも、専門外の事業に首を突っ込んだのでなかなか大変だ、とマルクが零していた。この上に新しいインク協会は無謀だと思う。

「……お前の意見を聞いていると時々頭が痛くなる。利益を何だと思っているんだ？」

「だって、わたし、商人じゃないもん。マイン工房でちょっと作る分に目くじら立てないなら、製法なんてどんどん広げて色々なところで作ってもらって単価を下げた方が良いですって」

　わたしとベンノの会話を聞いていたルッツが呆れた顔になりながら書字板を取り出した。そして、道を逸れていた話を本筋に戻してくれる。

「マインも旦那様もインクに関する商売についての話はインクが完成してからでいいんじゃないか？　インクを作るためには何を準備するんだ？」

「あ、そうだね。えーと、インクになりそうな物で思いつくのって、『墨』、『油性絵具』、『グーテンベルクインク』、『クレヨン』かな？　だけど、その中でも『クレヨン』だけは版画のインクに向かないから、ひとまず後回しにするでしょ」

「相変わらず、マインの説明はわけがわかんねぇな。それで、オレは何を準備すればいいんだ？」

わたしは書字板に視線を落とす。

「色を作るための材料を顔料って言うんだけど、黒を作るために一番簡単に手に入る顔料は煤なの。煤を原料にすればどのインクでも黒になるから、まずは煤集めだね」

墨を作るには煤と膠と香料を混ぜて練る。油性絵具なら煤と乾性油《かんせいゆ》を練り合わせる。わたしが便宜上「グーテンベルクインク」と呼んでいる粘度の高い初期の印刷インクならば、煮詰めた亜麻仁油《あまにゆ》と煤でできるはずだ。

「わたしが知っている『墨』は菜種油《なたね》やゴマ油の油煙や松煙から採取した煤で作るんだけど、試作品のために選り好みはしていられないでしょ？　とりあえず、それぞれの家の竈《かまど》や煙突を掃除して集めればいいんじゃないかな？……って、去年もやったよね、これ」

煤鉛筆を作るために雑巾服を着せられて、母さんに掃除させられた記憶が蘇る。結局煤の量を集めるためにルッツも自分の家の掃除をしてくれたはずだ。

「あぁ、やったな。でも、母さん達も喜ぶし、材料も集まるからいいんじゃねぇ？」

「だったら、ウチの煤もやるから来い。手間なしで煤を増量してやろう」

何を企んでいるのか、ベンノがニヤリと笑った。何を企んでいるのかわからないけれど、冬になる前に煙突や竈の掃除はしなければならない仕事だ。材料が集まるならいいだろう。

「煤が集まったら、どうするんだ？　他には何がいる？」

煤集め、とルッツが自分の書字板に書き込んでわたしを見る。わたしは自分の書字板を見下ろして、墨に必要な物が煤と膠であることを確認する。

「次は『膠』かな？　牛とか、豚とかの動物の皮や骨髄から採れる強力な糊《のり》で、『墨』を作るために煤を練るのにも使うし、本を作った時に背表紙を固めるのにも使うの」

「へぇ、動物の皮や骨髄か……。もうじき冬支度の季節になるし、孤児院でも豚肉加工をすれば、集められるんじゃないか？」

農村で豚がザクッとやられて吊るされたところを思い出して、わたしは一瞬怯んだ。今ならばさすがに慣れてきたので、気を失うことも泣くこともなく耐えられると思うけれど、力がなくて肉の解体に向かないわたしはなかなか耐性がつかない。

「孤児院で豚肉加工？　今までしたことはあるのか？」

ベンノの質問にわたしも考えてみるが、食べる物は常に神からの恵みで、カルフェ芋でさえ見たことがなかった孤児院の子達に豚肉加工の経験があるはずがない。

「絶対にないと思います」

「だったら、ウチでも冬支度はするから、孤児院の分も合わせて注文するか？」

「助かります！　よろしくお願いします」

毎年体調不良で近くの農村の豚肉加工にも参加したことがないわたしには肉屋にも伝手がないし、燻製《くんせい》小屋を押さえることもできやしない。ベンノの言葉にわたしは手を合わせてお願いする。

「その皮や骨があれば、ニカワはできるのか？」

「何となく作り方は知ってるけど、さすがに『膠』は作ったことがないんだよね。でも、使い道が広いから、何が何でも成功させたいの」

膠は動物の皮や骨等を石灰水に浸けることによって、毛などの不要なものを取り除き、煮て濃縮させ、固めて乾燥させたものである。骨よりも皮から採ったものの方が耐水性はあるらしい。できれば皮から採りたいが、最優先にするのは完成だ。膠の主成分はコラーゲン、蛋白質《たんぱくしつ》の一種なので、素人が手作りした墨はあんまり放置すると腐る。夏場の温度や湿気が高いところでは腐りやすいし、温度が低すぎると固まるので意外と扱うのが難しい。

「それで、『膠』を作るのに『石灰』が必要なんだよね。家を作る時に使う、壁の白いの……」

「あぁ、石灰か」

ルッツの口から、ここでの石灰の言い方が出てきた。石灰はモルタルにも使われるので、建築関係の仕事をしているディードおじさんに購入先を知っているはずだ。

「だからね、ルッツ。ディードおじさんならば購入先を聞いてみてくれる？」

「わかった。……石灰っと。これは紙の時の灰みたいにちょっと購入するんでいいんだよな？」

初めて紙を作った時と違ってルッツは字が書けるようになったし、両親から商人になるのを一応認められたし、材料はお金で揃うようになった。自由になるお金がなくて親に了解を得て使える素材もほとんどなくて空回りしていた時と比べると、一年と少しでずいぶんと自分達を取り巻く状況が変わった。そんなことをしみじみ思っているとカリカリと書き込んでいたルッツが、顔を上げてわたしを見た。

「他に必要な物はないのか？」

「えーと、『墨』だけなら、煤と『膠』で大丈夫。『油性絵具』には『亜麻仁油』も必要なんだけど、これはベンノさんの方が知ってるかも？」

わたしがベンノに視線を向けるとルッツも一緒に視線を向けた。ベンノは頭をガシガシと掻きながら考えていたが、ゆっくりと首を振った。

「……聞いたことがないぞ？　どんなもんだ？」

「お店で扱っている布にリネンがあるし、麻の糸だって売られているでしょう？　だから、麻の種を絞ってできる『亜麻仁油』もどこかで売られていると思うんですよ」

「あぁ、亜麻仁油か。それなら、わかるが……油はそんなに安くないぞ？」

ベンノの言葉にわたしは曖昧な笑みを見せて答える。安くなくても買うしかないのだ。

「麻の種を採るために栽培から始めるわけにもいきませんし、種を買っても圧搾機がないですから。機械を買ってまで自分達で圧搾するよりは購入した方がいいと思うんです。種の値段と圧搾機《あっさくき》の値段を比較して、来年はどうするか要検討ってところですね」

他にも思い当たる乾性油はあるけれど、紅花油《べにばな》や向日葵油《ひまわり》よりは布を作るために作られている亜麻仁油の方が入手は楽だと思う。紅花も向日葵もこの辺りで見たことがないのだから。

「これだけの原料が集まれば一番シンプルで簡単なインクは作れます。あとは器材ですね。大理石などの硬い台の上で練《ね》り棒を使って練り合わせるのが最良の方法なんです」

「紙を作った時みたいに変な道具がいるのか？」

ベンノの質問にわたしは首を振る。

「いえ、必要な道具類はそれほど多くないですね。練り板、練り棒、保管用の密閉容器、パテヘラなどがあれば始められます。道具は多分、絵を描く工房に尋ねればわかるんじゃないかな？　母さんも染色工房に勤めてるし、聞いてみようかな？」

「……わかった。では、各自材料を準備して、マイン工房に運び込むように」

ベンノがそう締めくくり、わたし達は解散した。


煤集めは母さんもカルラおばさんも喜ぶので一石二鳥だが、わたしが頑張った後に熱を出して倒れるのも当たり前の流れになっている。わたしが自宅の煤集めをして熱で倒れている間に、ルッツがマイン工房やベンノの家の掃除をして煤を掻き集めてくれた。

「旦那様が言った通り、手間なしで煤が倍になったぜ」

見舞いに来たルッツがそう報告してくれた。なんとベンノがコリンナに、ルッツが煤集めのために竈や煙突掃除をしていることを色々盛って話したところ、オットーを使って自分の家の煤を集めてくれたらしい。

「オットーさんって、ホント恋の奴隷だよね。コリンナさんには絶対に逆らえなさそう」

「あとは灰色神官達がすげぇ頑張ってくれたんだ」

煤を掻き集めるルッツの話を聞いた灰色神官達がどうせ冬の前には掃除をしなければならないと

いうことで、青色神官の暖炉や各厨房の窯《かま》や煙突の掃除をして煤を掻き集めてくれたらしい。わたしの部屋の竈や暖炉の掃除をしてくれたのはギルだと言っていた。

「お陰でマイン工房にはもう結構大量に煤が集まったぜ。それに、旦那が亜麻仁油を買ってたし、オレも父さんに頼んで石灰を買っておいた。道具も絵の工房に聞いて扱っている工房に注文したからそのうち届く。今は工房で煤を細かく、細かく磨《す》り潰しているところだ」

わたしが熱を出して倒れている間に工房には材料や道具がどんどん集まっているらしい。

……人海戦術ってすごいね。

「じゃあ、冬支度はもうちょっと先だから膠は後回しにして、油で作れるインクを作ってみようよ。それで版画を作って刷るの。あ、あ、版画用の板も注文しなきゃ。でも、インクも試作品だし、ハンコの方が良いかな？　ルッツ、どう思う？」

「あんまり興奮するな。まずは、熱を下げなきゃ何もできないだろ？」

「うぐぅ……」

……熱が下がったら油性絵具から作ってみよう。そうしよう。

油性絵具　黒

「父さん、お願い。インクの確認に使いたいの」

熱が下がらず、でろんとベッドに寝ているわたしのところへ水を持ってきてくれた父さんに手を合わせてお願いする。手に握れるくらいの大きさの木に煤鉛筆で鏡文字を書いて、判子にできるように彫ってもらいたい。

「……ハァ。熱が引かなきゃ、仕上がっても見せんからな」

父さんに頼んでから二日たった。やっと熱が下がったものの、工房に行かせたら絶対に興奮するからもう少し様子を見た方が良いか、どうせ興奮して熱を出すのは確定だから行かせる方が良いか、ルッツと家族の間で議論される。

「あのね、わたしは……」

「マインはどうせ行きたいとしか言わないんだから、黙ってて！」

トゥーリの言葉に皆が賛同したことで、わたしは当人ながらその議論に参加はさせてもらえなかった。暇なので物置をごそごそと漁って薄い板を探す。議論している台所の片隅で板にぼろ布を巻き付けて、その上から紙を傷めないように竹の皮を更に巻いていく。

……うふふ、馬連《ばれん》っぽいものができた。版画を作る時には必要でしょう。

馬連ができあがる頃には結論が出て、本日は様子見で明日から神殿に行っても良いということになった。

わたしのやる気はみなぎっている。父さんが作ってくれた判子と石鹸と汚れて捨てても良い中古服を準備して、いざ出陣である。

「楽しみだねぇ、ルッツ」

「まぁな。で、どうやって作るんだ？　お前は手を出せないんだから説明してくれないか？」

ルッツも新しい物を作るのは楽しみなようで、心なしかうきうきしている。青色巫女見習いが工房で実践するのはダメだと言われているので、わたしはルッツに手順を説明し始めた。

「絵具を作る時は少量ずつね。その方が綺麗に混ざるから。はじめに、煤を大理石の台の上に置くでしょ？　そうしたら、指先で真ん中にくぼみを作って、そこに亜麻仁油をちょっと入れてパテへラで混ぜていくの。油は少なめで本当に足りなかったら一滴ずつ混ぜていく感じで増やして。パテヘラで全体的に混ぜ合わさったら、練り棒でひたすら混ぜるんだよ」

手で煤の量や油の量を示しながら説明すると、ルッツがうーん、と考え込んだ。

「……ひたすらってどのくらいだよ？」

「顔料によって違うから何とも言えない。わたしが昔作った時には二十分……えーと、スープ鍋の水がぐらぐら沸くくらいの時間でできたけど、違う顔料を使っていた人はスープができあがっても、まだ仕上がらなかったってくらいの違いがあるから」

艶《つや》が出るくらいまでひたすら練っていくのだ。気合いと根性があってもかなり疲れる。料理にかかる時間で教えるとルッツが驚いたように目を見開いた。

「……そんなの、作れたのか？　マインが？」

「前は丈夫で元気が取り柄だったもん。本さえ読んでいれば元気な子って、よく言われてたの。『学校』の図書室へは『皆勤賞』だったんだから」

「今は丈夫から程遠いけどな」

ルッツの言葉に大きく頷く。こんな体でなければ、できることはもっといっぱいあったはずなのに、と思わざるを得ない。


「じゃあ、オレは工房へ行くから、マインはゆっくり来いよ」

神殿の入り口でわたしをフランに引き渡すと、ルッツは軽い足取りで工房へと向かっていく。しばらく寝込んでいたわたしは部屋に行って側仕え達に挨拶を終えてから工房だ。

「こうして元気になりましたし、わたくし、今日は工房へ……」

「工房へ行くよりもフェシュピールの練習が先でございますよ、マイン様」

すぐにインク作りへ向かおうと思っていたが、ロジーナに笑顔で引き止められた。やっと熱が下がって、外出許可が下りて、インク作りが始められると思ったのに思わぬ伏兵だ。

「楽器は毎日の練習が大事ですが、マイン様はすでに五日も休んでいらっしゃいます。勘を取り戻すためにいつもの倍以上練習が必要なくらいですもの。五日分で五倍でしょうか?」

五倍の練習というところで、ロジーナの青い目が楽しそうに輝き始めた。本気だ。ロジーナは本気で五倍の練習をさせるつもりだ。わたしが一日中本を読んでいるのが全く苦にならない、むしろ楽しめるのと同じように、ロジーナは音楽があれば生きていける人だ。五倍の練習でも嬉々として行うだろう。わたしは即座に首をぶるぶると振った。

「いえっ!　いつも通りでお願いいたします。真面目に頑張りますからっ!」

ロジーナはニコリと笑って、「では、どうぞ」と小さいフェシュピールを差し出した。わたしはそれを受け取って構える。復習ということで第一課題を弾いてみたが、ロジーナの言う通り、熱で寝ていたうちに大して上手くなかった腕が落ちていた。これでは第二課題へ進むことができない。わたしは冷や汗をかく思いで三の鐘が鳴るまで真面目に練習した。

「よく集中できておられましたよ」

三の鐘が鳴ると、ロジーナが微笑んでそう褒めてくれた。美人に褒められるのは無条件に嬉しい。さぁ、今度こそ工房に行くぞ！　と思ったら、次はフランが立ちはだかった。

「マイン様がしばらく熱を出していたことで、神官長の執務も滞っておりますし、心配もされておられました。一緒に行きましょう」

フランには一歩も引く気はないようだ。しばらく休んでしまったことで心配をかけたのも事実だろう。しかし、工房に行きたい。神官長のお手伝いなんて、ぽぽいのぽいと放り投げて、インク作りをしたいのだ。

「あぅ……。フラン……」

「午後からでしたら、何も言いません。工房へお供いたします」

「マイン様、こういう時にも感情を見せずに、ニコリと微笑めるようにならなくてはなりませんよ？　それに、苦手なことや嫌なことでもこなさなければならないことは多々あるでしょう？」

フランに「お昼までに処理するように」と木札をテーブルに積み上げられた計算の苦手なロジーナの意見に反論することができず、かくりと項垂れる。こんな状況でニッコリ笑うなんて、わたしには無理だ。そう思いつつも泣きたい気分で引きつった笑みを浮かべてみた。

「ロジーナの意見が正しいですね。わかりました。神官長のところへ参ります……」

肩を落としながらわたしは神官長の部屋に行った。別にお手伝いの書類整理が嫌いなわけではないけれど、今日はお楽しみが先にあるとわかっているだけに億劫《おっくう》に感じてしまう。

「あぁ、やっと回復したようだな。こちらに来なさい、マイン」

顔を合わせると同時に、わたしは神官長から盗聴防止の魔術具を渡される。それを握り込むと神官長の声が聞こえてきた。

「今年はずいぶんと早い時期に孤児院にいる灰色神官が総出で、暖炉や煙突の掃除をしていったようだが、一体君は何を企んでいる？」

「企むだなんて人聞きの悪いことはおっしゃらないでくださいませ。植物紙に合うインクを作ろうと思っただけです。灰色神官達はその原料として煤を集めてくれていたのです」

わたしが理由を話すと、神官長が軽く頭を押さえた。

「なるほど。工房に必要なことだということは理解した。ただし、あまり派手なことをして、神殿長の怒りを買わぬよう、心に留めておきなさい」

最近顔も見てないからうっかり忘れていたが、そういえば、神殿長という面倒くさい人がいたのだった。わたしが何をしても神殿長の怒りを買いそうだと思うのは、わたしだけだろうか。

神官長のお手伝いと昼食を終えた後、やっと工房へ向かうことができた。ルッツはわたしが午前中拘束されることを予測していたようで、午前中は紙作りの指揮を執ってくれていたらしい。

「五日も休めばやることが色々溜まってるに決まってるだろ？　インク作りで浮かれた頭を冷やすためにも日常業務はマインに必要なことだ」

「……もう完全に頭は冷えたよ」

工房には皆が集めてくれた煤やベンノが購入してくれた亜麻仁油、ルッツが購入してくれた石灰、三組ずつ揃った道具などがきっちり並べて置かれていた。

「皆様が協力して煤を集めてくださったと伺いました。とても嬉しく思っています。本日はインク作りをしてみたいと考えています。これはとても力が必要なお仕事になるので、成人している灰色神官以外はいつも通り紙作りに専念してくださいませ」

皆への感謝と仕事の振り分けをして、インク作りの開始だ。

「では、ルッツ。お願いね」

一番手はルッツだ。説明したことをしっかり覚えていたらしいルッツは大理石の台の上に煤を置いて、真ん中を指でくぼませて少しだけ油を垂らす。それをパテヘラで満遍《まんべん》なく練り始めた。油性絵具は作った記憶があるので、とりあえず失敗することはないと思う。ただ、煤や油の質にはこだわっていないので、できあがりの品質はそれほど良くないかもしれない。

「良い感じに混ざってきたみたいですね。そろそろ練り棒を使いましょうか」

絵具は少量ずつ作る方が良く練られて上手くできるので、ルッツにも少量から始めてもらったけれど上手くいっているようだ。全体的に混ざったら練り棒に持ち替えて、練る、練る、練る。ただひたすら練る。額に汗が浮き出て、顔を真っ赤にしながら、精一杯の力を込めて、ルッツがインクを練っていく。青色巫女見習いであるわたしが手を出すわけにはいかないし、下手に手を出したら邪魔なだけだ。絵具を練るのは結構力がいるので今のわたしでは手伝いにならない。さすがに子供の体力では辛いだろうと思ったので、交代要員として灰色神官を準備していたが、ルッツは弱音を吐かずに最後までやりきった。

「これくらい艶と粘りができれば大丈夫です」

わたしは早速、父さんの製作した判子を取り出して、できあがった絵具をトントンとつけて失敗作のフォリン紙にぺったんと押してみる。マインという字が現れて、「おぉ」というざわめきが周囲から起こった。

「……本当にインクができましたね」

「煤と油でできるなんて……」

新しい商品を作り出すところを初めて見た灰色神官達は目を丸くして油性絵具を見つめる。どうやら本当に煤と油でできるのか、半信半疑だったようだ。多分、絵の工房でも似たような作り方をしていると思うのだが、神官達が目にする機会はないだろう。もしかしたら、絵具の作り方は門外不出の扱いになるのかもしれない。

「では、他の方々も少しずつ作ってみてください。できたインクはこちらに入れてくださいね」

油性絵具を入れるための陶器の器をフランに取ってもらい、ルッツに絵具を入れてもらう。

「ルッツはこちらの石鹸でよく手や顔を洗って休憩してください」

ルッツの代わりに灰色神官の一人がインクを作り始める。もう二人が別の道具を持ってきて、一緒に作り始めた。煤に少しの油を入れて混ぜ続ける。灰色神官が頑張って作っている間、わたしはできあがった油性絵具を使って、木を削ったペン先で紙に字を書いてみたり、板に線を書いてみたりして様子を確認した。普通のインク代わりとして使うには粘度が高すぎて使いにくい。けれど、版画のインクとして使うには全く問題なさそうだ。強いて言うならば、麗乃時代の図工の授業で使ったローラーがないと均一にインクが付かなくて、インクの厚みに差ができる。綺麗な版画は難しそうだ。ローラーか、せめて、刷毛《はけ》のような物が欲しい。

「インクの出来はどうだ、マイン？」

手や顔を洗ったルッツが戻ってきた。それでも、完全には指先の黒色が落ちてはいない。強力な石鹸も必要になりそうだ。

「一応成功だね。この調子で他の色も欲しいなぁ……」

「他の色？　色ができるのか？」

ルッツが目を丸くする。わたしは「顔料があれば、作り方自体は同じだよ」と答えた。他の色ができないわけではない。ただ、その顔料をどこでどうやって手に入れるかが、問題なのだ。

「顔料って煤以外なら何があるんだ？」

「わたしが知っている限りでは、鉱物を粉砕《ふんさい》したものが主体かな？　簡単に言うと、色のついた石を粉になるまで砕いて、黒と同じように油で練って作るんだよ」

黄土や酸化鉄は先史時代から染料として使われていたし、ラピスラズリやアズライトから採れる青や、弁柄《べんがら》や辰砂《しんしゃ》から採れる赤は比較的有名だと思う。ただ、ここでわたしが原石状態の物を見ても、判別できるかどうかは別問題だ。

「……おい、マイン。石を粉になるまで砕くって誰がやるんだよ？」

まさか、自分がやるのか、と恐々と聞いてくるルッツにわたしは首を振った。さすがにルッツに石を粉々に磨り潰すような仕事をさせるつもりはない。子供の身体には無理だろう。

「そういうお仕事をしている人っていないかな？　母さんに染色工房で顔料について聞いたけど、欲しがる人が増えたら染料の値段が上がるから嫌がられるんだって」

母さんに顔料の相談をした時に、「昔、絵の工房が増えることになった時にも染料にする原料のことで揉めたのよ。マインが揉め事を起こすのは止めてちょうだいね。母さん、仕事に行けなくなっちゃう」と釘を刺されてしまったのだ。さすがに失職させるような真似はできない。

自分で石から採集するならばともかく、マイン工房として顔料を購入するのは難しいだろう。そして、困ったことにわたしは顔料となる鉱物がどこで採れるのかも知らない。街の中とすぐそばの森にしか行ったことがないのだから当然だ。

「どこにあるかさえわかれば、黄土が一番簡単に採集できるかな？　顔料にするためには粉々にしなきゃいけないけど、すでに結構小さくなってるでしょ？」

「だから、誰が粉々にするんだよ？」

ルッツの顔が「オレは絶対に嫌だからな」と主張している。石を砕くための器材もないし、腕力もないので、今は諦めた方が良さそうだ。

「……木材商みたいな石材商に行ってみれば、石の欠片はあるかもしれないけど。粉々にするのが大変だよね。絵具の調達方法、絵の工房に行って聞いてみようか？」

「道具はともかく、絵具についてはお断りされたって、旦那様が言ってたぜ」

「あ、やっぱり門外不出？」

そんな話をルッツとしているうちに、灰色神官三人が油性絵具を作り上げた。成人で力がある分、ルッツよりできるのが早かったようだ。陶器の中に溜まっていく絵具を見ていると、嬉しさで勝手に唇の端が上がっていく。

「判子は成功したし、色を増やすのは後回しにして、次は木版画で絵本を作らなくちゃね」

「インクはかなり力仕事だから、今日は終わりにするな。オレも腕だるいし」

「うん。紙漉きなんだけど、絵本用の厚めの紙をちょっと多目に作ってもらっていい？」

「わかった。マインは部屋で絵本について考えながら休憩してろ。いいな？」

ひとまず油性絵具は完成したので、これで絵本作りに移っていきたい。わたしは工房で紙漉きをしている子供達を一通り激励した後、部屋へと戻った。


執務机に向かうと、わたしは早速ベンノからもらった紙に聖典の内容を子供向けに書き直していく。絵本にするのだから、それほど詳しい内容もいらないし、言葉もなるべく簡単な方が良い。一通り書いてみて読み直す。特に問題はなさそうだ。これで絵本にしても良いか、神官長に許可をもらおう。

「あ、そうだ。絵本作るんだったら、絵に関してはヴィルマと相談しなくちゃ……。ロジーナ、孤児院についてきてくれる？　ヴィルマと話し合いたいことができたの」

男が苦手なヴィルマに会いに行くならば、従者はフランよりもロジーナの方が良いだろう。テーブルでフランから実務指導を受けているロジーナに声をかけると、木札とにらめっこしていたロジーナがパッと笑顔を見せた。よほど計算が苦痛だったようだ。

「フラン、マイン様がお呼びですから、行ってまいりますね」

そそくさと片付け始めたロジーナにフランは頷くと、いくつかの木札を持ってきた。

「では、こちらをヴィルマに渡してください。ヴィルマもあまり計算が得意ではないようですが、女子棟を預かってもらう以上できないようでは困りますから」

フランに計算途中の木札を渡され、更に女子棟に関する木札も渡されたロジーナは軽く瞬きした後、ニコリと笑って見せた。

……さすがロジーナ。動揺の欠片も見せないよ。


インクや紙、板などをロジーナが持って孤児院へと向かう。子供達が工房で働いているので、その間ヴィルマは掃除やスープ作りをしているらしい。完全に孤児院のお母さんだ。

「あら、マイン様。ロジーナも一緒なのですね。どうぞお座りくださいませ」

ヴィルマがほんわりとした笑顔で迎えてくれて、わたしはつられて笑顔になってしまう。わたしの側仕えは美人揃いで実に目の保養になる。食堂でわたしが席に着くと、わたしの後ろに付いたロジーナがヴィルマに本日の用件を伝え始めた。

「先触れで伝えた通り、子供用の聖典絵本に絵を描いて欲しいのです。それから、こちらはフランからお預かりした書類ですわ。女子棟を預かるヴィルマに処理して欲しいそうです」

コトと積み上げられた木札にヴィルマが心なしか青ざめた。側仕えを続けるならば苦手を克服しなければ、とヴィルマに諭されたらしいロジーナが「大丈夫ですよ、ヴィルマ」とニッコリ笑う。

「側仕えとして必要なお仕事ですし、しているうちに嫌でもできるようになりますから。計算も芸術も同じこと、練習と慣れが大事なのです。ねぇ、マイン様？」

「えぇ。慣れればミスが減って、速度が上がります。ヴィルマも苦手を克服しましょうね」

反論できずに項垂れるヴィルマに木札を渡した後、わたしは子供用にまとめた文章をヴィルマとロジーナに読んでもらって、おかしなところや削りすぎた箇所を指摘してもらった。ヴィルマから字を覚えやすくするために、カルタに使った言葉を全て入れられないかと提案され、わたしは四苦八苦しながら文章を直していく。その間、ヴィルマに大体A5サイズくらいの板の半分くらいを目途に絵を描いてもらった。版画の下絵だ。

「ヴィルマ、ありがとう存じます。これを彫ってもらって絵本を作ってみますね。仕上がりを見てから、続きを描きましょう」

「えぇ、楽しみにしています」

下絵が描かれた板を抱えてうきうきで部屋に帰ると、ルッツが鬼の形相で待ちかまえていた。

「マイン、オレは部屋で休憩してろ、って言ったよな？」

「あれ？　絵本のお話を考えろ、って言わなかった？……違った？」

どうやらちょっと聞き間違えたらしい。部屋でおとなしく休んでいなかったことで、わたしはルッツにこってり怒られた。

木版画による絵本作り

ヴィルマに描いてもらった絵の版木に、わたしは絵本の本文の鏡文字も書き加えた。仕上がった版木をルッツに持って帰ってもらって、彫ってもらうことにする。結構細かい絵だが、大丈夫かと心配になったけれど、ルッツは「マインからの発注ってことでお金を渡せば、ラルフかジークが率先してやってくれるさ」と軽く肩を竦めてそう言った。

ルッツとお兄ちゃん達に版木を彫ってもらっている間に神官長へ面会を申し込み、子供用に直した文章を見せて聖典絵本の許可をもらうことにした。子供用に簡単にするとはいえ、聖典を改変した絵本を作ることになるので、許可を取った方が良いだろうと考えたのだ。

わたしが新しいことをしようと考える時はきちんと話を聞きたいようで、またもや隠し部屋に通された。盗聴防止の魔術具だけあれば大丈夫だと思うが、実際にわたしが持って行く物を他の人に見られるのが良いのか悪いのか、話を聞かなければ判断できないらしい。

「子供向けの聖典か。文字や文章を覚えるにも役に立ちそうだな」

「絵本で作る予定になっていますから、これで孤児達にも字を覚えてもらおうと思っています」

「孤児達に？　一体何のためだ？」

何のために、と言われても、それほど立派な理由はない。身近なところから識字率を上げていこうと思っただけだ。

「いずれ側仕えになれば覚えなければならないものですし、これから先、本を作る予定のマイン工房の職人が商品である本を読めないようでは困りますから」

「ふむ、商人としての発想か？」

子供用に直した文章に目を通した神官長は「まぁ、いいだろう」と呟いた。そして、わたしを静かにじっと見据えて薄い金色の目を鋭く細める。

「マイン、君は一体どこでどのような教育を受けた？」

神官長の言葉が不意打ちすぎて、貼り付けていた笑顔なんて消え失せて顔が強張った。バクンバクンと心臓が嫌な音を立て始め、ドクドクと流れる血が速くなる。

「おっしゃる意味が、よくわかりません」

本当にわからない。一体どこからそんな質問になったのか。神官長はわたしの反応を探る視線を外さず、手に持ったままの子供用に直した文章が綴られた紙をパシリと指で弾いた。

「……文章が整いすぎている。古くて長くて難しい言い回しが多い聖典を読んで要点をつかみ、子供でもわかるような簡素な言葉に直すというのは決して簡単なことではない。少なくとも、初めて私が聖典を読んでやった時には単語さえおぼつかなかった者にできることだとは思えない」

ざわりと胸の奥がざわめく。よく考えてみると、わたしが自分で考えた文章を神官長に見せるのはこれが初めてだった。書類仕事のお手伝いは専《もっぱ》ら計算だったたし、提出する書類や手紙は全てフランの指導で作られた物ばかりだ。商人見習いになるために字を教えられていたけれど日常で使う単語はおぼつかなくて、手紙一つ出すにもフランの添削《てんさく》が必要なわたしが書く文章としてはあまりにも不自然だということだろう。

「……上手にできたということですか？」

「あぁ、上出来だ。まるで別の言葉できっちりと教育を受けてきたが、ここで使う文字を知らなかっただけの他国の者のように、な」

スパイでも見るような警戒《けいかい》する目にわたしは唇を引き結ぶ。文章一つでそこまで導き出す神官長がすごいのか、自分の文章力が異常なのだと全く思いもよらなかったわたしが愚かなのか。

……両方だろうけど。

ゆっくりと息を吐きながら、必死に考えを巡らせる。ルッツと違って、全てを話せるほど神官長のことを信用できていない。神官長はここにいる青色神官とは少し考え方が違うようだけれど、それは神官長が神官としての視点ではなく貴族としての視点で考えて行動しているからだ。大きな権力を持っている人がわたしという異物をどう扱うのか、全く予想がつかない。

「神官長、わたしは生まれも育ちもこの街です。森に採集に行く以外に門から出たこともありません。他国があることも、今初めて知りました」

マインは本当にこの街から出たことがない。幼い頃なんて家から出ることさえ稀《まれ》だった。教育を受けるような機会がないのは明白だ。わたしの言葉にも神官長からの疑惑は消せなかったようで、神官長はわたしを見据えたまま視線一つ動かさなかった。

「私の方で行った調査の結果も不審な点はなかったからな。……だが、解せぬ」

今まである程度良好に保てていた神官長との関係で疑惑の目を持たれてしまったら、神殿内にわたしの味方をしてくれそうな青色神官がいなくなる。他の青色神官と顔を合わせることなく活動できているのも神官長が間に入ってくれているからだ。今、神官長にまで睨まれるのはまだ右も左もわからない神殿社会での綱渡りにセーフティネットがなくなるようなものだ。

……それは困る。ものすごく困る。

神官長に何がしかの答えを返さなくてはならないけれど、嘘は意味がない。神官長の記憶力の良さと違って、わたしは自分が吐いた嘘をいつまでも覚えていられるような頭をしていない。必ずどこかでボロが出るに決まっている。嘘のない範囲でできるだけ誤魔化《ごまか》すしかない。

「……料理のレシピについても同じようなことを言われたことがあります。何故そんなレシピを知っている？　どこで知った？　と聞かれました」

「それに君は何と答えた？」

神官長の鋭い視線を見返して、わたしは口を開いた。

「夢の中、と。そう答えました。ここではない、二度と行くこともできない夢のようなところで知りました。……わたしがそう言えば、神官長は信じてくださいますか？」

神官長がどんな反応を示すのかわからないけれど、わたしにはそれ以上答えられない。神官長を見返したまま、わたしは奥歯を噛み締めてグッと拳に力を入れる。

……わたしは答えを返したし、嘘は吐いていないよ。

ひやりとした汗が背中に浮いて身体の中は熱いのに、表面は冷たいような居心地の悪い状態で睨み合ったまま時間だけが過ぎて行く。どれくらいの時間がたったか、よくわからない。

「……何とも言えぬ」

しばらくして神官長が溜息と共にそう吐き出した。眉間に皺を刻んだまま、しかし、視線の鋭さが少しばかり緩和される。もっと視線が鋭くなって、「ふざけるな」とか「真面目に答えろ」とか怒られるだろうと思っていた。そうしたら、「わたしは嘘なんて吐いていない」と開き直るつもりだったが、予想外の反応にわたしの方が戸惑う。

「荒唐無稽《こうとうむけい》な話だが、全く辻褄《つじつま》が合わないわけではないし、別の場所で教育を受けたことがあるのではないか、という私の予測は間違っていないことになる。それに、君は隠し事も嘘も下手で顔に全てが出るのだ。君に騙されたり、顔色を読めなかったりするような貴族はいない」

「うぐぅ……」

わたしがこれ以上顔色を読まれないように思わず自分の頬を押さえると、神官長はこめかみをトントンと指先で軽く叩いた。

「だが、だからこそ、混乱する。私にも考える時間が必要だ。今日のところは行ってよろしい」

子供用の聖典を綴った紙を返却されて、わたしは一人で隠し部屋を出る。背中に刺さる神官長の視線を痛く感じた。

次の日、神殿は休んで木版画に必要な道具を揃えるためにベンノ達と買い物に出かけることにした。神官長と顔を合わせにくかったのでズル休みしたというわけではない。断じて違う。

「買い物って、一体何を買うんだ？」

「版画を作るのに必要な『ローラー』や刷毛《はけ》が欲しいんだよね」

「ローラー？　何だ、それは？」

ルッツとベンノが首を傾げた。わたしはなるべくわかりやすくローラーを説明してみる。

「えーと、こんな筒状の円柱に、こんなぐにぐにっとした取っ手がついてて、こう、ゴロゴロってできるやつだよ」

「……全くわからんな」

わたしが一生懸命にベンノやルッツにローラーの説明をしたところで全く理解できないようだ。二人して深い溜息を吐いた。建築関係に使われている道具ならルッツが知っているはずなので、この辺りにはないかもしれない。

「とりあえず店に行ってみるか」

ベンノが絵の工房に行った時に教えてもらった絵画道具を扱っている店へ連れて行ってもらった。練り板や練り棒もここで揃えてくれたらしい。そこでわたしはローラーや刷毛を探した。店主にも同じようにローラーの説明をしたけれど、わからなかったようだ。幅広の刷毛はあったけれど、ローラーは残念ながら売っていない。

「おい、マイン。ローラーってやつ、見当たらないみたいだけど、どうするんだ？」

「まぁ、刷毛で一度やってみるよ。どうしても無理そうなら、鍛冶工房で注文する」

「お前の説明で本当にわかればいいけどな」

ベンノに鼻で笑われたけれど、図を描いたりサイズを細かく指定したりすれば、鍛冶工房のヨハンはきっとわかってくれるはずだ。わたしはヨハンを信じている。


買い物を終えたわたしはルッツと一緒に家へ帰る。二人で手を繋いで歩いていると、秋を感じさせる涼しい風が吹き抜けて行く。のんびりとした気分で家に向かって歩いていると、ルッツが「明日が楽しみだな」と言った。

「買い物の前に興奮させたら後が面倒だと思って今まで黙ってたけど、兄さん達に頼んでた板、彫り上がったんだ。帰ったら家に持っていってやるよ」

「わぁい！」

家でそわそわと待っていると、彫ってもらった版木を持ってルッツがウチにやってきた。渡された版木を見れば、あちこち失敗している箇所がある。

「マイン、兄さん達から伝言。この仕事は細かすぎてきつい、ってさ」

「……うん、版木を見れば、何となくわかった」

ルッツが言いにくそうに伝言を口にした。勢い良く削りすぎたのか、ちょっと線がはみ出ていたり、抉《えぐ》れていたりしている。版画を作るという作業に慣れていないせいもあるかもしれないが、ヴィルマの絵の細かさが難易度を上げているのだろう。木工工房で働くラルフやジークが嫌がるということは、版画で絵本のページ数を作るのは簡単には行かないということだ。

「この版木で良い感じに仕上がったら、インゴさんの工房に彫りを頼むことも考えようかな？」

「……そうだな。ちゃんと工房を通した仕事にした方が良い。ちょっとしたお小遣い稼ぎと思うには仕事内容が細かすぎるみたいだ」

ルッツの言葉に頷いたものの、絵本の原価が更に吊り上がるのを感じて気が重くなった。

「それで、どうやって刷毛を使うんだ？」

ルッツはすでに刷る方へと思考が向かっているらしい。買ってきた刷毛をバッグから取り出して、毛先をいじり始めた。わたしは自作の馬連と失敗作の紙を自分の木箱から持ってきて、木版画のやり方を説明する。

「まず、こうして下に失敗作の紙を敷くでしょ。その上に版木を置くの。それから、ペタペタとインクを塗ってね。こうやって刷毛の毛先で擦り込むようにしてインクが均等になるように気を付けて」

何も付けていない刷毛を板に擦りつけて、わたしはルッツに示す。ルッツは書字板にメモを取りながらやり方を見ている。

「この時にローラーが欲しいんだよ。ゴロゴロと均等に塗りたいんだけど、今回はないから諦めて。インクが塗れたら上からこうしてそっと紙を置いて、あて紙をしてこの『馬連』でくるくる回すみたいに擦って、インクをしっかりと付けるの。満遍なく均等な力で擦ってね」

わたしが自作の馬連で紙の上にくるくると円を描くように擦っていると、ルッツは「また妙な物を作ってると思ってたけど、必要な物だったんだな」と呟いた。

「これで、ゆっくり剥がして、乾かしたらできあがり」

「……やり方はわかった。明日、早速やるだろ？」


次の日、わたしはおっかなびっくり神殿に行き、神官長と顔を合わせたけれど、神官長は何も言わなかった。全く何事もなかったかのような無表情で淡々と執務の指示を出してくる。最後まで何も言われずにお手伝いを終えることができて、わたしは胸を撫で下ろした。

……よーし、最大の難関は越えた。あとは版画だ。

「では、本日はこれで失礼いたします」

わたしはこれから作る木版画で頭をいっぱいにして、鼻歌でも飛び出しそうな気分で神官長の部屋を出る。神官長の突き刺さるような視線は感じないことにしておいた。

「マイン様、ずいぶんと機嫌が良さそうですね」

「神官長のお手伝いも無事に終わって、これから、工房で絵本作りですもの」

フランにそう答えている頃は軽く鼻歌交じりで、昼食を終えてマイン工房に着く頃には上機嫌で少しばかり興奮状態になっていた。

「お待たせしました。早速、刷り始めましょう。さぁ、ルッツ。やってちょうだい」

マイン工房に行くと、ルッツはすでに木版画のための準備をほとんど終えていた。失敗作の紙を台の上に敷いて、その上に版木を置いてあるのが見える。台の周囲を興味深そうな顔で子供達が取り囲んでいた。

「マイン様、これがどうなるのですか？」

「うふふ、楽しみに見ていてちょうだい」

わたしが台のところに向かうと、見やすい特等席がざっと空いた。わたしのための場所を空けてくれたので、そこでルッツの仕事を見守る。ルッツが刷毛にインクを付けて、板を真っ黒にしていくと、子供達から興奮の声が上がった。

「わぁ、真っ黒！　何にも見えなくなっちゃったよ！」

子供達の歓声にルッツは少し眉を上げただけで淡々と作業を進める。インクが乗った版木にフォリン紙をそっと置いて、昨日説明した通りにあて紙をして馬連で擦っていく。

「あ〜、面白そう。やってみたい」

「わたしも、わたしも！」

馬連が止まって、あて紙が退けられて、ルッツの指が紙の端にかかる。わくわくしながら見守る中、ルッツがそっと丁寧に剥がしていく。ぺらりと捲られた紙には思っていた通りにインクが付いていて、わたしが知っている木版画ができあがっていた。

「うわぁ、絵になってる！　真っ黒だったのに、白い線があるよ！」

子供達は真っ黒になった板から、絵が浮かび上がっていることに満面の笑みを浮かべて、きゃあきゃあと嬉しそうな声を上げた。子供達に紙漉きの作業に戻るように指示を出して解散させると、わたしはルッツと二人で刷り上がった絵を見つめる。

「どうだ、マイン?」

「……微妙」

わくわくしながら、紙をひっくり返すのを待っていたわたしの感想は、それだった。麗乃時代に小学校の図画工作でわたしが作った物とは違って、多少手が込んで芸術的ではある。わたしやルッツが彫るよりは、お兄ちゃん達に頼んで正解だったと思う。

「木版画として見るなら別に失敗ではないと思うの。ただ、絵本には向かないよね?」

「そうだな。字も読めなくはないけど、黒に白文字って、ちょっと読みにくくないか?」

黒背景に白文字はやはり見辛いし、鏡文字に失敗しているところもあった。これはわたしの失敗だが、絵と文字を一枚の板でやってしまったので、直そうと思えば全体を直さなくてはならない。それから、ところどころ失敗している絵が怖い。職人が彫り慣れていないせいもあるが、これで絵本を作ってもかなり取っ付きにくいと思う。

「文字は判子の方がいいよね? 全文を判子状態で彫ってもらった方が良いかな?」

「ただでさえ、細かいのが多すぎて割に合わないって言われているのに全文を判子状態にするのは無理だろ? 文字の通りに彫るのと、文字の周りを彫って文字を浮かび上がらせるのでは労力も時間も全く違うじゃないか」

「だよねぇ……。もうちょっと考え直した方が良さそう。木版画は少なくとも絵本には向かないみたいだもん。絵も黒い部分が多くて、ちょっと怖いし」

刷れた紙を壁際の棚の上に置いてルッツは道具を片付け始める。微妙だと思った物をいくつも刷っても意味がない。

……うーん、ヴィルマの絵だったら、銅版画の方が似合いそうだけど……。

銅版画を始めるにも、パンドラーや硝酸《しょうさん》なんかの腐食剤が簡単に手に入るかどうかわからない。代用できる物を自分で探すのも正直面倒くさい。そして、幼い子供が出入りする工房で、できれば危険な薬品は使いたくない。

……でも、どうしよう？

今までは失敗したところで大して落ち込みはしなかったけれど、今回はヴィルマに絵を描いてもらって、お兄ちゃん達に彫ってもらった物が失敗したのだ。ダメだったとは報告しにくいし、成功する目途が立っていない状態で次も力を貸してほしいと頼みにくい。

「何を考えているんだ？」

片付けを終えて、ルッツが戻ってきた。

「もういっそ、子供用の聖典は絵を付けるのを止めようか？　絵なんてなくても、字が書かれていれば本としては十分じゃない？」

「オレは別に思い入れはないからそれでもいいけどさ。絵がない本を絵本って言うのか？」

「言わない。だから、もう絵本じゃなくて、普通の本にすればいいと思う」

「でもさ、初めての絵本は可愛い弟妹に贈る初めてのプレゼントだって言ってなかったか？」

「ハッ！　そうだよ！　妥協《だきょう》はダメ！　絶対に素敵な絵本にしなくちゃ！」

……一度や二度の失敗でへこたれちゃダメだ。木版画以外のやり方を考えなきゃ。

白黒絵本

初めての木版画の失敗で、木版画が絵本に向かないのではないかという結論に達したけれど、ここで諦めるわけにはいかない。わたしは帰り道でルッツと一緒に反省会を開く。

「失敗は成功の母と言うし、失敗原因を洗い出して、次の成功に繋げればいいと思うの」

「まぁ、そうだな。じゃあ、マインが考えた失敗の原因は何だ？」

うんうん、と頷きながらルッツにそう言われて、わたしは失敗の原因を考える。すぐに思いつくただけでも三つあった。

「まず、彫るための下絵が複雑すぎたと思うの。ヴィルマの繊細な絵は複雑に板を彫らなければならない木版画には向かなかった」

ヴィルマに一冊一冊に挿絵を入れてもらうわけにもいかないので、木版画以外の方法を探すか、ヴィルマにもっとシンプルな線の絵を描いてもらうか、どちらかだ。でも、ヴィルマは神殿にある絵しか見たことがない。この状況では絵を変えてほしいと言うのも無理がある。せめて、「こんな感じでお願い」と言えるだけのお手本がなければダメだろう。

「他には、わたしの鏡文字の失敗もあったよね？　もっとよく確認しなきゃダメだった。これは注意すれば防げるでしょ？　他の人も一緒に確認するとか……」

「うーん、だったらさ、いっそのこと、最初から文字と絵の板を分けておけばどうだ？　字が失敗しても、絵にまで影響は及ばないんじゃないか？」

「ルッツ、天才！」

字を初めて覚えるような子供向けの絵本なので、何となく絵と文字が一緒にあるイメージだったが、ページを別にしても良いし、上下で板を分けても良い。

「後は、彫り方だね。ところどころ失敗が目立ってた」

文字の一部が突き抜けていたり、絵の線が飛び出ていたり、刷ってみると目立つ失敗があった。

わたしの指摘にルッツがむすぅっと頬を膨らませる。

「あれは彫るための道具がなかったのも悪いんだ。別に兄貴達の腕が悪いわけじゃないからな」

「道具がないって……ルッツの家は職業柄いっぱいあるじゃない」

ルッツの家は仕事に使う道具置き場を広く取っていて色々な工具があったはずだ。わたしがルッツの家を思い出していると、ルッツは軽く肩を竦める。

「そりゃ、元々建築関係の仕事をしている家だから、木を加工するための大きい道具は余所の家よりたくさんあるさ。でも、細かい細工をするための道具はないんだ。使わないからな」

確かにディードおじさんが普段使う道具や家の中の修理をするのに必要な道具に、細工をするような物は必要ない。父さんだって大きいことをするための道具はいくつか持っているが細かいことはだいたいナイフで行う。

「あの絵、ナイフで彫るには細かすぎたんだよ」

「え？　あれって、ナイフで彫ってたの？」

ナイフで彫ってくれたにしては上出来だと言えるだろう。むしろ、わたしが仕事を依頼する時に彫刻刀のような彫るための道具を準備して渡さなければならなかったのだ。

「今度、彫る仕事を頼む時は道具も一緒に渡さなきゃダメってことだね。お兄ちゃん達にごめんとありがとうを伝えてくれる？」

「あぁ、わかった。……でもさ、なんで子供用の聖典を作ることになったんだ？」

ルッツにそう言われて、わたしは赤ちゃん向けの絵本から子供用の聖典へと作るものが変化していった過程を思い返してみる。

「ヴィルマが描ける絵が基本的に神殿関係のものだったから、かな？」

「じゃあ、赤ちゃん向けを作るなら、別に聖典じゃなくても良いってことじゃねぇ？」

皆がわたしの絵はダメだと言うから、ヴィルマに絵を任せなければならなくて、ヴィルマの描ける絵が神殿関係のものだったので、話もそれに合わせると子供用聖典になっただけだ。

……あれ？　よく考えたら、子供用聖典じゃ赤ちゃん向けの絵本にならないんじゃ？

大変なことに気付いてしまった。赤ちゃんと子供向けの本では求められるものが少し違う。子供ということで一括《ひとくく》りにしてしまってはいけない。

「よし、先に赤ちゃんのための白黒絵本を作ろう。子供用の聖典は後回し！」

「紙と黒のインクしかないんだから、どう考えても白黒の絵本にしかならないだろ？」

「それはそうなんだけど、ちょっと違うの」

では、ここで原点に返って、赤ちゃんに与えたい絵本について考えてみたいと思う。児童図書館論や児童サービス論の授業を思い出すのだ。まず、生まれたばかりの赤ちゃんの視力はぼんやりとしか見えていないと言われている。視力は脳の発達とも密接に関係しており、毎日様々な物を見ることで少しずつ刺激を受けて発達していく。生後三カ月から四カ月頃になると、赤などはっきりした色を識別できるようになり、視線がちゃんとついてくるようになる。

生後一歳くらいになると大人と同じくらいの視力になってくるが、それまでは輪郭《りんかく》がぼやけていたり、淡い色は識別が難しかったりするらしい。そのため、一歳未満の赤ちゃんに与える絵本にはくっきりとしたコントラストやわかりやすい形が大事になってくる。色は白と黒と赤くらいで、形は丸、三角形、四角形のようなはっきりしたものが認識されやすいらしい。だから、零歳児から二歳くらいまでの赤ちゃん向けの絵本はシンプルな線でカラフルな原色が使われているし、書かれている言葉も簡単で何度もリフレインするものが好ましいと言われている。

わたしは赤ちゃん向けの絵本の中でも、図形を並べただけに見える白黒絵本を思い出した。あれなら、今のわたしでも描けそうだ。

「ルッツ、わたし、明日は神殿に行かずに家で赤ちゃんのための絵本作りをするよ！」

「わかった。神殿に連絡入れて、マイン工房を軽く見た後は、オレもそっちに付き合う。何か作る時は見張ってないと危険だからな、マインは」

やれやれ、と言うルッツに反論はできず、わたしはすぐさま話を逸らす。

「じゃあ、厚紙を買いたいから、工房からできあがってる紙を十枚持って帰ってきてくれる？」

そして、次の日、ルッツは三の鐘が鳴る前にはウチにやってきた。

「うわぁ、すごい状態になってるな。エーファおばさんがいたら怒られるぞ」

ウチのテーブルの上には、失敗作の紙を綴じたメモ帳と煤鉛筆、石板や石筆が散乱している。母さんがいたら、「片付けなさい」と言われるに違いないけれど、今日は母さんもトゥーリもお仕事なので、怒る人はいない。

どんな物を描くのか考えるため、石板に色々と図形を描いていく。ある程度、描く物が決まったら、メモ帳を捲って、煤鉛筆で描く。白黒の印象を見るには、紙に煤鉛筆の方がわかりやすいのだ。父さんの工具セットの中に真っ直ぐに線を引くための物差しがあったので、それを取り出してきて、線を引いていく。三角形や四角形を描いた後、紙の上に円を描こうとして、ピタリと止まった。コンパスが欲しい。

「ルッツ、家に『コンパス』ある？　綺麗な円を描くためのもので、こんな感じで、こうやって使うものなんだけど……」

石板に絵を描いたり、指を二本使って円を描く仕草を見せたりすると、ルッツは軽く頷いた。

「あぁ、コンパスか。昔は家にあったけど、今はなかった気がするな」

「そっかぁ。じゃあ、仕方ないね。別のもので代用するしかないかな」

わたしは家の中にある糸を持ってきて、煤鉛筆にくくりつける。押しピンがあれば良かったが、ないので工具箱から探してきた釘にも糸をくくりつけた。釘の頭を左の指で押さえて、糸がピンと張るようにして煤鉛筆を動かせば丸が描ける。中心がずれなかったら大丈夫だ。

「おぉ、すげぇ」

綺麗な丸など普段は描く必要もないし、仕事で必要な人はコンパスを使う。こんな描き方を見たのは初めてだったのかルッツが感嘆の声を上げた。滅多に褒められることがないので、わたしはちょっと得意になって色々と円を描いてみたけれど、小さい円は描きにくい。図形をたくさん描こうとすると、テンプレート定規やステンシル定規と呼ばれる物が欲しくなる。

「ルッツ、『テンプレート定規』や『ステンシル定規』って売ってないかな？」

「何だよ、それ？」

「……こういうの。薄い金属や『プラスチック』にこんな感じで色んな図形の色んな大きさの穴が開いているものなんだけど……」

枠を描くことも塗り潰しも可能で、同じ模様をたくさん描く時にはとても便利だ。コンパスが売っているならばステンシル定規もあるかもしれない。石板に描いて説明するが、ルッツは首を傾げただけだった。どうやら見たことがないらしい。

「どうやって使うんだよ？」

「えっと、こんな感じで、穴の枠に沿って、好きな大きさの図形を描くのに使うんだよ」

「……厚紙で作れないか？」

「わぉ！　ルッツ、天才！」

わたしは絵本を作るための厚紙を一枚使ってステンシル定規作りを始めた。丸や三角形などの図形を一つ一つ大きさを変えて描いていく。これを綺麗にくり抜けばステンシル定規は完成だ。わたしはルッツと手分けしてうきうきと図形を描いたが、切り抜くところになって大変なことが発覚した。またしても道具がない。

「こんな細かいの、ナイフじゃ切れねぇって！」

厚紙と自分達が持っているナイフを見比べて肩を落とす。大きい円は何とか切れる。直線なら何とかなる。しかし、小さめの丸はどうにもならない。

「必要な道具がないと木版画の二の舞だね。ヨハンに『デザインカッター』を作ってもらおう」

「何だよ、それ？」

「わたしでも使える小さくて薄い刃物だよ」

仕事を注文する以上はきちんとした格好で行った方が良い。わたしとルッツは見習い服に着替えると、ギルドカードと丁寧に書いたフォリン紙の発注書を持って鍛冶工房へ向かった。

職人通りは街の南側にあるので、ヨハンの鍛冶工房はウチから比較的近い。

「こんにちは」

「おぅ、いらっしゃい」

今までお客の相手をしていたようで、入ったばかりのところにあるテーブルには木札がいくつかあって椅子に座った状態の親方が髭を触りながら、ギョロリとした目を向けてくる。前に鉄筆を注文したわたしの顔を覚えていたようで、親方はわたしを見てニッと笑った。

「この間の嬢ちゃんじゃねぇか。また注文か？」

「そうです。ヨハン、いますか？」

「あぁ、呼んでくるからここで座って待ってろ」

木札を重ねて抱えると、「おい、ヨハン！　客だ！」と大きな声を響かせながら親方はのっしのっしと奥の作業室へと入って行く。ずしんと腹に響くような声が響いた後、奥からオレンジの癖毛を後ろで束ねたヨハンが慌てた様子で飛び出してきた。

「はい！……あ、この間の、ギルベルタ商会の方。こんにちは」

「こんにちは。今回は『デザインカッター』を作ってほしいんです。これを見てください」

わたしはフォリン紙の発注書を差し出し、くるりと裏返して設計図を見せる。ヨハンは珍しそうに紙を触った後、わたしが描いた図に目を通して不可解そうな顔になった。

「大きな刃物はよく注文を受けるが、ここまで細くて薄くて小さい刃物の注文はないな。一体何に使うんだ？　こんな小さい刃では何も切れないぞ」

「この植物紙を切るんです。小さい丸を切り抜くには刃が小さくないと困るんですよ」

「ふぅん。……この紙か。植物紙を触るのは初めてだ」

ヨハンは指先で紙を摘《つ》まんで、裏表に何度か捲ってみたり、目の前で振ってみたりして感触を確認する。しばらく好きにさせた後、わたしは発注書の裏の図を指差した。ヨハンはものすごく細かい質問をするので、今回は発注書に細かくサイズや用途を書いてみたのだ。

「それで、持ち手の部分は木でも良いんですけど、こんなふうに刃の付け替えができるようにしてくれると嬉しいです。刃の穴の部分とこの持ち手の合わせる部分がピッタリ合わないとぐらついて危ないので細かい仕事を得意とするヨハンにお願いしたいんです」

図を見ながらヨハンが刃の付け替えについて質問してくる。それに答えながら細かい指示をすると、ヨハンの目が挑戦的に燃え始めた。どうやら職人魂に火を点けてしまったらしい。

「……へぇ。面白いな。この刃を簡単に交換できるというのが良い」

「それから、蓋を付けるか、専用のケースも一緒にお願いします。切れ味が鋭くて危険だし、薄くて小さいから欠けたり壊れたりしやすいんです」

「だったら、付け替えるための刃もいくつか準備しておいた方が良さそうだな」

様々な打ち合わせの後、親方にギルドカードで前金を支払う。

「仕上がったら、ギルベルタ商会に届けていただけますか？」

ウチに届けてもらってもすぐには現金を準備できないけれど、ギルベルタ商会なら言付けて、お金を先にベンノに払っておけば、受け取る時にきちんとヨハンにお金を支払ってもらえるのだ。そして、ギルドカードでやり取りできるので、現金を持ち歩く必要がないこともありがたい。


「ルッツ、マイン！」

デザインカッターを注文してから十日ほどたった神殿からの帰り道、ギルベルタ商会の前でわたし達は門番に呼びとめられた。荷物があるので寄るように、とマルクが言っていたらしい。

「ヨハンが午後に届けてくれました。面白い仕事だったとずいぶん興奮していましたよ」

マルクに手渡された細長い箱を持ってウチに帰ると、わたしは早速ヨハンに作ってもらったデザインカッターでステンシル定規を作ってみた。専用の下敷きマットがないので板の上であまり力を入れないように切ってみたが、これは刃が傷《いた》むのが早そうだ。しかし、鋭くて使いやすいカッターのおかげでステンシル定規自体は簡単に作ることができた。メモ帳の上に厚紙で作ったステンシル定規を置いて穴を煤鉛筆で塗り潰せば、ちゃんと黒い丸になっている。

「……絵本の型も厚紙を使って、ステンシルみたいにインクを塗ったら、わざわざ板を彫らなくていいんじゃない？　わぁ、わたしって天才？」

思いついたことを実行するために定規を使って白黒絵本のデザインをする。思いつくままに、大きめの三角形を二つ上下に並べ、下の三角形に長方形をくっつけてモミの木のような形にしたり、丸の輪郭に丸の目と半円の口と三角形の鼻で人の顔にしたり、コンパスで六角形を作る時にできる花のような図形を描いたりする。結構楽しくて夢中になって描き、「もう終わりにしたら」と家族に言われながらカッターで切り抜いて型を作り上げた。


「ルッツ、見て！　できたよ！」

次の日、わたしは上機嫌で仕上がった型をルッツに見せる。一つ一つの図はA5くらいのサイズで、元の厚紙を半分に切った大きさだ。全部で十枚ある厚紙を見たルッツはぐにゅっと眉根を寄せてどう反応すれば良いのかわからないような顔になってわたしを見た。

「なぁ、マイン。この絵って……ホントに赤ちゃんが喜ぶのか？」

「よ、喜ぶよ！　白黒は『コントラスト』がはっきりしてるし、図形の組み合わせだから絵の上手下手は関係ないでしょ？」

わたしの説明にルッツは疑わしそうな目を更に疑わしそうにした。

「……うーん。まぁ、マインが納得してるなら、それでいいけどさ」

怪訝そうなルッツが午後から工房で絵本作りを開始する。今回はステンシルの要領で刷毛を使って黒インクを塗っていく。細かい線のところは刷毛では紙がよれてしまうので、綿棒のように細い棒の先にぼろ布を巻き付けたもので、トントンと軽く押すようにしてインクを付けてもらった。

「わぁ、すごい！　できた！」

「……マイン様、これは何ですか？」

「何に使うものですか？」

子供達が周りに寄ってきて覗き込んできた。乾かすために棚の上へ灰色神官に並べてもらいながら、わたしは満面の笑みで答える。

「赤ちゃんのための絵本です」

「……赤ちゃん？　ふぅん？」

返ってくる反応は全て微妙だ。首を傾げたり、視線を逸らしたり、わけがわからないけれど、余計なことは言わない方が良いと言うような空気が辺りに漂っている。

……やっぱり理解されないみたい。早く世間がわたしに追いついてくれればいいのに。

少し孤独な気分だけれど、白黒絵本のページはできた。後は屏風《びょうぶ》のように広げて立てたいので、仕上がった紙を板に張り付けて、板に穴を開けて紐で繋いでいかなければならない。

……あ、糊のために膠を作らなきゃ。

子供用聖典の準備

周囲の評判はともかく、赤ちゃん向けの白黒絵本のページだけはできあがった。それに満足しながら、秋の気配が強まってきた大通りをルッツと二人で手を繋いで帰宅する。

「膠作りは冬支度の後になるから、子供向けの聖典作りに戻りたいと思うんだけど」

読書の秋のうちに本を作りたいと思いながら、わたしがルッツにそう言うと、ルッツはうーん、と言いながら少し考え込んだ。

「また木版画にするのか？　紙を切る方が簡単そうじゃねぇ？　マインでもできるんだし」

ルッツの言う通り、厚紙を切って原版を作るのはそれほど難しくはなかった。わたしにもできるのだから力は必要ないのである。

「確かに本文もカッターで切り取れば、鏡文字にする必要はないもんね。文字の数が少ない絵本だったら大丈夫だと思う。……さすがにカッターをもう少し注文しなきゃいけないけど、初期投資にお金がかかるのは当然だから仕方ないよね」

特注になるのでデザインカッターは少々お値段が高くなってしまうのだが、木版画でも彫刻刀のような道具を揃えなければならない点では同じだ。

「そのために貯めておいた金なんだからいいんじゃねぇ？」

いずれは基本文字の活字を作って活版印刷に移りたいと思っているが、印刷に使おうと思ったらたくさんの活字がいる。活字を作るためには細かい細工が必要になるし、金属で活字を作ろうと思ったら今以上にお金がかかる。印刷に手が出せるのはもっと後のことになるだろう。

「ハァ……。グーテンベルクさんにはまだまだ届かないなぁ」

「誰だよ、それ？」

「わたしにとって神にも等しい所業を成し遂げた偉人だよ。わたしの目標。……今はできるところから改良して行くしかないけどね。ルッツは何か改良して欲しいところある？」

「……印刷する時に紙を押さえておくような道具って何かないか？　ちょっと気を抜いたら紙がすぐにずれるし、指はインクで汚れるし、インクはなかなか落ちねぇし、結構困るんだ」

ルッツは貴族を相手にする商人の見習いだ。身だしなみに気を付けていなければならないのに職人と同じように手を汚しているのは非常にまずい。灰色神官に任せてしまうという手段もあるが、ルッツ自身が「マインが考えた物はオレが作る」ということにこだわっている。そうなると、なるべく汚さない方法を考えるしかない。

「うーん、『ガリ版』印刷の枠だけでも先に作れば、かなりマシになると思う」

「ガリバン？　何だ、それ？」

「えーと、版に穴を開けて、インクを塗って印刷するのを『孔版《こうはん》』印刷って言うんだけど、『ガリ版』印刷はその一種ね。『ガリ版』印刷では木枠や網で紙を押さえるから、それがあると手は汚れにくくなると思う。えーと、こんな感じ」

わたしは書字板を取り出して、その場に立ち止まると図を描き始めた。ぎょっとしたルッツに「ちょ、マイン！　せめて、端に寄れ」と引っ張られながら通りの端に移動する。

「紙が置ける大きさの木の台にこんな感じで開け閉めできる木の枠が付いてるの。木枠と台は蝶番《ちょうつがい》で留められてて、木枠には網の枠がはまってるんだよ。印刷の時は、この台に紙を置いて、版紙を置いて、枠を下ろして固定した後、網の上からインクを付けるの」

「へぇ。木と網でできるなら、何とかなるか？」

原紙とやすりを除けば、それほど複雑な作りではない。一番簡単な物ならば多分ルッツにも作れると思う。自作に自信がないのは網のついた枠くらいだ。

「ルッツ、簀《す》を作る時にお願いした細工師さんって、今、仕事を注文しても大丈夫かな？　植物紙工房の大きい簀作りは終わった？」

「……それは旦那様かマルクさんに聞かないとわからねぇな」

ちょうど見えてきたギルベルタ商会に寄って尋ねてみることで意見は一致し、わたしとルッツは店に入っていった。仕事がほとんど終わりかけのようで、一部では片付けも始まっている。流れるような動きではあるが、慌ただしさを感じる店内を見回した。

「おや、マインとルッツではないですか。御用でしたら奥の部屋で伺います」

店の方で話をするのは邪魔なのだろう。マルクはベンノに伺いを立てることなくわたし達を奥の部屋へ通す。ベンノは帳簿か何かを確認していたが、溜息一つで許してくれた。

「ベンノさん、明日マルクさんをお借りしていいですか？　簀桁《すけた》を作ってくれた細工師さんに注文したい物があるので工房へ一緒に行って欲しいんです」

細工師は手が空いているだろうか、と質問するとベンノは帳簿をパラパラと捲って頷いた。

「全て納品されている。他に仕事が入っていなければ大丈夫だろう。今度は何を作るんだ？」

「網を張った枠です」

わたしの答えにベンノが不可解そうに首を捻った。

「は？　網だと？　一体何に使うんだ？」

「インクを使う時に、ルッツの手を汚さないために使うんです」

全くわからないと言いたげにベンノは説明を求めてルッツに視線を向けた。ルッツは先程説明したにもかかわらず、わからないと言うようにゆっくりと首を振った。

「まぁ、いい。マルクには伝えておく。時間はどうだ？」

「わたし、フェシュピールの練習に神殿へ行くので午後からでもいいですか？」

「午後の方がこちらの都合も良い。では、明日」

次の日の午後、昼食を終えたわたしとルッツはギルベルタ商会に行き、マルクも一緒に職人通りの細工師の工房へと向かう。

「……またお前らか」

眉間にくっきりと皺を刻み込んだ、ものすごく嫌そうな顔の細工師に出迎えられた。客相手にその顔はないだろう、と思ってしまうくらいの嫌そうな顔だ。

「まさか、また簀か？　やっと終わったのに納期が厳しい仕事は勘弁してくれ」

よほど工房向けの大きめの簀を作るのが大変だったようだ。げんなりとした表情の細工師と穏やかな笑顔のマルクを見比べながらわたしは手を左右に振る。

「あの、違います。今回お願いしたいのは網の枠です」

「網の枠？　それは木工工房に頼め」

散れ、と言わんばかりに手を動かしながら、細工師が視線を扉に向けた。

「いえ、ただの枠じゃなくて、こういう感じで枠に紗《しゃ》……えーと、絹糸を網状に張ってほしいんですけど、できますか？　目はそれほど細かくなくても良いんです。紙がずれたりよれたりしないように押さえるために必要なので」

わたしは石板を取り出して、作ってほしい網の枠の図を描く。細工師はきつく目を細めて、しばらく図を睨んでいたが、仕方なさそうな息を吐いた。

「……できなくはない。面倒だが」

「お願いしちゃっていいですか？」

「手間はかかるが、金払いは良いからな。簀以外の仕事ならいいだろう」

網を張った枠を作ってもらえることになった。いつも通りできあがったらギルベルタ商会に届けてもらう契約でマルクがサインをする。

「マルクさん、あと、もう一箇所。鍛冶工房に寄っていいですか？　この間のカッターを追加注文したいんです。それから、ローラーについても相談したいんです」

厚紙で版を作るならばデザインカッターは複数必要だ。文字を切り抜くわたしとルッツの分、それから、ヴィルマの分は準備しておきたい。あと、均一にインクを塗るためにローラーが欲しい。

しかし、わたしが知っているのはゴムローラーとスポンジローラーだ。代用できそうな物があるだろうか。なければ布を巻いておけばいいと思うけれど、使い心地はどうだろうか。

鍛冶工房に注文に行って、デザインカッターを二つ追加注文する。ヨハンがイイ笑顔で引き受けてくれた。自分の技術を余すところなく使える注文で非常に楽しいらしい。

「それから、ローラーが欲しいんだけど……」

わたしは図を描いて見せて用途の説明をする。ゴムやスポンジについては説明してみたけれど、やっぱり首を傾げられるだけだった。

「……筒状の物を転がすことによってインクを付けるのか。また変わった物だな」

「こういう取っ手が付いてて、転がしてもガタガタしない物が欲しいの。表面に布を巻き付けたら、インクは付くと思うので素材に関しては任せます」

ちょっと弾力があってインクが付着する素材があればいいけれど、なければないで何とかなるはずだ。わたしの説明にヨハンは何度か頷いた。

「それだけなら、別に難しくない。できたらギルベルタ商会に持っていけばいいんだな？」

「そう。お願いします」

鍛冶工房を出たところでマルクと別れ、わたしとルッツは家に向かって歩き始める。

「残る問題は絵だよねぇ。厚紙を切って版を作って刷ったら影絵のような感じになると思うの。デザインカッターのおかげで少しは細い線も残せるけど、ヴィルマに絵の描き方を工夫してもらうにはどうすればいいかな？」

「何か手本になるものがあれば少しはやりやすいと思うぜ？　正直なところ、マインの下手くそな説明だけ聞いてもよくわからねぇからな」

確かに見たことがない物をいくら説明されてもすぐには理解できないだろう。

「ん～、だったら、参考になるかどうかはわからないけど、わたしが作ってみようか？」

「え？　マインが？　大丈夫か？」

「ヴィルマの絵を元に描くから大丈夫だよ。失礼な」

更に不安そうに顔を引きつらせてルッツがわたしを見る。デフォルメした絵を一度描いただけなのに、一体どれだけわたしの絵に対する評価は低いのだろうか。

……これでも麗乃時代の美術の成績はだいたい四だったんだよ！

最後まで心配そうにわたしを見ていたルッツと井戸の広場で別れて家に帰ったわたしは、早速ヴィルマの木版画を参考にして女神の輪郭を描き、影絵のように煤鉛筆で黒白に分けてみた。シンプルだけど木版画よりは見やすい気がする。

「うん、結構いいんじゃない？」

ただ、これはやはり日本人としての感性が残るわたしの目で見ての感想なので、ここで受け入れられるかどうかはわからない。繊細で写実的な絵を称賛するここでは影絵っぽいものはシンプルすぎて拒否される可能性もある。

次の朝、わたしはヴィルマに見せられるように、微妙だった版画と自分が描いた影絵をバッグに入れた。ヴィルマに渡せるようにデザインカッターと煤鉛筆も準備してある。

「おはよう、ルッツ。絵はこんな感じにすれば、どう？」

迎えに来たルッツに、昨日描いた影絵のような女神様を見せてみた。不安そうだったルッツは軽く目を見開いて、まじまじと絵を見た後でホッとしたように息を吐いた。

「これなら、まぁ、いいんじゃねぇ？　木版画よりは見やすいと思う」

「よかった。これで何とかならないか、ヴィルマに相談してみる」

午後からわたしは微妙だった木版画と自分が描いた影絵、それから、デザインカッターと厚紙を持って孤児院へと向かった。ヴィルマに会いに行く時はロジーナがお伴だ。

「マイン様、ようこそいらっしゃいました」

食堂のテーブルにわたしは木版画の絵を置いてヴィルマにそっと差し出した。ヴィルマはそれを手に取って困惑したように表情を曇らせる。思い描いていた絵ではなかったのだろう。

「ヴィルマの絵はとても繊細で、板を彫らなければならない木版画になるとこんな感じになってしまうのです。これではせっかくのヴィルマの絵の良さが失われてしまうでしょう？　ですから、別の方法で作れないかと思って考えてみました」

わたしはそう言いながら、自作した影絵の方を差し出した。本職に見せるのは少し躊躇《ためら》ってしまうが、見せなければ先に進まない。

「板を彫るよりは手軽にできると思います。ただ、これが皆に受け入れられるのか、わたくしにはわかりません。芸術の中でも絵を得意とするヴィルマの意見を伺いたくて……」

ヴィルマはわたしの影絵を見て、小さく息を呑んだ。

「……こちらはマイン様が？」

「ヴィルマの絵を参考に白と黒だけで紙を切って作った場合の見本として作ってみました。どうかしら？　今までの絵とはずいぶん変わると思うけれど、その、雰囲気はわかるかしら？」

ダメかな？　とヴィルマの反応を見ていると、しばらく無言で影絵を見つめていたヴィルマはふるりと頭を振って、嬉しそうに茶色の瞳を輝かせた。

「この方法で作ってみます。わたくしが新しい手法でどこまでできるか、挑戦してみたいです」

「では、ヴィルマにこのカッターと煤鉛筆を贈ります。以前に渡した紙で色々試してみてください。こちらは本番用の厚紙です。一枚目ができたら一度刷って、様子を見てみましょう」

目を輝かせて影絵に見入るヴィルマに持ってきた道具を下賜して、道具を使う時の注意点を述べた。ヴィルマのことだ。きっとわたしよりずっと素敵な絵を描いてくれるだろう。

ヴィルマが新しい手法に試行錯誤している間、わたしは厚紙に字を書いて版紙を作っていた。ヨハンからデザインカッターとローラーが届くのは予想外に早かったので、ルッツと二人で書いた文字を丁寧に切り抜いていく。ちまちまとした細かい作業だが、これを印刷すれば本になるのだと思えば頑張れた。

そして、ヴィルマの絵ができるより先に、細工師に頼んでいた網の枠ができてきた。そこでルッツの家に行き、ラルフとジークに頼んでガリ版印刷の木の台と網の枠がはめられる大きな枠を作ってもらうことにした。

「一体どういうのがいるんだ？」

「こういうの！　ルッツの手を汚さないように必要なの。お願い、お兄ちゃん達」

わたしは紙に設計図を描き、細かくサイズを描き入れたものを二人にバーンと突きつけた。設計図は仕事柄よく見ているようで、ジークとラルフはそれに目を通すとすぐさま作り始める。軽い打ち合わせと共に板や釘を取り出してきた。

「……ん～？　こんなもんか？」

「すごい、お兄ちゃん達！　ピッタリだね」

さすが木工職人見習い。ずれがない。あっという間に網が綺麗にはめられる木枠ができあがった。

わたしが褒めると、ラルフがフンと鼻を鳴らして「ルッツが商人らしくなるように、オレだって職人らしくなってるからな」とルッツをからかうように見る。

「じゃあ、次はこっちの台を作ってくれよ、職人」

むすっと頬を膨らませたルッツの言葉に、二人は肩を竦めて軽く笑いながら作業を再開する。

「あ～、これじゃあ、合わないや。ルッツ、あっちの板を持ってこい」

「丁寧に磨いておけよ。お前が使うんだろ？　変なささくれが残っていると怪我するからな」

「二人とも人使い荒いって、ったく」

相変わらずルッツはこき使われているけれど、一時のようなピリピリとした雰囲気は消えていることがわかって、わたしはこっそりと安堵の息を吐く。

「ジークお兄ちゃん、木枠に網を固定できるようにこれも付けて」

ジークに頼んで木枠に涙滴《るいてき》型の金属製のトンボも取りつけてもらう。トンボは木枠に網を固定するための部品だ。額縁などの裏板を留めるための部品である。そして、木枠と台を蝶番で留める。台の上には五ミリくらいの厚みの板を設置してもらい、印刷時に紙の位置を合わせられるようにしてもらえば、予想以上に短時間で印刷するための台が仕上がった。

「あ、ありがとう、兄貴達。その、助かった」

改めて家族にお礼を言うのは恥ずかしいのか、ちょっと照れたようにルッツがそっぽを向く。言われたお兄ちゃん達も困ったような顔をして視線を逸らした。

「これぐらい、大したことねぇし」

「そうそう。ただの小遣い稼ぎだからな」

わたしだったらトゥーリにハグして最大限の感謝を身体で示すが、この兄弟にとってはこれが精一杯なのだろう。でも、全く会話がない状態からはずいぶん進歩したと思う。わたしが生暖かく見守っていると、視線に気付いた三人が揃って顔を引きつらせた。

「マイン、あんまりこっち見るな！」

そんなところで声が揃う辺り、兄弟だなぁ、とわたしは更に生暖かい目になる。

「ルッツ、マインを送ってこい！」

「そうだ。オレ達はこっちを片付ける！」

「行くぞ、マイン！」

やたらと息の合った兄弟の連携で、わたしはすぐさまルッツの家から連れ出されてしまった。心温まる兄弟のやり取りをもっと見ていたかったのに残念である。

「マイン、にやけてないで考えろ。これで全部揃ったか？　あとはヴィルマの絵だけだよな？」

ルッツが強引に話題を変えてくる。よほど兄弟間のやり取りについては、蒸し返されたくないらしい。小さく笑いながらわたしは本を作る上で必要な物を色々と思い浮かべてみる。紙はできた。インクもできた。文章の版紙もできた。ローラーもできた。印刷のための台もできた。これでヴィルマの絵が完成すれば本の中身は仕上がる。ただ、表紙が白紙というのは寂しい。

「ねぇ、ルッツ。余裕があるなら押し花を間に挟んだ紙を作って。表紙にしたいの」

「あぁ、あれか。綺麗だもんな。じゃあ、明日はあいつらを連れて森へ行ってくる」

全ての準備が整ってヴィルマの絵を待つだけの状態になり、午後は図書室でどっぷり読書に浸れるようになった。昼食を終えて、今日も読むぞ、と意気込んだ時、ヴィルマの絵ができたと孤児院の子供からギルが伝言を受け取って、部屋に入ってきた。

「マイン様、ヴィルマの版紙ができたってさ。頼みたいこともあるから、マイン様に版紙を取りに来てほしい、ってチビ達が言ってるんだけど」

ギルの言葉にわたしはパァッと目の前が明るくなっていくのを感じた。版紙ができたということは、印刷に取りかかれるということだ。

「ギル、昼食後は工房で印刷できるように準備をお願い。ロジーナ、孤児院へ行きましょう」

「マイン様、落ち着いてくださいませ。孤児院にまだ神の恵みが届いておりませんわ」

孤児院と昼食時間に差があることを思い出して椅子に座り直すと、ギルが小さく笑いながら「チビ達が工房にやってきたらオレが教えに来るから、マイン様はお祈りでも覚えて待ってればいいさ」と、わたしに神官長から出された課題のことを思い出させてくれた。

わたしはそわそわしながらギルに言われた通りに祈りの言葉の暗記に努める。これは秋に騎士団からの要請があった時に使われるもので、いつ要請があるかわからないから今から完璧に覚えておくように、と神官長に言われているのだ。

……あ、儀式用の衣装もどうなってるか、進捗状況を聞きに行かないと。

子供達の食事が終わったという知らせを受けて、わたしはロジーナと一緒に足取り軽く孤児院へ向かった。孤児院に入ったばかりの食堂で、ヴィルマはいつもの穏やかな笑顔ではなく、少しばかり緊張した面持ちで待っていた。テーブルにはA５サイズの紙が置かれている。

「どうぞご覧ください」

「まぁ！」

わたしの背後から一緒に覗き込んでいたロジーナが感嘆の声を上げる。

丁寧に切られた版紙は繊細なヴィルマの絵の特徴を残しながらも、シンプルに線が整理されていた。闇の神が光の女神と出会った場面で、切り抜きの多い方が闇の神、白を多く残してはいるけれど、髪の影や衣装の皺が見事に表現されているのが光の女神だ。すぐにでもインクを入れて完成形を見たくなった。

「素敵！　すぐに印刷してみましょう。ギルには準備してもらうように頼んでいます」

ロジーナに版紙を持ってもらって、即座に工房へ行こうと立ち上がった。

「あ、あのっ、マイン様！」

重大決心をしたような表情でヴィルマがわたしを見つめる。何度か小さく唇を動かした後、胸元で指先が白くなるほど力を入れて組み合わせ、震える声で問いかけた。

「わ、わたくしも工房にご一緒させていただいてもよろしいでしょうか？」

「わたくしは構わないけれど、大丈夫ですか？」

ヴィルマは男性が苦手で孤児院から出たくなくて、工房にも顔を出すことはないと聞いていた。子供達の様子は気になるけれど、怖くて足が竦む、と言っていたはずだ。

「殿方が苦手なのは変わっておりませんけれど……印刷すればどのようになるのか、気になって、気になって何も手につかないのです。木版画では思ったような結果にはなりませんでしたし、これも新しい手法ですからどのような結果になるかわからなくて」

木版画の仕上がりはわたしにとっては微妙な程度だったけれど、ヴィルマにとってはかなり不本

意な結果だったらしい。細密に黒で質感を出すわけではなく、紙を切って影絵のようにシンプルな絵を作り出すのはヴィルマにとって初めてのことで、結果が気になるのは非常によくわかる。

でも、ヴィルマの心の方は大丈夫なのだろうか。工房に行けば嫌でも灰色神官達がいて、顔を合わせることになる。成人男性が怖いと言っていたヴィルマに耐えられるのだろうか。

「わたくし、マイン様と一緒なら心強いのですけれど……」

ヴィルマが躊躇いながらそう言った瞬間、わたしの中でヴィルマを心配する気持ちが吹っ飛んだ。代わりに、ヴィルマを守ろうという使命感がぶわっと湧き上がってくる。

「わたくし、絶対ヴィルマには殿方を近付けません。一緒に参りましょう」

「マイン様、本来は側仕えが主に殿方を近付けないようにするのですよ?」

ロジーナの呆れたような声が割り込んできたけれど、そんなことはどうでもいい。ヴィルマがほんのちょっとでも孤児院の女子棟から出る気になったということが大事で、わたしがヴィルマに頼りにされているということが一番重要なのだ。

片手で胸元を押さえて不安そうな笑みを見せるヴィルマの手を軽く引くようにして、わたしは食堂の奥の階段を下りて、裏口からマイン工房へと向かう。

……ヴィルマはわたしが守るんだ！　頼りになるところ、見せなくっちゃ！

張り切った瞬間、わたしは階段で足を踏み外し、ヴィルマに抱き上げられて事なきを得た。

「大丈夫でございますか、マイン様!?」

「え、えぇ」

「……マイン様、張り切るのは結構ですけれど、落ち着きを失ってはなりませんよ」

ニッコリと笑ったロジーナのお小言が、さくっと胸に刺さった。

子供用聖典の製本

「わぁ！　ヴィルマだ！　ヴィルマが来た！」

「ヴィルマ、ヴィルマ。私、インクの準備を手伝ったのです」

孤児院から出ようとしなかったヴィルマが工房に姿を見せた途端、子供達が歓声を上げてヴィルマに群がり、自分達がどんな仕事をしているか、どんなことができるようになったか、口々に説明し始めた。こうなってしまったら子供バリアで灰色神官が近付く隙など全くない。そして、ヴィルマを守ろうと決意したわたしの出番もない。

「……では、印刷しましょうか」

ヴィルマを守る必要がなくなってしまってしょんぼりと肩を落としながら、わたしはルッツのところへと向かった。ヴィルマは子供バリアを張り付けたまま、わたしの後ろをついてくる。

「ルッツ、最初に扉と奥付を印刷してくれますか？　このローラーでインクが均等につくかどうか確認したいのです」

ルッツが印刷のための台に紙を置いて、その上から版紙を重ねて置く。印刷台はだいたいA４サイズで、版紙はA5サイズになっている。今回の絵本では上下で絵と文の版紙を分ける予定だ。今は上に扉、下に奥付の版紙が置かれている。

「これで間違いないか？」

ルッツはわたしに確認した後、網のはまった木枠をそっと下ろして、次にインクを取り出した。大理石の台の上で少しの油と合わせてパテヘラで少し練る。その後、ローラーに付けて伸ばして、満遍なくインクを付けていった。

準備ができたルッツがちらりとわたしに視線を向けてきた。わたしがコクリと頷くと、ルッツはゆっくりと網の上にローラーを転がしていく。縦と横に数回転がし、ローラーを大理石の方に一度置いた。そっと木枠を上げてみると、インクで版紙は網の方にくっ付いていて、台の上に残っているのは刷り上がった紙だけだった。

白い紙の上に文字がしっかりと印刷されている。掠《かす》れてもいないし、にじんでもいない。

「問題ないです。これを乾燥台に置いてちょうだい」

刷れた扉と奥付を確認して、わたしは一人の灰色神官に紙を渡した。灰色神官は棚に紙を置いていく。そして、ルッツは新しい紙をセットしてせっせと印刷を始めた。厚紙の版は何度も使える物ではないのでできるだけ多く刷ってしまわなければならない。

今回は三十部刷る予定である。わたしが家に持ち帰る分と神殿の部屋に置く分、ルッツの分、ベンノの分、神官長の分を献本《けんぽん》して、残りは孤児院に教科書として置くことになる。

「次に本文と絵を刷ります。準備してください」

わたしの指示を聞いたヴィルマの顔に緊張が走った。ルッツが版紙を交換する。扉と奥付の版紙を外して、代わりに見開きで見やすいように左側に文章、右側に絵になるように考えて、慎重に版紙を置いた。真ん中は製本時に縫い合わせるため、広めに空白を取ってある。

ヴィルマとルッツ、二人の視線がわたしに向かっているのを感じて、わたしは二人の顔を見た後、ゆっくりと頷いた。ルッツもヴィルマに負けないほど緊張した面持ちで、ローラーを使って縦横に満遍なくインクを付けていく。ルッツがローラーを動かすのと同じ速度でドクンドクンと心臓が鳴る。きちんと仕上がっているだろうか。ヴィルマが満足できる絵に仕上がっているだろうか。祈るような気分で見つめる中、ルッツがローラーを置いて、そっと木枠を上げる。わたしだけでなく、周囲で見守る人達からもゴクリと息を呑む音が聞こえた気がした。

「……わぁ！　すごいっ！」

最初に声を上げたのは、ヴィルマの周りを取り巻く子供達だった。

闇の神が光の女神と出会った場面が、白と黒だけで見事に表現されていた。版を見た時から素晴らしい物になるだろうと思っていたが、インクが入って色がくっきりとするとそれがよくわかった。夜空のような黒のマントで女神を包み込もうとする闇の神と、闇の神を照らす光の女神が鮮やかに浮かび上がるようで、切り込みが入った版を見ただけではわからなかった細かな髪の影や衣装の皺がヴィルマらしい繊細さで描き出されていた。

「とても、とても素晴らしいですね」

わたしがヴィルマを振り返ると、ヴィルマはほろほろと静かに涙を流しながら刷り上がった絵をじっと見つめていた。

「ヴィルマ、大丈夫ですか⁉」

「も、申し訳ございません。これは、その、安心したもので、わたくし、嬉しくて……」

途切れ途切れにヴィルマはそう言いながら、そっと涙を拭った。子供達がヴィルマを慰《なぐさ》めようとおろおろしながら背中を撫でたり、「泣かないで」と声をかけたりしている。嬉し涙を隠せないヴィルマと慰める子供達の図こそ、わたしには宗教画のように見えた。

……ヴィルマ、マジ聖女。

周囲の視線は当然ながら、頬を薔薇《ばら》色に染めて綺麗な涙を流すヴィルマに向かう。注目されていることに気付いたヴィルマは恥ずかしそうに耳朶《みみたぶ》まで真っ赤に染めて踵を返した。

「マイン様、わ、わたくし、次の絵を描いてまいりますね」


それからはヴィルマの絵が完成するたびに印刷していくことになった。その間、子供達はせっせと紙を作り、灰色神官達はインク作りに精を出す。それと同時に森で収穫した果物やキノコを干したり、冬支度として薪を買い込んだりすることも始めた。

「マイン、今日で印刷が終わったぞ。次はどうするんだ？」

秋が深まってきたある日の帰り道、ルッツがそう言った。とうとう、全てのページの印刷が終わったらしい。印刷が終わったら製本だ。とうとう本になるのだ。

「次は『製本』だよ！　わたし、明日は絶対に工房へ行くから！」

「来なくていいから、説明しろって」

青色巫女見習いのわたしがいると、灰色神官達が気にするので非常に邪魔らしい。しかし、本の製作に関わりたい気持ちは抑えられない。特に新しい作業に入る時は尚更だ。

「最初だけでも良いから参加したいし、この目で見たいの。順調に進んでいるのを確認したら、その後は印刷の時と同じように立ち入らないようにするから。ね、ルッツ。お願い」

「……最初だけだからな」

「うふふ。やったぁ！　本！　本！」

その場でくるくる回りながら喜ぶわたしの腕を引っ張ってルッツは歩き始める。にやける顔はそのままにわたしが歩き始めると、ルッツは手を離して荷物の中から書字板を取り出した。

「ほら、説明。……セイホンだっけ？」

「そう！　製本は本の形にすることだよ。印刷した紙がきちんと乾いたら丁寧に二つ折りにしていくの。見開きで絵と文が一対になってて、ページが繋がっている方が谷になるように、端を揃えて綺麗に折ってね。これは台が必要だから孤児院の食堂で作業した方が良いかも」

ルッツが書字板に書き留めていく速度を見ながら、わたしはゆっくりと説明を続ける。

「折れたら、必ずそのページ毎に向きを揃えて重ねて山を作っていくの。絶対に他のページと混ぜたり、上下や左右が逆になったりしないように気を付けて。あ、そうだ。午前中に扉と奥付のページはカッターを使って半分に切っておいてね」

次の日の午後、わたしが待機する孤児院の食堂に今まで印刷した紙が次々と運び込まれてきた。紙に染みが付かないように、どのテーブルも綺麗に磨き上げられている。わたしは自分の前に縦横互い違いになるように積み上げられた紙の束に、ほぉ、と感嘆の溜息を吐いた。新しい紙とインクの匂いにうっとりする。この場で踊り出したいくらいに嬉しくて堪らない。

「では、班長は取りに来てくださいな」

仕事がしやすいように工房の中では班分けがされている。今回はその班毎にページを折ってもらうことになっている。灰色神官が班長として見習い達を見ているのだ。さすがにきちんと折れるかどうかわからない見習い未満の幼い子供達を今回の作業に入れることは止めた方が良いとギルからの進言があり、幼い子供達はヴィルマと一緒にスープ作りをしている。

端がずれないように細心の注意を払うこと。折る方向に注意すること。全て折れたら、わたしのチェックを受けることなどの注意事項をルッツが述べた後、紙を折る作業が始まった。

「端をもっと丁寧に揃えてください。最初にここところを押さえて、こうやって……」

わたしはゆっくりと各テーブルを見回りながら折り方を教えていく。紙が高価で身近に存在しないこの街では、当然のことながら誰も折り紙をしたことがない。そのため、成人の灰色神官でもあまり綺麗に端が揃っていない。不器用な外国人が初めて折り紙をしたような有様だ。

……おぉう。せっかくの本が！　ページが斜めになっちゃうよ!?

直視せざるを得ない現実に頭を抱え、わたしはルッツにこっそりと囁きかける。

「ルッツ、これ、わたしが折ったらダメなんだよね？」

「今は我慢して見てろ」

……ああぁぁ！　失敗作の紙で折り紙の練習をさせておくべきだったよ！

どんな仕上がりになるのか、わたしがハラハラしながら待っている中、何となく半分で折られたページが積み重なっていく。チェックしてあまりにひどい物はやり直しとして突き返した。このまま本になるなんてとんでもない。誰が許してもわたしが許さない。

全てのページが折れたらテーブルに順番に並べていく。それを順番に取っていけば本のページが揃うはずだ。麗乃時代に遠足のしおりを作らされた時に行った作業である。わたしにとっては別に珍しい作業でも何でもない。実際に作業する他の人は初体験だけれど。

「このように奥付のページを取ったら、横にずれて次のページの山から一枚取って上に重ねて、また横に寄って……と繰り返します。決してページをひっくり返したり、一度に二枚取ったりしないように気を付けてくださいませ」

そう言いながらわたしは手早くページを取っていく。これでホッチキスで留められたら話は早いのだが、そんな便利グッズはここにない。

全ての紙を取って自分の席へと戻ると、フランが苦い顔で「……マイン様」と溜息を吐いた。作業はするな、と言いたい溜息だとわかったけれど、視線を逸らしてやり過ごす。皆にお手本を見せるため、そして、自分の手元に一部を確実に確保するためだ。

「これは持ち帰りたいのです。勝手なことをしてごめんなさいね」

皆がページを重ねている間に、わたしはページを丁寧に折り直して折り目を爪でしっかりしごいていく。両面に印刷された絵本用の厚い紙なのでヘラや物差しを準備しておくべきだった。いや、まだ折り直しができることを考えれば、ヘラでしっかりしごかれなくてよかったのかもしれない。

印刷した紙は三十部しかないので、あっという間に本の中身が揃えられ、十冊分ずつで縦横交互に積み上げられた。それを崩さないように注意して工房へと運んでもらう。

「これから先の作業には道具が必要ですから、今日はここまでです。皆様、お疲れさまでした」

今日は早速家に帰って製本作業の続きだ。わたしは自分で確保した一部をバッグに入れる。ルッツには工房から表紙にするための押し花が入った紙を一枚持ってきてもらった。

「帰って続きをやるなら、手伝うぜ。聞くより見た方がわかりやすいからな」

まだ膠ができていないので、糊として使えそうな物がわたしの手元にほとんどない。そのため、今回は和綴じの基本である四つ目綴じで縫って製本したいと思う。


「ただいま！」

「おかえり、マイン。早かったね。あれ？　今日はルッツも一緒？」

家に帰ると、今日はトゥーリがすでに森から帰ってきていた。わたしはバッグの中から、本日製本するために持って帰ってきていたページの束をトゥーリに見せる。

「トゥーリ、見てみて。ほら、子供用の聖典！　印刷できたんだよ」

「わぁ、こっちの絵本は素敵！」

トゥーリはパラパラと紙を捲って弾んだ声を上げた。わたしが赤ちゃんのために作った白黒絵本は全く良さが理解できなかったらしい。トゥーリの言葉にちょっとだけ唇を尖らせる。

「……でも、バラバラだね。これって読みにくくない？」

「これからちゃんとした本の形にするんだよ。……あ、トゥーリも手伝ってくれる？　それで工房に来て教えてくれると助かる。わたし、あそこでは作業しちゃダメだから」

バッグから表紙にするための花がついている紙を取り出し、テーブルに置きながらトゥーリに尋ねると、トゥーリは少し首を傾げた。

「手伝うのはいいけど、わたしにできるかな？」

「針と糸で縫うから、多分、わたしよりトゥーリの方が上手にできると思う」

「そっか。……じゃあ、手伝うからわたしにも本をちょうだい。わたしも字を覚えたいの」

ちょっと恥ずかしそうにトゥーリがそう言った。わたしやルッツが書字板や石板に書いている様子やコリンナが注文時にメモを取っている姿を見て、トゥーリも字を覚えたくなったらしい。そのくらいはお安い御用だ。トゥーリのためならわたしが家庭教師になっても構わない。

「この本、一つは家に置いておくつもりだから一緒に読もう。石板も貸してあげるよ。わたし、裁縫はダメだけど字を教えるのはできるから。この冬の間に孤児院の子供達には字を教えるつもりだし、トゥーリも一緒に覚えればいいんじゃない？　競争相手がいると覚えも早いからね」

わたしはごそごそと父さんの工具セットの中から製本に必要な道具を探し出してきて、テーブルに並べていく。物差しと千枚通しとトンカチと板だ。

「まずは、紙の端がきっちり合っていることを確認してね。直せるのはここまでだから。確認できたら、ヘラや物差しを準備して折り山をきちんと整えるの。……こんな感じ」

わたしがお手本を見せて、物差しを折り山に沿って動かすと、ルッツとトゥーリも自分の手元の紙で同じようにやってみる。

「折り目がしっかりと付いたら上下や左右が揃っているか確認して、背表紙、えーと、これから縫い合わせる方が真っ直ぐになるようにトントンって揃えて、仮綴じの穴を開けるんだよ」

板の上に揃えて置いた後、物差しでサイズを測って煤鉛筆で小さく三つの印を付ける。

「ルッツ、ここに穴を開けてほしいの。千枚通しを真っ直ぐに立ててトンカチで叩いたら真っ直ぐの穴が開くから」

わたしが端を揃えて押さえると、ルッツは「ここか?」と確認しながら印の入ったところに千枚通しを当ててコンコンと上から叩いていく。

「トゥーリ、針に糸を通して、真ん中の穴の表から裏に糸を通して」

わたしならばもたつく糸通しもトゥーリは仕事で慣れているので手早い。さっと針と糸を準備すると、あっという間に真ん中の穴に糸が通った。

「裏側から上の穴に通して、表に出てきた針を下の穴に入れてね。下の穴の裏に出てきた針を真ん中の穴に通すの」

そこでトゥーリに糸を切ってもらって、上下に渡した糸を挟むようにして、わたしは糸を結んだ。糸の端を短く切ってルッツにトンカチで軽く結び目を叩いてもらう。

「こうして結び目を潰しておくと、表面が綺麗に仕上がるんだよ」

トンカチで叩いた後、ルッツは書字板に作業順を書き込んでいく。その間にわたしは物差しを背や小口に当てて、端が揃うようにカッターで切り落としていった。

「本当はこの後、角布《かどぎれ》を張るんだけど糊になるものがないから、今回は飛ばしちゃって表紙を付けるね。表紙はみんなが森で採ってきた花や葉を透かしに使った綺麗な紙を使うよ」

押し花にされた小花と小さい葉が散り浮く表紙を半分に折っていると、トゥーリが覗き込んできて、「わぁ、可愛い」と笑みを零した。

「でしょ？　これも半分に切って、表と裏に付けてね。それで、本綴じの位置に定規を当てて、千枚通しで軽く筋を付けたら、仮綴じの時みたいに綴じ穴の位置を決めて穴を開けるの」

わたしは物差しで測って、今度は表紙が汚れないように千枚通しを押しつけて今度は四つの印を付ける。わたしの力では穴が開かないところがちょっと悲しい。

「じゃあ、オレの出番だな」

ルッツがトンカチを持って、コンコンと穴を開けていく。トゥーリは穴が開いたら糸を通すとわかっているようで、針に糸を通し始めた。

「二番目の穴の裏から表に針を出して、ぐるっと背を回ってもう一度裏から表に糸を通して……そうそう。それで、トゥーリの人差指の長さ分くらい糸を残して、本を開いてページの中心に残った糸を一度引き出して、ページの間に押し込んで見えないようにするの」

「こんな感じ？」

「針でもうちょっと押し込んで。そう、いい感じ。残り糸の処理が終わったら、三番目の穴の表から裏に針を出して、ぐるっと背を回って、もう一度表から裏に糸を通してね」

その後は四番目の穴も裏から表に針を出して背を回し、また裏から表に。今度は糸を地に回して四番目の穴に針を通す。そして、地から天へと戻るように糸が渡っていないところを補うように縫っていく。

しゅるしゅると糸を通しながら「やってみると結構簡単だね」とトゥーリが呟いた。穴が開いているところに順番に通していくだけなので順番だけ間違えなければ綴じること自体は難しくない。緩まないように丁寧に綴じていけばいいだけだ。

「これで天まで糸を回したら、次は裏表紙を上にして最後の糸の始末だよ。こうやって、こっちからここへ針を通して結わくの」

「あ、ホントに結べた」

わたしの指示通りに針を通すと結び目ができたことにトゥーリが小さく驚きの声を漏らす。

「この糸は強く引っ張って、よく結んだ後、針を二番目の穴に通して結び目を穴に落とすんだよ。こうすれば簡単に解けないから」

「おぉ、すげぇ！」

ルッツが目を見張る中、トゥーリが糸をくっくっと引っ張って結び目を穴に落とそうとする。なかなか落ちない結び目を針で少し押し込んで、もう一度軽く引っ張る。

「これで、糸を切ったら……本の、できあがり」

完成が目に見えて胸に熱いものが込み上げてきた。全身を締め付けられるようで、喉の奥がひく

ひくする。視界が歪んで、完成間近の本が歪んで見えた。

「マイン、切れよ」

そう言ってルッツが糸切りばさみを渡してくれた。トゥーリが小さく頷きながら本と針の間の糸をピンと張ってくれる。わたしは震える手で糸切りばさみを手に取って、ピンと張った糸に当てる。少し力を入れただけでプツッと糸は切れた。

それと同時に涙腺も決壊した。留めることもできない熱い涙が次々と頬を伝って落ちて行く。

「できた……。できたんだよ、ルッツ」

粘土板でもなく、木簡でもなく、メモ帳を束ねたような物でもなく、字が書かれていない白黒絵本でもなく、これは本だとはっきり言い切れる本が完成した。

「……長かった。ホントに長かったよ」

自分で本を作ると決心してから約二年。やっと本ができあがった。夢のようだ。ずっと一緒に作ってくれたルッツも達成感に満ちた最高の笑みで、目を潤ませている。

「やったな、マイン」

わたしは腕を広げてくれたルッツにギュッと抱きついて、何度も頷いた。わたし一人では何もできなかった。ルッツが一緒に作ってくれたから、完成したのだ。

「ルッツとトゥーリのおかげ。ありがとう。嬉しい。すごく嬉しい。本ができたんだよ。ずっと欲しかった、わたしの、本」

できたばかりの本を汚したくなくて、涙で濡れた手で触れることもできないまま、わたしはじっと完成したばかりの本を見つめる。薄い和綴じの絵本だが、これを作り上げるまでの道のりを考えると涙が止まらなかった。体力がない、腕力がない、お金がない、紙がない、インクがない、道具がない。ないない尽くしから始まった挑戦がやっと実ったのだ。

本ができあがった幸せに浸っているわたしに、ルッツは挑戦的に笑う。

「でも、まだたった一冊だ。もっともっと作るんだろ？　読んでも、読んでも、終わらないくらい、いっぱいの本を作るんだ。な、マイン？」

ルッツの翡翠《ひすい》の瞳はもう次の目標を見据えている。自分の野望を達成するためには次々と挑戦を続けていかなくてはならない。ぐしぐしと涙を拭いながら、わたしもニッと笑う。

「そう。図書館が必要になるくらい、たくさん作るの。約束、だからね」

収穫祭のお留守番

今日は工房にトゥーリが来て、皆に製本の仕方を教えている。わたしも行って応援したかったが、「応援だけなら邪魔だ」とルッツに拒否されてしまった。作業の邪魔なら仕方がない。

「フラン、今日は図書室に向かって大丈夫かしら？」

「問題ございません」

フランとロジーナは今、およそ一月《ひとつき》の間に孤児院で使われた食材の種類や量を書き出して冬支度に必要な量を計算している。そろそろ農村で収穫された物がどんどん街に運び込まれて、皆が冬支度をする季節がやってくるのだ。それまでに、どれだけの量が必要なのか、ある程度把握しなければならない。孤児院の本格的な冬支度は初めてなのだ。

「あんまり忙しいなら、ロジーナと図書室に行っても構わないのですけれど……」

「いえ、ロジーナはヴィルマのところへ使いに出す予定です。それに、図書室にいくつか書類を持って行きますので、お気になさらず」

木札やインクなど大量の荷物をバッグに入れたフランと一緒にわたしは図書室に向かう。まだかすかに夏の残滓《ざんし》を感じさせる眩しい日差しが冷たい空気の満ちた回廊に差し込んできた。

回廊からは貴族区域に繋がる玄関前が見え、そこに何台もの馬車が並んでいる様子が見える。青色神官が出かけるようで、荷物がたくさん積み込まれている。

「……馬車がたくさん並んでいるようですけれど、何かあるのかしら？」

「収穫祭へ向かう青色神官達の馬車です。この時期、青色神官は収穫祭へ向かいますので」

「収穫祭？……聞いたことがないお祭りですね」

秋は森で採集できる物が増えて、農村で収穫された物がどんどん市場に入ってきて、街中が一斉に冬支度をする季節である。冬を越すための豚肉加工が隣近所とのお祭り騒ぎになることは知っていたけれど、収穫祭という祭りは聞いたことがない。

「神殿特有のお祭りなのかしら？……でも、神殿で行われる儀式の中にはありませんよね？」

フランと神官長に教えられた神殿の儀式の中に収穫祭というものはなかったはずだ。

「おや、平民は知らないのか？」

突然聞こえてきた知らない声にビクッとして振り返ると、旅支度を整えた貴族らしき男がこちらをバカにするような目で見下ろしていた。星祭りの時の青色神官とは違う人物だが、青の衣をまとっていないので、青色神官なのか青色神官に用があって神殿にやってきた貴族なのか、すぐに判断できない。わたしは即座に壁へ背中を付けるように移動して、跪いて両手を胸の前で交差する。これは敬意を表し、身分が下の者が上の者に対してする動作だ。神殿において青の衣をまとう者同士は対等なので、神殿長や神官長以外には必要ないと習ったけれど、わたしは平民だ。対等に振る舞って妙に絡まれるよりは、へりくだっておいた方が安全だと思う。

「ふぅむ、自分の立場は弁えているようだな。神官長の言葉に偽りはなかったということか。……ならば、わざわざ手を回すこともなかったか」

わたしがすぐさま跪いたことに満足したのか、少し気になる言葉を零しながら男は去って行く。上手く面倒事は回避できたようだ。立場を弁えているという言葉から、男が青色神官であることを悟った。神官ではない貴族ならば跪いて当然だと考えるはずだ。

「マイン様、あの場では対等ですので、跪くのは……」

「建前はそうでも、わたくしは貴族ではないでしょう？　身分は圧倒的にあちらが上ですもの。跪くくらいで面倒事が回避されるならば、それで良いではありませんか」

フランはそれでも歯痒そうに目を伏せた。

「ですが、それでは、マイン様が他の青色神官から侮《あなど》られます」

「侮られるも何も、圧倒的に立場は弱いのですもの。青色神官の勘気《かんき》に触れて、孤児院へ目を向けられても困るでしょう？」

神殿長に対して最初にやってしまった魔力の暴走を知っている青色神官ならば、わたし自身に直接向かってくることはないと思う。しかし、わたしの肩書が孤児院長である以上、わたしを貶《おとし》めるために孤児院が利用されることはあり得るのだ。

「お考えがあるならば、それで結構ですが、時には威厳を出すことも必要でございます」

あまり納得できないという顔をしながらフランが図書室に向いて歩き始める。わたしに威厳なんてあるはずがない。フランが威厳のある主を求めているならば、わたしは努力してみるけれど、簡単に身につくようなものではないのだ。

「どうぞ、マイン様」

そう言ってフランが図書室のドアを開けてくれる。いつものように足を踏み入れようとした瞬間、わたしは自分の表情が凍ったのがわかった。

「……何、これ⁉」

図書室の中がしっちゃかめっちゃかになっていた。本棚二つが完全に空っぽになっていて、床は羊皮紙や木札が散乱していて足の踏み場もない。どう見てもたまたま資料を取る時に落としてしまったなんてものではなく、わざと本棚の中身をぶちまけている。

腹の底からふつふつと怒りが込み上げてきた。本自体が少なくて、文字を記した資料もそれほどの数がない状況で、奇跡的に存在している図書室に何たる仕打ちだ。ここに集まっている資料の貴重さもわからぬ愚か者には正義の鉄槌が必要に違いない。

「うふふふふふ。どこのどなたかしら？　このような愚かなことをなさったのは……」

身体中にみなぎる魔力がわたしを唆《そそのか》す。犯人を即座に捕まえて血祭りにあげてやれよ、と。

「マ、マイン様！　まずは神官長に報告を。そして、指示を仰ぎましょう。最後に図書室を使った者がわかるかもしれません」

フランが焦ったような声を出して、わたしの肩を背後からガシッとつかんだ。暴走しようとする魔力を直接受けないように回避しているフランに少しだけ頭が冷える。せっかく少しずつ魔力の制御ができるようになってきたのだ。怒りに任せて魔力をぶち当ててるのは犯人だけでいい。フランを怖がらせたり、周囲に被害を出したり、神官長に八つ当たりしてしまったら大変だ。ぎゅぎゅっと魔力を押し込んで、わたしはニッコリと笑った。

「そうですね。神官長のところに参りましょう」

面会予約も入れていないので、面会の申請をしている間、わたしはフランに言われて、待合室で待つことになった。静かに座っていると、回廊を人の気配が移動して行くのがわかる。おそらく馬車を準備していた青色神官達だろう。そう思った瞬間、脳裏にふっと先程の青色神官の言葉が蘇った。彼は確か「わざわざ手を回すこともなかった」と言わなかっただろうか。

……あの男だ！

わたしはガッと立ち上がった。犯人がわかった以上、ここでのんびりしているわけにはいかない。相手は旅支度をしていた。逃げられる前に捕まえなくては。

わたしがドアノブに飛びつくのと、外から誰かがドアを開くのがほぼ同時だった。突然ドアが自分に向かってきて、わたしはドアに振り回される感じで勢い良く後ろに転がる。

「ひわっ⁉」

「マイン様⁉　こんなところで何を……」

面食らった顔のフランの手につかまって即座に身体を起こした。そのまま待合室から駆け出そうとしたら、慌てたフランにガシッと引き止められる。

「どうなさったのですか、マイン様？」

「わたくしの図書室をめちゃくちゃにした犯人がわかりました。今すぐに追いかければ、まだ間に合うかもしれません！　離してください！」

「それは神官長にお話しくださいませ。神官長がお待ちです」

玄関口へ駆け出しそうですから、と言いながらフランはわたしをひょいっと抱き上げる。そして、そのまま有無を言わせず神官長の部屋へ向かった。

神官長は軽く片方の眉を上げて、連行されたわたしとフランを見比べる。

「何かあったのか？」

「犯人がわかったマイン様が玄関口に駆け出そうとなさったので、やむを得ず……」

「よろしい。英断だった」

神官長はフランを労《ねぎら》い、わたしを下ろすように指示した後、くいっと顎で隠し部屋を示した。

……もう隠し部屋というより、お説教部屋と言った方が正しいかも。

これからの時間を考えて少し憂鬱《ゆううつ》な気分になりながら、わたしは神官長の後ろについて隠し部屋に入った。わたしがいつも通り資料を脇に退けて長椅子に座ると、神官長も椅子を引っ張り出してきて座る。神官長は軽くこめかみを押さえながら、わたしを見据えた。

「フランから図書室が荒らされたと聞いたが？」

「はい。本棚が二つ、空っぽになっておりました。資料は全て床に撒《ま》き散《ち》らされて、踏み入ることもできない有様になっています。これは死刑級の犯罪でしょう⁉」

わたしは力を込めて訴えたけれど、神官長は軽く手を振って却下した。

「馬鹿者。死刑はない。……それで、犯人がわかったと言ったようだが？」

「はい。図書室に向かう途中で旅支度をした青色神官が、わざわざ手を回すこともなかった、と言ったんです。間違いなく彼です」

「彼と言われても、本日、収穫祭に向けて旅立った青色神官は五名いる。そのうちの誰だ？」

馬車がたくさん並んでいるとは思っていたが、まさか今日出発した青色神官が五人もいるとは考えていなかった。

「存じません。けれど、顔を見ればわかります」

「収穫祭から戻るのは今から十日ほど先になるだろう。それまで覚えていられるのか？」

疑わしそうな神官長の言葉にわたしは大きく頷いた。

「本に仇《あだ》をなした相手をわたくしが忘れるはずがございません」

「忘れてくれるとこちらとしてはありがたいのだが……」

溜息混じりの神官長にじろりと睨まれても、あんな所業をしでかした愚か者を放置するなんてできるわけがない。わたしはさっさと話題を変えることにした。

「ところで、収穫祭とは何でしょう？　神殿の儀式では説明されなかったと思うのですが……」

「君が参加する行事ではないからな。収穫祭は領内にある農村での祭りで、元々……」

そこから収穫祭に関する話が始まった。神話も絡めた神官長の長ったらしい説明を一言で言い表すならば、徴税人と青色神官が農村での収穫物を掻っさらってくるイベントらしい。

「税金と神への供物として収穫物を持っていかれるなんて、農村にとっては嫌なお祭りですね」

「身も蓋もない言い方をするな。それだけではなく、農村の神事も同時に行われる」

咳払いしながら神官長がわたしを睨んだ。もうちょっとオブラートに包んでやんわりと言わなければならなかったようだ。相変わらず貴族の言い回しは難しいものである。

「農村の儀式は秋なのですか？」

「正確には収穫が終わってからだ」

なるほど。雪が解けてから収穫を終えるまで農民に暇な時間はない。冬は雪に閉じ込められるので暇な時間はあるだろうけれど、今度は神事を行う神官が農村まで向かえない。徴税と一緒だと考えると嫌な祭りだと思ったけれど、一応理には適っているようだ。

「特に星結びに関しては儀式に参加し、夫婦としての承認と登録を行っていなければ、冬用の家で夫婦と認められないし、次の春から新しい家も畑も与えられない」

「冬用の家って何ですか？」

「農民が冬を過ごすための家だ。街中と農村では生活が大きく違う。夏は畑を耕しやすいように各家は畑の中心にあるが、冬は畑を耕すこともできないので、農村の中心にある大きな家で過ごすことになっている。私も詳しくは知らないが」

農村は農村で街と全く違う生活があるらしい。ちょっと話を聞いただけではよくわからないけれど、神官長も詳しくは知らないのならば、敢えて勉強する必要もないのだろう。

「……収穫祭は、わたくしが参加する行事ではないのですね？」

「あぁ。誰をどこの農村に派遣するか決める会議において、分け前が減るのでマインは出すな、と神殿長が大声でわめいていた」

わたしを目の敵にする神殿長らしい主張に苦笑いを零した。日々の忙しさの中で、わたしの神殿長に対する印象はかなり薄くなっているが、神殿長にとっては変わりないようだ。青色神官達にとっては収入を増やす貴重な機会なので、神殿長の意見に賛成したらしい。

「農村は遠い場所にもあるから、長旅をすれば身体に負担もかかる。魔力が必要な春の祈念式はともかく、収穫祭に赴く必要はないだろう」

神官長の言葉に引っ掛かりを覚えて、わたしは思わず首を傾げる。

「……それって、春はわたしが農村へ行くってことですか？」

「そうだ。魔力の量を考えても、私と君が選出されるだろう」

豊作を願う祈念式が春に行われるのは知っていたが、農村で行われるなんて聞いていない。

「馬車で旅なんて、わたくしには絶対に無理だと思います！」

「わかっている。だが、これは重要な仕事だ。こちらが君の条件を呑んでまで君を神殿に入れたのは、こういう儀式で魔力が必要だからだ。忘れたのか？」

大変な魔力不足だからこそ魔力とお金を渡す約束で神殿に青色巫女見習いとして入れてもらったのだ。図書室で本を読ませてもらって、マイン工房でも本を作らせてもらって、義務は放棄するというわけにはいかないだろう。

「……忘れていません」

「よろしい。君も大変だろうが、君の保護者兼責任者として同行しなければならない私の心労についても考慮するように」

……神官長って、もしかして運が悪い？　それとも、苦労性？

危うく口から飛び出そうになった言葉をゴクリと呑み込んで、口は閉ざしておいた。下手なことを口にすれば、藪蛇《やぶへび》になるだけだ。

「まぁ、他の青色神官に任せる方が不安なので、自分で動いた方がまだしも良い」

「お手数をおかけいたします」

わたしは両手を胸の前で交差させて、軽く頭を下げた。

「……それで、図書室はどうするつもりだ？」

神官長の言葉にわたしはニッコリ笑って、グッと拳を握って見せる。

「もちろん『ブラッディーカーニバル』を開催します」

「何だ、それは？」

「犯人を血祭りに上げます。図書室を荒らすなんて明確な宣戦布告を叩きつけられた以上、見せしめと味方の士気を上げるためには必須でしょう」

名前も知らない青色神官が行ったのは、この上ない宣戦布告だ。フランにも主らしい威厳を要求されていたし、ちょうど良い機会だと思う。

「待ちなさいっ！　収穫祭に君を出さないように閉じ込めておくために図書室を荒らす犯人も、資料を破損されたわけでもないのに血祭りなどと言い出す君も極端すぎる！」

極端同士でとても釣り合いが取れていると思うけれど、神官長とは意見が合わないようだ。

「……収穫祭に行かせないため。たったそれだけの理由で資料をぶちまけたんですよね？」

「あぁ、おそらく。あそこの資料は入手順に並んでいたから、君には片付けることさえできないだろうという、嫌がらせであろう。私も図書室の資料を全て把握しているわけではないが」

神官長の「片付けることさえできない」という言葉を聞いた瞬間、頭の中で何かのスイッチが入った。これは青色神官からの挑戦状で宣戦布告だ。わたしに図書室を片付けることができないと思われているなんて許容できない。

「……受けて立ちます」

「どういう意味だ？」

「図書室の資料、わたくしが片付けます。ただ、わたくしは資料の入手順を存じませんので、わたくしのやり方でお片付けすることになりますけれど、その点は目をつぶってくださいませ」

よく考えてみると、これはわたしにとっては絶好のチャンスではないだろうか。わたしの、わたしによる、わたしのための図書室にする最高の機会だ。

……せっかくの機会だし、ここの図書室に分類法を取り入れよう。書誌事項も整理して、目録を作って、わたしが全ての本を管理する。わたしが使いやすい図書室にするんだ。

あそこまでしっちゃかめっちゃかならば、他の誰も整理なんてしたがらないだろう。わたしのやりたい放題だ。こうなったら、犯人には感謝してやる。

「わたくしに対する嫌がらせならば、他のどなたも片付けなどなさいませんでしょう？　図書室を最も利用しているのはわたくしですし」

「いきなり機嫌が良くなっていることが少々不気味ではあるが、君が本を粗末に扱うとは考えられないし、良いだろう。片付けは君に任せる」


神官長の部屋に戻ると心配そうな顔をしたフランと目が合った。図書室に関することでわたしが暴走しないか不安だったようだ。そんなフランを見てハッとした。本を片付けるにもわたしでは本棚に届かないし、側仕えに手伝ってもらうにしてもギルやデリアも本棚には届かない。フラン一人が大変なことになってしまう。

「神官長、図書室の片付けは孤児院の灰色神官達にお手伝いしてもらってもよろしいでしょうか？

それから、図書室の目録か何かございますか？　どのような資料があるか、参照できるようなものがあると助かるのですが」

「ふむ、君の側仕えだけではフランが大変だろうから構わぬ。それから、私が持ち込んだ本に関する蔵書目録はあるが、それ以外は知らぬ。持っているとしても神殿長だな」

分類法について考えるためにも蔵書目録があると嬉しい。期待を込めて神官長を見上げる。

「お借りしてもよろしいですか？」

構わない、という神官長の承諾を耳にしたアルノーがさっと木札を取り出して渡してくれた。相変わらずアルノーは有能な側仕えだ。

「恐れ入ります。では、失礼いたします」

廊下に出ると、フランは不可解そうに首を傾げて、恐る恐るといった様子で声をかけてきた。

「……マイン様、何やらご機嫌がよろしいように見えるのですが？」

「うふふ、ご機嫌ですよ。犯人に感謝して、神様に祈りと感謝を捧げたいくらい」

「理由をお伺いしてもよろしいでしょうか？」

「図書室をわたくしの好きに片付けられることになったのです。こんな楽しいことってないわ。フランはそう思わない？」

鎖に繋がれた本は読み終わって、そろそろ本棚いっぱいの資料に手を出そうと思っていたところだ。わたし好みに片付けもできるなら一石二鳥と言える。

……わたし、何だか司書っぽくなってきた！　やるぞぉ！

マイン十進分類法

「フラン、工房へ行って灰色神官を三人とヴィルマ以外の側仕えを呼んできてください」

「マイン様はどうなさるのですか？」

「図書室で神官長から預かった目録に目を通して、分類について考えておきます」

図書室に入ると、フランが机までの間にある資料を重ねて道を作ってくれた。わたしを座らせて、神官長から借り受けた目録の木札二枚を置くと足早に図書室を出て行く。

フランの背中を見送った後、わたしは誰もいなくなった図書室の中で神官長の目録に目を通し始めた。本人がわかればそれで良いという感じで書かれた木札には、細かい字でぎっちりと書き連ねられている。

「どれどれ？　神官長が神殿に持ち込んだもの……って、多いっ⁉」

その量は非常に多く、鎖に繋がれた本の半分と本棚の資料一段分以上が神官長の私物だ。

……神官長って、何者⁉

とりあえず目が眩むようなお金持ちであることだけはよくわかった。以前、事情があって神殿に入ったと言っていたが、実家はよほど上流でお金があるようだ。そうでなければ、一冊購入するにも大金貨が何枚も必要になるような本を五冊も神殿に持ち込めるはずがない。

表紙が革張りで、金や宝石をあしらっているような本は普通私物ではなく、家宝になると思う。それを神官長は五冊も私物として神殿に持ち込み、こうして鎖につないで公開してくれているのだ。それがわかっただけで、わたしの神官長への好感度がぐぐんと上がる。

「こんなに本を持ち込んで見せてくれるなんて、神官長が良い人すぎる……」

わたしは目録を見て、大体の分類番号を振った後、分類番号の割合から、本棚の分類番号を考えようと思っていたが、突然壁にぶつかった。

「……魔術に関する資料って、どこに分類したらいいんだろう？」

困ったことに日本十進分類法に、魔術という項目はない。しかし、貴族しか扱えない分野のためか、研究が必要な分野なのか、神官長の私物の中では魔術に関する資料が一番多い。

わたしは書字板に日本十進分類法を書き出してみる。

0 総記　1 哲学　2 歴史　3 社会科学　4 自然科学
5 技術　6 産業　7 芸術　8 言語　9 文学

魔術具を作ることを考えれば、技術だろうか。それとも、ここでは数学や理学と同じ扱いにした方が良いのだろうか。分類法を導入するにしても常識が違うとなかなか難しい。

「とりあえず、資料を見てから考えよう。あの中にあるんだろうし……」

わたしは床に散乱した資料の数々を見つめてニヨッと顔が笑うのを抑えられなかった。

……だって、魔術だよ？　初めて見る本物の魔術だよ？　どんなことが書かれているのか、想像するだけで胸が高鳴ってときめくじゃない？

魔術に関する物以外は普通に分類できそうなので、皆が到着したらまずは資料を重ねて足場を作ってもらう。その後、本棚に第一次区分の分類番号を振って、軽く目を通した資料を第一次区分で棚に並べる。今日のうちにそこまで終わらせたい。そして、後日ゆっくりと書誌事項を目録にまとめて、きっちりと細分化した分類番号順に並べていけばいい。第二次区分はかなり改造しなければ使えないだろう。

「もー！　これは一体何ですの⁉」

聞き慣れた叫び声に扉の方を見ると、デリアが目を吊り上げて怒っていた。わたしの部屋を綺麗に保つことを仕事にしているデリアは散らかしたら怒る。そんなデリアにとって図書室の惨状は許しがたいものに違いない。デリアの後ろには他の側仕え達と灰色神官三人の姿があり、どの顔も図書室の惨状に唖然《あぜん》としているのがわかった。

「すげぇな、これ。誰がやったか知らないけど、マイン様を相手に命知らずなヤツ……」

本に向けるわたしの想いを知っているギルの言葉にフランがそっと胃の辺りを押さえた。

「フラン、どうしたの？　お腹でも痛いのかしら？」

「……犯人の末路を考えると、少し」

まさかフランが胃を痛めるほど犯人の末路を心配しているとは思わなかった。わたしは頬に手を当てて「困ったわ」と首を傾げる。

「フランの胃が痛くなるなら血祭りは中止した方が良いかしら？　敵に対する見せしめと味方の士気を上げられる上に、主としての威厳を見せつける良い機会かと思ったのですけれど」

「ちょ、マイン様！　それ、味方の士気上がらねぇから！　恐怖に凍りつくって！」

わたしの言葉に側仕えを始め、灰色神官達が顔を引きつらせてザッと一斉に後ずさった。フランだけはわたしの眼前までやってきて跪き、わたしの両手を取って懇願《こんがん》し始めた。

「ぜひ、中止してください。すでにマイン様は十分な威圧感をお持ちです」

「そぉ？　では、血祭りはひとまず中止して、今日はここを片付けます」

あまりに真剣な目でフランが懇願《こんがん》するので血祭りは中止することにした。血祭りより図書室のお片付けの方が楽しいので問題はない。

「まず、決して資料を踏まないように気を付けて、紙の資料と木札の資料に分け、こちらの机に積み上げていってください。本棚に向かって道を作るように資料を片付けてくださいね」

声の揃った「はい」という返事に軽く頷きながら、わたしはその後の仕事について説明する。

「積まれた資料はフランとわたくしで分類していくので、言った番号の棚に資料を並べてもらいます。左の本棚の一番上が0、二段目から1、一番下の段は空けておいてくださいね。右の本棚が上から二つが2で、その下が3です。それ以外の資料については最後に片付けます。棚に並べる資料の順序は問いませんが、番号は間違えないように気を付けてください」

床に散らばる資料を集め出したけれど、フランだけはわたしの隣に腰を下ろす。他の者とは違う仕事を割り振られたフランは困惑したように目を瞬かせた。

「マイン様、分類とは一体？」

「これ！　マイン十進分類法です。これを見て資料がどの番号か決めてください。迷ったら声をかけてくれれば答えます」

　わたしはフランに書字板を渡して分類方法の説明をした。その間に拾って重ねられた紙や木札が机に積まれていく。フランとわたしは手元に届く資料にざっと目を通していき、第一次区分の分類番号順に分けていった。

「ロジーナ、本棚までの道ができたら、これを1の棚に入れてちょうだい」

「かしこまりました、マイン様」

　予想はしていたことだが、神殿の資料なので哲学の割合が大きい。歴史や社会科学も比較的多い。特に目を引くのは各農村での収穫量や供物の量が記された統計資料だ。しかし、昔の物ばかりで最近の物が見当たらない。そして、言語に相当する資料は一つもなく、文学もない。

「デリア、巻物に紙が挟まっています！　気を付けて」

「あたしが巻いてる時に勝手に入ってこないでよ、もー！」

　指摘された恥ずかしさか、巻物をコロコロしながらデリアが怒鳴った。そんなデリアの周囲に散らばる紙をロジーナがクスクスと笑いながら拾って回る。巻物は入れる場所が決まっているので内容は確認するけれど分類する必要はない。巻物を退けた途端、床が広く見え始めた。

「ギル、ここの資料を2の近くにいる神官に渡してちょうだい」

　散らかされている資料は本の形態になっていないものばかりで、書類の大きさも統一されていないのでバラバラである。へろんと倒れようとする羊皮紙と格闘している灰色神官を見て、書類を整理するボックスやファイルが大量に欲しいと思った。ブックエンドさえないのだ。

「……ヨハンに頼んでみようかしら？」

「マイン様？」

「いえ、何でもありません。ロジーナ、この木札をあの灰色神官に渡してちょうだい。これで羊皮紙を押さえるように言ってあげて」

図書室中がめちゃくちゃになっているように見えたけれど、神殿長と神官長、二人の鍵がなければ開かない貴重本が入った棚は開いていなかったし、鎖に繋がれた本に傷を付けたり乱暴に扱ったりしたような跡もなく、本当に資料を散らかしただけの嫌がらせだった。

二つの本棚が空っぽになっていて広範囲にわたって散らかっていたので、資料が大量にあるように思えたけれど、巻物を片付けて資料をまとめて重ねてみれば意外と量は少ない。わたしとフランが分類しなければならない紙や木札はそれほど多くなかった。

「……これで終わりなの？」

あっという間に机の上に紙も木札もなくなったことが不思議でわたしは首を傾げた。

「はい。予想外に早く片付きました。この分類は手早く片付けられて良いです」

「今は第一次区分で大まかに分けただけです。これからは資料を探しやすいように、もっと細分化する予定です。ここの実情に合わせた分類番号が必要になるので番号を振るのが大変ですけれど、やりがいはありますね」

フランが安心したように笑って立ち上がったので、わたしも立ち上がってぐるりと辺りを見回した。本当に床に散らかっていた資料は全て棚の中に収まっている。しかし、神官長の資料を入れるつもりだった棚には何も入っていない。片付けが終わったのに神官長の目録に載っていた魔術関係の資料が一つも見当たらなかった。

「マイン様、どうかなさいましたか？」

フランの声にハッと我に返ると、側仕えと灰色神官が並んでわたしの言葉を待っていた。仕事が終わったことをきちんと告げて解散させなくてはならない。

「皆様の協力で図書室は片付きました。ありがとう存じます。とても助かりました」

フランが神官長に図書室の鍵を返しに行くと言ったので、わたしも一緒に神官長の部屋へ行くことにする。魔術関係の資料に関して話を聞きたい。

「結果報告をして目録もお返ししなくてはならないし、お伺いしたいこともできましたから」

「お伺いしたいこととは何でしょうか？」

「この目録に書かれている資料が見当たりませんでした。どこか別の場所で保管されているのであれば問題ありませんけれど、紛失しているなら大変なことでしょう？」

フランが青ざめた。もし、魔術関係の資料ばかりがごっそりと誰かに奪われていた場合、図書室の片付けをしたわたしが一番に疑われる対象になる。貴重本の棚にも鎖で繋がれた本にも被害はなかったのでそこまで悪辣《あくらつ》なことをしていないと思いたいが、確認はしておいた方が良い。

「一日に何度も君の顔を見たくはないのだが……」

目録を返したいと理由を述べて入室するや否や、とても嫌な顔をされた。わたしだって神官長の顔が見たくて来ているわけじゃないよ、と心の中で反論しながら、笑顔で目録についての礼を述べる。

「神官長、目録を貸していただけて大変助かりました」

「図書室の片付けは終わったのか？」

予想以上に早かったな、と神官長が呟く。当たり前だ。貴重な資料をあのまま放置するなんてできるわけがない。

「第一次区分での分類は終わりました。第二次区分、第三次区分については追々やっていきます。ところで、これらの資料が見当たらなかったのです。神官長が別に保管しているならば、良いのですが、紛失や盗難ということになると問題があるかと思い、報告に参りました」

「それは私の部屋にあるから問題ない。……それにしても、マイン。君はあれだけの資料の中から、目録の資料がないことが何故わかった？」

「分類番号を振るために身構えていたのに一つもなかったからです」

麗乃時代には見たことがない、本物の魔術関係の資料だ。ぜひとも読んでみたいと待ち構えていたのに一つもなかったら誰でも気付く。それに、神官長はあれだけの資料と言うが、麗乃時代の記憶があるわたしにとっては、それほど多いとは感じなかった。

「分類番号とは何だ？」

「マイン十進分類法です。本を整理するために使うんです」

わたしは書字板を取り出した。中にはまだフランに見せるために書いた分類法が残っている。

「わたくし、魔術に関しては全く知識がないので、自然科学に分類するか、技術に分類するかで悩んでいまして、資料の内容を見てから決めようと思っていたのです」

「ほぉ……。これはなかなか興味深いが、君が考えたのか？」

神官長が目を細めて、疑わしそうにわたしを見る。その疑いは正しい。わたしにこんな素敵な物が生み出せるはずがない。

「いいえ、メルヴィル・デューイさんの『デューイ十進分類法』を元に、色々いじった『日本十進分類法』を更にわたくしがいじったので、『マイン十進分類法』なんです」

「メルヴィル・デューイ？　どこの何者だ？　聞いたことがないぞ」

「もうお亡くなりになってますから、わたくしも直接は存じません。そんなことより神官長はどちらに魔術を分類しますか？」

書字板を示しながら神官長に魔術の分類番号について相談する。神官長は意外と真剣に考えているようで、「基礎魔術の部分は……」とか「いや、しかし、魔術具となると……」とか小さな呟きを漏らしながら軽く目を伏せる。わたしがわくわくして答えを待っていると、ハッと我に返ったらしい神官長がコホンと咳払いして首を振った。

「資料によるとしか言えぬし、君が悩む必要はない」

「……何故ですか？　分類番号を振らないと整理ができないのですよ？」

神官長がゆるりと周囲を見回して、首を傾げるわたしの前にコトリと盗聴防止の魔術具を置いた。

わたしはそれを握って神官長の言葉を待つ。

「魔術は貴族のみが扱うものだ。貴族院を卒業していない青色神官の目に触れさせるべきではないので魔術に関する資料を図書室に置くつもりはない」

つまり、隠し部屋に積まれている資料が魔術関係に違いない。納得すると同時に、わたしは不思議になった。今の神官長の言い方ではまるで青色神官が貴族ではないようだ。

「貴族のみが扱うって……青色神官は貴族なんですよね？」

「正確には貴族ではない。青色神官達は貴族の血を引き、魔力を持つ者だ。貴族院を卒業しなければ一人前の貴族として貴族社会では認められない」

「あれ？　でも、青色神官や巫女は貴族社会に戻っていったって……」

実家に引き取られてから貴族院に行ったのだろうか。孤児院や工房で灰色神官の前の主について聞いた話によると、貴族社会に戻った青色の中には成人した神官や巫女もいたはずだ。

「政変によりあまりにも数が減った貴族を増やす必要が出たため、一定の期間だけ例外的に貴族院への編入を認められたのだ。それでも、貴族院を卒業していない者は貴族社会において貴族と認められないという前提は崩れなかった。貴族院に入らなくても実家の権力はあるので、平民から見れば神官も貴族も大した違いはないだろうが……明確に違うのだ」

麗乃時代の知識と青色神官達の振る舞いから、貴族の血を引いていれば普通に貴族だと思っていた。貴族院卒業という条件があるならば、神殿の青色神官は全員貴族ではないことになる。

「……卒業しなければ貴族ではないなんて、貴族社会って意外と厳しいのですね」

「そうか？　魔力という巨大な力を振るうのだ。制御の仕方、使い方、魔術具の作り方、何も知らぬ者に貴族の称号は与えられぬ。それだけの話だ。……故に、いくら泣きわめいて懇願されても、君に資料を見せることはできない。見せる気もない。以上だ」

最後に特大の釘を刺されてしまった。どうやら魔術関係の資料を見たいというのがわたしの一番の願いだったと、神官長には最初から気付かれていたらしい。

「神官長～……」

「駄目だと言ったら駄目だ。早く自分の部屋に帰りなさい」

凍りつくような冷たい目で睨まれたわたしはしょんぼりと肩を落として退室する。

……ちぇ、魔術関係の資料、見たかったな。神官長のいけず。


わたしが部屋に戻ると、工房の仕事を終えていたらしいトゥーリとルッツが一階の小ホールで待っていてくれた。

「トゥーリ、ルッツ。お待たせ」

わたしも二人と一緒に小ホールの椅子に腰を下ろした。デリアがお茶を淹れるために厨房の方へと向かうのを見送った後、わたしは「本は完成した？」と二人に視線を向ける。

「孤児院のヤツら、針に触るのも初めてだったからな。できあがったのは半分くらいだ」

ルッツの言葉にトゥーリが大きく頷いた。

「そうそう。全員が初めて針に触るなんて、わたしの方がビックリしちゃったよ。……でも、針に触ったことがなくて裁縫道具もないから、裾が解《ほつ》れていても自分で直せないんだよね。お料理だけじゃなくて、お裁縫も教えてあげた方が良くない？」

工房で働く時の子供達は森に行く時用の安い中古服で作業している。そのため、袖や裾が解れていることは珍しくない。ただ、下町の子供達と違って、裁縫ができないため、直すことができないのだ。わたしは人に教えられるほど裁縫が得意ではないし、ボロボロになったら雑巾にして、次の中古服を買えばいいと思っていた。

「トゥーリが教えてくれるなら、裁縫道具は準備するよ。わたしはここでは基本的に働いちゃダメだし、上手じゃないから……」

「確かに、マインに教えられても上達しないね。裾のまつり縫いだけでもできればずいぶん違うと思うから、裁縫道具を準備してあげて」

生活の基本である料理も裁縫もできないということがトゥーリには信じられないのだろう。料理教室の先生を頼んだ時のような心配顔になっている。

「トゥーリとエラが教えてくれたおかげで、孤児院の皆も今はスープが作れるようになってるもん。今度はトゥーリ先生の裁縫教室だね」

「知らないよりは知ってる方が良いじゃない」

先生と言ってからかわれたことに、トゥーリが少し唇を尖らせた後、少し視線を落とす。

「……でも、ここの子供達はちょっと文字が読めるんだよね？　製本している時にところどころ読んでたもん。孤児院にいる小さい子が文字を読めるなんて、ちょっとショックだった」

「あの子達はカルタで遊んでいるからね。トゥーリも今度一緒に遊べばいいよ」

カルタは文字を覚えることにとても貢献しているようだ。子供用聖典はカルタの言葉を全て入れてあるので、孤児院の子供達にとっては取っ付きやすい。けれど、神殿関係者以外にとっては取っ付きにくい本だと思う。まずはベンノに見せて反応を見たいものだ。

「ルッツ、ベンノさんに渡す献本って準備できた？」

「あぁ、お世話になった人に渡す分はできたから持ってきたぜ」

ルッツが得意そうな顔できちんと四つ目綴じにされた四冊の本を取り出した。

「わぁ、ありがとう！　明日、ベンノさんのところへ一緒に渡しに行こうね」

「おぅ」

ベンノは基本的にふらっと行っても会えるし、いなくてもマルクに渡すこともできる。しかし、神官長に渡すには面会依頼の手紙から始めなければならない。

「……また面会依頼のお手紙か。貴族って面倒だね」

「マイン様、ロジーナに代筆させましょうか？」

質問形ではあるが、フランの表情や言葉の端々から「ロジーナが実際にできるかどうか試したい」という空気が漏れている。書面を代筆するのは側仕えの仕事なので神官長宛ての手紙で練習した方が良いだろう。神官長はミスがあればきっちり添削して返してくれるはずだ。

「そうね。ロジーナに任せてみましょう」

ロジーナはピクリと身動ぎしたが、優雅に笑って了承した。見習わなければならないな、と思っていると、新しい仕事を任されるのが羨ましくて仕方ないようにデリアがロジーナを見ていることに気が付いた。ギルは工房に係わっているので、新しい商品を作ればそれだけで新しい仕事が増えるし、フランはわたしの活動範囲によって仕事が増減する。ロジーナは書類仕事が得意ではないが、できないわけではないので必然的にフランの仕事が回されて増えていく。この部屋から動かないデリアだけが足踏みしている状況に思えるのだろう。

……文字も数字も頑張って覚えようとしているんだけどね。

孤児院の子供達という競争相手がいるギルの方が覚えは早い。いくら努力しているつもりでも成長が感じられなくて、ちょっと焦るデリアの気持ちはわかる。わたしも成長しなくて同じ年のルッツに置いて行かれている気分になる時が多々あるからだ。

……褒め足りてないかな？

ギルはわかりやすく結果を報告してきて、「褒めて」と訴えてくるから褒めやすいけれど、デリアは当たり前の顔で日々の仕事をこなすので褒めどころが難しい。日々の仕事を真面目にするのは一番大事ですごいことだけれど、改めてとなると機会は少ないのだ。

「デリア、この本は神官長に渡す分だから、執務机の引き出しに入れておいてちょうだい」

「えぇ、わかりました」

受け取ったデリアの手の上にわたしはもう一冊の本を置く。

「これは小ホールに置いてくれる？　一番にデリアが読んで感想をくれると嬉しいです」

「……あたしが一番？」

目を瞬くデリアにわたしはゆっくりと頷いた。

「えぇ。工房の仕事をしてくれるのはギルだけれど、デリアがいなかったらこの部屋は維持できなかったもの。完成品を一番に見てほしいわ」

「そ、そうね。あたしのおかげですもの！」

デリアがツンと顎を上向かせ、本を胸に抱いて足早に階段を上がって行く。その様子を見る皆の目が柔らかく細められていた。

ベンノへの献本と仮縫い

本日はギルベルタ商会へ行くので見習い服だ。しかし、見習い服を始め、わたしが持っている綺麗な服は薄手の長袖なので今の季節はさすがにちょっと寒い。最近は去年の冬にベンノにもらったフード付きのポンチョを愛用しているけれど、いつまでもこの恰好ではいられない。

「服もそろそろ冬用を買わなきゃダメだね」

「北に行くための冬服？」

トゥーリの言葉にわたしは頷いた。ここ最近、家にいる時は寝込んでいることが多いから、普段着は正直それほど必要なくなっている。その代わり、外に出れば神殿やギルベルタ商会などに行くことが多くなっているので、北に合わせた冬服が必要だ。

「お店に行く時は誘ってね。今度は絶対に勝つから」

以前に服を選んだ時はトゥーリとルッツが引き分けだったなぁ、と思い出す。あれからトゥーリは熱心に服を見るようになってきたし、休みの日に服の勉強に街をうろつくようになった。

「あのね、トゥーリ。今日、ベンノさんのところへ献本に行くから、そのまま服を買いに行こうかと思ってたんだけど……」

「えぇ？　今日、わたし、お仕事だよ？」

昨日はお休みだったので、マイン工房で製本のお手伝いをしてもらったのだ。隔日で見習い仕事があるトゥーリは今日お買い物には行けない。恨みがましい目で睨むトゥーリに小さく笑いながら、わたしはいつものトートバッグにできあがった絵本を入れる。

「今日は行かないからそんな顔しないで、トゥーリ。側仕え達の冬服も買わなきゃいけないから、わたしとトゥーリのお休みが重なったら行こうね。孤児院で裁縫教室をするならトゥーリも一着くらいは北用の服を持ってた方が良いでしょ？」

「え？　わたしの分!?」

料理教室の先生だったり、子供達を連れて森に行ってもらったり、これから裁縫教室の先生をしてもらったり、孤児院のためにトゥーリにはかなり協力してもらっているけれど、お給料をきちんと払ったことがない。ルッツはギルベルタ商会からの出向という感じだし、給料に少し色を付ける形で払ったり、新商品については分けているお金もあるので、そろそろトゥーリにも何かプレゼントしようと思っていたところだ。

「先生になってもらうためのお給料だと思って」

「……大したこと教えられないのに高いよ、それ」

むぅっと唇を尖らせて頬を膨らませているが、その頬は薔薇色に染まっていて、トゥーリの表情は嬉しそうだ。喜んでもらえるならそれでいい。うんと奮発《ふんぱつ》しよう。

「行くぞ、マイン」

ルッツが迎えに来てくれたので、わたしはバッグを持って外に出た。風が少しずつひんやりとしてきているのを肌で感じる。

「おはよう、ルッツ。……あ、ルッツもそれ使うことにしたんだ?」

ルッツがわたしと色違いのポンチョを着ている。一年で結構背が伸びたから窮屈《きゅうくつ》で嫌だ、と言っていたけれど、ルッツもとうとう寒さに抗《あらが》えなくなってきたらしい。

「次にトゥーリのお休みと重なったら、北用の冬服を買いに行こうって、さっき話していたの」

「冬服、いるよな。さすがに」

ルッツは小さくなっているポンチョを見下ろしながら、軽く溜息を吐いた。

ちなみに、わたしもちょっと成長した。てるてる坊主のようにだぼだぼだったポンチョがちょっとぶかぶか程度になっているのだから。これは、真面目に魔力を奉納して、身食いで倒れることが減ったからだと思う。虚弱は相変わらずだけれど少しでも倒れる回数が減ると、普通のご飯を食べられる回数が増える。おまけに、神殿で食べるご飯は貴族が食べているような豪華ご飯だ。倒れる回数がちょっと減ってお腹いっぱい栄養のある物を食べられるようになった結果、わたしはちょっと大きくなった。

……成長を司《つかさど》る火の神ライデンシャフト、ありがとう！

「神に祈りを！」

「いきなり何だ⁉」

「あ、ごめん。何となく」

どうやら、わたしは結構神殿の習慣に慣れてきてしまったようだ。気を付けなければ街中で自然とグ◯コができるようになっている。道行く人に注目されて恥ずかしい汗を拭いながら、わたしはルッツと一緒にギルベルタ商会へたどりついた。

「マルクさん、ベンノさんに見せたい物があるんですけど、いらっしゃいますか？」

「えぇ、旦那様は奥の部屋です。少々お待ちください」

マルクが取り次いでくれて、わたしとルッツは奥の部屋に入った。奥の部屋ではベンノが執務机に向かって、何やらガシガシと書いている。

「おはようございます、ベンノさん」

ベンノの手の動きが一段落つくのを待って挨拶すると、ベンノがペンを置いて挨拶を返してくれた。グッと背中を反らして身体をほぐしながら、ベンノはルッツに視線を向ける。

「かしこまりました、旦那様」

ベンノの視線の意味がわかったのか、ルッツはわたしに座っているように言うと、ベンノの家に繋がる奥の扉へと消えていった。

「ベンノさん、ルッツは？」

「あぁ、お茶の準備を下働きに頼みに行った」

ベンノもテーブルの方へと移動してきた。当たり前のことのように言っているが、ルッツが奥の扉から上に上がるところなんて初めて見た。

「勝手に入っちゃっていいんですか？」

「ルッツはダプラだぞ？　まだ子供だから今は昼食の面倒くらいしか見ていないし、親元から通わせているが、成人後はマルクのようにウチに住み込んで生活の面倒を見ることになる」

「へぇ、そうなんですか……」

商人見習いにならなかったわたしは、ダルアとダプラの違いもはっきりとは認識できていない。契約社員と幹部候補生くらいにしか考えていなかった。

「お前の知識は本当に偏《かたよ》っているな」

呆れたようにベンノが溜息を吐くのとほぼ同時にルッツが戻ってきた。ルッツはベンノの後ろに立つか、わたしの隣に並ぶか、迷いを見せる。

「ルッツ、一緒に作ったんだから今回はここに座って」

わたしがペシペシと隣の椅子を叩いてルッツを呼ぶとベンノも軽く頷いた。ルッツはわたしの隣に座って小さく笑う。

「それで、見せたい物って何だ？」

「じゃじゃーん！　これです！　子供向けの聖典絵本」

「……できたのか」

信じられないというような呟きを漏らして、ベンノはわたしが差し出した絵本を手に取った。裏と表を交互に見て、綴じてある糸を見つめて目を細める。

「これは糸だけで留めてあるのか？　糊は使ってないのか？」

「まだ膠ができていないんです。でんぷん糊もちょっと考えたんですけど、原価が更に上がるし、小麦粉がもったいないって、孤児院の子供達に反対されて諦めました」

糊にするくらいなら食べたい、と言われてしまった。彼等が飢えている姿を知っているわたしには小麦粉を使って糊を作ることができなかったのだ。ベンノは「ふーん」と言いながら、表紙の透かしを撫でていく。

「それにしても革じゃない表紙は珍しいな。前にもらったのと同じ、花の透かしだろう？」

「はい。一応表紙なので、ちょっと手を加えてみました。色付けができれば、もうちょっと可愛くできると思います。木の実から染料を採ることも考えたんですけど、孤児院の子供達はどうしても食欲優先になっちゃうんです」

元々お腹いっぱいに食べたい、というところから働き始めた子供達だ。当然、彼等にとっては本より食料の方が大事なのである。今回は完成させることを優先させたけれど、時間がある時に食べられない木の実や草、石、木の皮から染料を探すことを考えなければならない。

「白と黒だけでどこまでできたんだ？」

そう言いながらベンノは表紙やページを捲っていく。ページを開いて一番印象的に見えるのはヴィルマの絵だ。ベンノは目を見開いて絵に見入った。

「……この絵はすごいな。何だ、これは？」

「うふふ、厚紙をカッターで切って、インクでザーッと刷ったらできるんです。ステンシルとか切り絵って言います。新しい手法だってヴィルマが頑張ってくれました。すごいでしょ？」

わたしが自分の側仕えを自慢して胸を張ると、ベンノは何故か頭を抱えた。

「新しい手法……。お前はまた相談もなく勝手に……次から次へと」

「まぁまぁ、ベンノさん。そんなに頭を抱えないでくださいよ。植物紙の本自体が新しい物なんだから、何を今更って感じじゃないですか？」

羊皮紙を使った本はあるけれど、植物紙を使った本は初めての試みになる。そこに新しい手法の絵が加わったくらいで文句を言われると困る。

「今更って、お前な……」

「だって、新しくできた植物紙に、新しい製法のインクで、新しい手法の絵を描いて、印刷という新しい技術で刷り上がった本を、和綴じという糸だけで綴じた、初めての子供向けの聖典絵本ですよ。はっきり言って既存の部分こそ存在しないんです」

ベンノが不気味な物を見るような目で絵本を見つめて、ガシガシと頭を掻いた。

「頭が痛い。……それで、値段は？」

「初期投資の回収を考えるなら小金貨一枚と大銀貨五枚ってところですね。どんどん絵本を作っていけば初期投資分は分散されるので、最終的には大銀貨八枚くらいに落ち着くでしょうか」

煤も今回は自分達で掻き集めてきたけれど、実際に煤を作ってインクを作るとなれば原材料費が高くなる。初期投資に使った費用と原材料費、人件費、手数料を普通に計算すれば、それくらいの値段になるはずだ。実際には紙も自分達で作ってルッツを通してそのまま孤児院で全て買っているので、ベンノに手数料を払っていない分、安上がりだった。

「ほぉ……」

「フォリン紙はもうちょっと流通したら値段も下げられるでしょう？　そうしたら、もうちょっと本の値段も下げられるかな？　でも、インクがねぇ。亜麻仁油が安くならないと、こればかりはどうしようもないです。ホントに高いですよね」

お手上げですよ、とわたしが言うと、ベンノは緩く首を振った。

「貴族が買うような本は大金貨四～五枚はするから、それに比べると安い。激安と言っていい。内容も易しいから、子供が字を覚えるのにも向いている」

「豪華にしたいなら表紙を革にしようと思えばできます。わたしは表紙に凝るより、中身の量が欲しいですけど」

本を買うという行為は貴族並みの生活ができなければ無理だ。しかし、少し安価で手を出せるなら、ステータスとして欲しがる者はいると思う。見栄っ張りな富豪なら、表紙を少し豪華にすれば食いつくに違いない。

「なるほど。確かに富豪辺りなら、手を出すだろう。……他の本を作る予定はないのか？」

「しばらくはこんな感じの絵本をいくつか作るつもりです。文字を切り抜くのが大変なので、文章は短めにしておきたいんです。それに、ウチの絵師は描けるものが限られているんですよ。神殿から外に出たことがない箱入り娘なので一般的な物が全く描けないんです」

最近はスープ作りをするようになって少しマシになったけれど、食べ物でさえ原形がわからないものが多いし、生活道具も孤児院は足りない物が多い。工具や裁縫道具、森に行くためのナイフや籠さえなかったことからも明らかだ。

「……それはまた、極端だな」

「生活環境の違いなのでどうしようもないですからね。ヴィルマにはヴィルマに向いた絵を描いてもらうのが一番です。そういう素材のお話を考えればいいんです。神様のお話だってたくさんあるんですから」

「だが、神様の話ばかりというのもな……」

「ちょっとつまんねぇよな？」

ルッツの言葉にわたしは苦笑した。孤児院の子供達にとっては取っ付きやすく一番食い付きが良い話だが、街では全く受けないようだ。

「ヴィルマの絵が関係ない、文字ばかりの本を作るんだったら効率化と大量生産を狙って、先に作りたい物があるんですよね」

「何だ？」

「一つはガリ版印刷の原紙です。向こうが透けるくらい薄く均一に漉いた植物紙に蝋や松ヤニなんかを混ぜて、ものすごく薄く塗ったものなんですけど、正直、どちらも職人技ってくらいの熟練度がないとできないんですよね。機械もないし……。少なくとも、蝋の工房の方に協力してもらわないと無理だと思ってます」

正直なところ、簡単に成功するとは思えない。植物紙の失敗作が大量にできて、蝋の配合を考えるところで試行錯誤を繰り返して、薄く塗ることがなかなかできずに疲労困憊《ひろうこんぱい》するに違いない。だが、完成すれば文字を書く要領で文章が彫れるのでとても楽になるはずだ。

「蝋か。……今の季節は無理だろう？　工房が忙しすぎる」

「ですよね？　もう一つは活版印刷です。今は原紙を作るのと、活版印刷のために活字作りを始めるのとどっちがいいか思案中なんです」

「どういう点が問題なんだ？」

ベンノが首を傾げる。ルッツも同じように首を傾げた。

「鍛冶工房のヨハンが確保できれば活字作りはそれほど難しくないんです。でも、活版印刷は圧搾機を扱うくらいの力仕事になるんですよ。孤児院の子供達にはちょっときついです」

新聞がプレスとも言われるのは、圧力をかけて印刷するところが由来だ。ここで活版印刷をしようと思えば、それはかなり大変な力仕事になる。

「ガリ版印刷は原紙を作るのが難しいけど、原紙さえできれば印刷自体は子供でも可能です」

「むぅ、難しいな」

ベンノもルッツも同じように腕を組んで考え込んだ。

「まぁ、どっちにしろ、お金を貯めなきゃどうしようもないんですけどね。今回かなり使ったんです。この絵本は孤児院の教科書にするつもりだから、利益なんてないし……」

「ハァ⁉　売らないのか⁉　マイン、お前は一体何を考えているんだ⁉」

孤児院の冬の手仕事が広く売れたら取り返せるかな、と考えていたわたしにベンノの雷が落ちた。ビクッと肩を震わせながら、わたしは何度か目を瞬く。

「ベンノさんこそ何を言っているんですか？　売ったら教科書がなくなるじゃないですか」

「売り物じゃない物を作ってどうする⁉　売れそうなんだから売れ！」

「嫌です！　教科書にするんです！　それに、識字率を上げるのは立派な初期投資じゃないですか！　未来の購買層を開拓するんですよ」

この冬は孤児院で神殿教室ができるかどうか、実験すると決めている。教科書は絶対に売らない。むしろ、石板と計算機をいくつも買い込みたいくらいだ。わたしはそう言って一生懸命に訴えてみたが、ベンノは疲れきったような表情で頭を振った。

「お前の考えることが理解できん」

「だいたい、この絵本は街でどれだけ受け入れられるか、わからないんですよね？　それって今までは神殿でお話を聞いただけであんまり浸透《しんとう》していないことが原因だと思うんです。それくらいなら大衆受けしそうな新しい絵本を作って売りに出しますよ。その方が良いです」

教科書を取り上げられるくらいなら、これから売れそうな新作絵本を作った方がマシだ。

「新しい絵本だと？」

「もう次の話を考えてるのか？」

ベンノもルッツもものすごく驚いたような顔をしているが、そんなに考えなくてもお話のストックはいくらでもある。ただ、ヴィルマが描ける絵に合わせると数が減るだけだ。

「お姫様系のお話なら、貴族のお姫様に仕えていたヴィルマも描けると思うんですよね。粗筋《あらすじ》を書いたら、神官長に見てもらって絵本にしようと思っています」

シンデレラを元にした絵本ならできると思う。クリスティーネ様をモデルにお姫様姿を描いてもらえばそれらしくなるはずだ。王子様は……どうなるかわからないけれど、星祭りの時には側仕え全員が自分の主と一緒に貴族街に行っていたはずだし、多分大丈夫だろう。

「まぁ、売るにしても作ってからの話だな。それで、俺はこの絵本にいくら払えばいい？」

「これはお世話になった方への献本なので、お金は必要ないんですけれど……」

わたしが言葉を濁してベンノを見ると、ベンノは軽く唇の端を上げた。

「今度は何のお願いだ？」

「次のトゥーリのお休みに冬服を買いたいので、中古服のお店に連れて行ってください」

「あぁ、わかった。俺かマルクが動けるようにしておこう。他には？」

ベンノに促されて、わたしは書字板を取り出して開いた。

「孤児院の豚肉加工の相談ですけど、塩や香辛料も必要ですよね？　何をどのくらい準備すればいいんですか？　わたし、豚肉加工の時はだいたい寝込んでいるので知らないし、孤児院では初めてやることなので道具類も含めて全て揃えなきゃダメだと思うんです」

「……金がかかるぞ。大丈夫か？」

ベンノがじろりとわたしを見た。わたしはベンノの赤褐色の目を見返して大きく頷く。

「トロンベ紙の利益が全部吹っ飛ぶくらいの覚悟はできてます」

工房は孤児院の子供達が自立した生活を送れるように作ったものだ。彼等が働いた人件費に当たるお金と工房の利益として取ってあるお金は孤児院のために使っても問題ない。

「わかった。揃えてやろう。その代わり、男はこき使うぞ？　こっちは人手が足りないからな」

「わかりました。それから、わたしの儀式用の衣装ってどうなってますか？」

「あぁ、コリンナも仮縫いがしたいと言っていたな」

わたしがもう一つの懸念事項を述べると、ベンノはすぐに立ち上がって執務机に向かった。そして、ベルを鳴らして下働きの女性を呼んでコリンナの予定を尋ねる。

「時間があるなら、今日コリンナのところへ行ってこい」

下働きの女性は「準備が整ったらお呼びします」と言って、また上に戻って行った。

「ベンノさん、お仕事するんだったらしててもいいですよ。話は終わったので」

冬支度の季節が近付いている今、物流は盛んで大店の旦那様であるベンノは忙しいのだ。話が終わったベンノをいつまでも付き合わせるのは悪い。待っている間、わたしはルッツにシンデレラの話をしながら絵本の文章を書いていく。

しばらくすると、どこからかベルの音が響いてきた。顔を上げたベンノが「ルッツ、マインをコリンナのところへ連れて行け」とだけ言って、また顔を伏せた。

ルッツに案内されて、わたしは奥の扉から階段を上がってコリンナの家へ向かう。

「コリンナ様、ルッツです。マインを連れて来ました」

「いらっしゃい、マインちゃん。ルッツ、もう戻っていいわ」

今までに見た時とは違って、コリンナはお腹を締め付けない、ゆったりとした服を着ていた。そのせいだろうか、ちょっとお腹が大きくなっているように見えた。順調そうで何よりだ。

「素敵に刺繍ができているでしょう？」

コリンナが広げた青の生地には裁断するための大まかな線が引かれ、それに合わせてゆったりとした水の流れと、上から下に春夏秋冬の花が刺繍で描かれている。

「綺麗……」

「さぁ、こちらが仮縫いの衣装よ。着てみてちょうだい。丈に問題がないか確認したいの」

本番とは別の布で作られた仮縫い用の衣装に袖を通す。きっちりと測って作られただけあって、ほぼピッタリだった。この寸法で仕立てられたらすぐに使えなくなりそうだ。

……ほら、わたし、大きくなってるから。うふふん。

「コリンナさん、生地は長めに取って上げていただけると助かります。中に折り込んで縫ったり、ひだを取ったりして、成長しても着られるように予《あらかじ》め余裕を持って仕立てて欲しいんです」

わたしが腰の辺りの生地を摘まみ上げて折り込むと、コリンナはこてりと首を傾げた。

「洗礼式の時の服のように？　でも、儀式用の衣装に余計なひだはいらないでしょう？」

「あれはトゥーリのを着られるように合わせただけですけれど、同じようなものですね。布を切ってしまったら後から継ぎ足して広げることはできませんよね？　別にひだを作るんじゃなくて、帯を締める腰や肩や袖口にこうして折り込んで縫ってくれればいいんですけど……」

わたしが袖や肩の部分を摘まんでそう言うと、コリンナは不思議そうに目を瞬いた。

「着られなくなったら次を仕立てれば良いでしょう？　流行もあるし、服は身体に合わせなければ、綺麗にならないわよ？」

着物ならば子供用を仕立てる時に成長しても使えるように腰上げや肩上げをしておく。けれど、ここでは着られなくなった服は売って次を買うというスタイルで、あまり長く着ることに関しては重点を置いていない。けれど、それではわたしが困る。

「それは貴族の話ですよね？　成長したからって何度も仕立てられませんよ。こんな高い服」

今回だってベンノの贈り物の布がたまたまあって、染める代金と仕立てる代金で仕上がるからよかったけれど、布から作るとなれば糸に加えて織る代金がかかって、倍以上に膨れ上がる。こんな高級布を使う儀式服を何度も仕立てるようなお金はない。

「……それもそうね。こんな高級な布を使って仕立てるのは貴族の衣装ばかりだったから、感覚が少し麻痺《まひ》していたみたいだわ。マインちゃんは貴族ではないんですものね」

「作りがシンプルな儀式用の衣装にそれほど流行があるとも思えませんし、長く着られることを重視して作ってください」

コリンナは納得したように何度か頷いた。

「では、マインちゃんが知っている仕立て方を教えてくれるかしら？　どんな風に折り込めば外から見て綺麗か、知っている？」

その後、どのくらい上げの幅をとるか、どのように仕立てるかを話し合い、仮縫いを終えた。

……あ！　仮縫いが終わったって言ったら、トゥーリに泣かれるかな？

神官長への献本とシンデレラ

わたしは神殿の自室に着くと、青の衣に着替えるのだが、必ず手伝ってもらって着替えなければならない。一人で勝手に着替えたらデリアに「もー！」と怒られる。腕を曲げたり、伸ばしたりするのも動きを合わせなければならない。最初は息が合わず、自分で着替えた方がよほど速いと唇を尖らせたくなるくらい噛み合わなかったけれど、最近は自然に着替えさせてもらうことができるようになってきた。ちょっとはお嬢様っぽくなってきたかな、と思いながら軽く俯《うつむ》いて髪を整えてくれるのを待っていると、デリアがぼそっと呟いた。

「予想以上に素敵でしたわ」

いきなり何の話をされたのかわからなくて、「え？　何？」とわたしが聞き返すと、デリアは薄い水色の瞳を強く光らせてキッとわたしを睨んだ。

「もー！　一番に読ませていただいた絵本ですわよ！　感想が聞きたいと、マイン様が言っていたではありませんか！」

「あ、絵本の話ね。何の話か一瞬わからなかっただけです。デリアの感想が聞けて嬉しいわ。きちんと最後まで読めたのね？　ずいぶん字が読めるようになっているんじゃない？」

デリアは一人で勉強しているのでギルより進度が遅かったはずだ。正直なところ、これだけ早く全部読めるとは思っていなかった。

「……ギルに少し教えてもらったのです。カルタも見せてもらって」

ギルをライバル視していたデリアが、本を読みたくてギルに教えてほしいとお願いするところを想像すると、とても微笑ましい気分になる。わたしがニヨニヨしていると、少しばかり厳しい表情でロジーナがわたしとデリアのお喋りを遮った。

「マイン様、お話は終わらせてフェシュピールの練習をいたしましょう。時間がございません」

「ロジーナ、どうしたの？　顔がちょっと強張っているけれど？」

「神官長から面会時に第二課題を披露するように、と返事が来ております」

ロジーナの言葉に、あぁ、とわたしは納得した。神官長の前でお披露目しなければならないのならばロジーナの緊張もわかる。

「では、頑張って練習しなければなりませんね。神官長の指定はいつですか？」

「昼食後でございます」

日付をすっ飛ばした答えに嫌な予感を抱きながら、わたしはゆっくりと首を傾げた。

「……ねぇ、ロジーナ。いつの、昼食後かしら？」

「本日の、昼食後でございます」

手紙を預かってきたフランによると、神官長も近くの農村で行われる収穫祭に向かわなければならない。しばらく時間が取れなくなるため、出発前に面会を終わらせたいそうだ。手早く処理してくれるのは嬉しいが、フェシュピールの披露まで付けられると心の準備ができない。

「慌てるのは優雅ではございません、マイン様。心の動揺を決して神官長に悟られないようにお気を付けくださいませ」


三の鐘まで形相が変わるくらい必死に練習して、その後、神官長のお手伝いを平然とした顔でこなし、急な披露でも慌ててませんよ、という無言のアピールを四の鐘まで続ける。昼食を手早く済ませると、出発時間ギリギリまでロジーナと猛特訓だ。水面下の努力を褒めてほしい。

真面目に練習させられているので上達はしているが、誰かに聴かせるのはどうしても緊張する。特に、今回は自作の歌——麗乃時代に覚えていた曲——のお披露目まである。

自作の歌は、映画の主題歌だったラブソングを止めて無難な学校唱歌に変更した。直訳ならともかく、適当な替え歌を作るのが難しすぎた。毎回ちょっとずつ歌詞が変わったり、気が付いたら英語の歌詞を口ずさんでいたりするので、ロジーナに呆れられてしまったのだ。

「落ち着いて弾けば大丈夫ですわよ。マイン様はあたしより上手なんですもの」

「ありがとう、デリア。頑張ってきますね」

デリアの激励を受けて、わたしは子供用聖典やシンデレラの文章を持ったフランと小さい方のフェシュピールを持ったロジーナと一緒に神官長の部屋に向かった。

「急な指定ですまない。では、あれからどのくらい上達したか、聴かせてもらおう」

特にすまないとは思っていないような無表情でそう言うと、神官長は部屋のほぼ中央にある応接用椅子を勧めてくれる。わたしはロジーナからフェシュピールを受け取って、太股の間に挟むようにして構えると、深く呼吸した。

ドクンドクンと鳴る鼓動を耳の奥で聞きながらピィンと弦を弾き、課題曲に続けて学校唱歌「大きな栗の木の下で」を歌う。栗ではなく、胡桃《くるみ》のような木の実の名前を入れて違和感がないようにしてある。神官長はどちらの曲も満足そうに頷いて「大変結構」と褒めてくれた。

「なかなか上達が早いな、君は。これが次の課題曲だ。それから、君が作る曲は興味深い。次も何か作ってくるように」

受け取った楽譜に目を通し、次の課題曲がちょっと難しいことにげんなりしながらも無事に切りぬけられたことにホッと胸を撫で下ろす。

「ロジーナ、これを」

ロジーナにフェシュピールを手渡し、わたしはアルノーが淹れてくれたお茶に手を伸ばした。緊張の時間を切り抜けた後のお茶はとてもおいしく感じる。神官長はわたしと逆で、フェシュピールを聴きながら飲んでいたお茶をコトリとテーブルに戻した。

「それで、君の用件は子供用の聖典ができたという話だったな？」

「はい。こちらが子供用聖典の絵本です」

わたしがフランに視線を向けると、フランは軽く頷いてスッと神官長に絵本を差し出した。神官長は差し出された本を見て、こめかみを軽くトントンと指先で叩く。

「これが本だと？　この表紙は何だ？」

隠し部屋にいる時と違って神官長の表情がほとんど変わらないのでわかりにくいけれど、口調が咎めるようなものになっている。何故、表紙を見ただけで尖った声を出されるのだろうか。

「何と言われましても……紙ですけれど？」

「それは見ればわかる。何故、紙の間に花が入っているんだ？」

「え？　入れたからです」

「それもわかる。どうして入れたのか、聞いているんだ」

得たい答えが得られないようで、苛立たしげに神官長の声がどんどん尖ってくる。どうしてそんなに機嫌が急降下しているのか全くわからない。ベンノは貴族の令嬢に受けそうだと喜んでくれたけれど、紙の間に花を漉くのは禁じられているのだろうか。

「どうしてって、花が入っている方が可愛いと思ったからです。何か問題がありましたか？」

「……可愛いから？　いや、そうではなく……もういい。行くぞ」

理解不能だと言いたそうに首を振った神官長が立ち上がって、寝台の奥の隠し部屋へと向かう。わたしも神官長のことが理解不能で首を傾げながら立ち上がる。

「マイン様、これを」

慌てた様子のフランがわたしにシンデレラの文章を書いた紙を差し出してきた。わたしは「ありがとう」と受け取ると、神官長が開けているドアをくぐった。

相変わらず雑然とした隠し部屋に入って、わたしはいつもの長椅子に向かう。長椅子を占領している資料を退けようとして、これが魔術の資料かもしれないと思い出した。

「こら、見てはならないと言ったはずだ」

覗き込むより先に気付いた神官長がわたしの手にある資料を取り上げて、机の上に積み重ねる。あの机の資料が魔術関係の資料に違いない。そう思って部屋を見回すと、今までと違った感じに見えるから不思議だ。神官長は自分の座る椅子を引き寄せながら眉間に皺を寄せた。

「あまりきょろきょろしないように」

「申し訳ございません。……それで、何のお話でした？」

「どのようにすれば、紙の間に花が挟めるのか、と聞いてるのだ。工房独自の秘密というなら無理には聞かぬが、紙の間に花が挟まっているなどおかしいだろう？」

「おかしくないですよ？　紙を漉く過程でパラパラと入れればできます」

「……パラパラだと？」

簀桁の上で花を散らすように指をひらひらさせながら説明したけれど、神官長には全く通じなかったようだ。神官長が基本的に知っている紙が羊皮紙だけであることに気付いて、わたしはポンと手を叩いた。確かに、羊皮紙の作り方しか知らなかったら、花が間に挟まるわけがない。繊維に絡めとられたようにうっすらと浮かび上がるなんてあり得ないだろう。

「えーと、植物紙と羊皮紙は作り方が根本から違うので、どうしても気になるなら、今度工房まで見学に来てください」

「そうだな。君の説明ではさっぱりわからぬ」

自分の意図する答えを得ることを諦めたらしい神官長は、足を組んで膝の上に子供用聖典を置く。扉のページを捲り、本文と絵を目にした途端、嫌そうに顔をしかめてわたしを睨んだ。

「本というのは芸術品だ。表紙は革張りで石や金があしらわれていて、絵には色がふんだんに使われていて鮮やかで美しいものでなければならぬ。この本では芸術的な価値が低いぞ。せっかく良い絵なのだから、色を付けなさい。勿体ない」

美しい字を書く者に本文を書かせ、芸術家や絵の工房に挿絵を頼み、革の職人に表紙を作らせるのが神官長にとっての本らしい。図書室に置かれていた本を思い出せばすぐにわかる。

「色を付ける方が勿体ないですよ。どれだけお金がかかると思っているんですか？　孤児院の子供達に字を教えるために使うので、一冊にお金をかけるより複数準備してあげたいんです」

「本は芸術品であり、一点物だ。何を言っているんだ、君は？」

その言葉、そっくりそのまま神官長にお返ししたい。そう思っていたら、勝手に口から言葉が漏れていた。「何を言っているんですか、神官長は？」と。

「本は芸術品ではなく、知識と知恵の結晶ですよ。わたくしは芸術品を作りたいのではなくて、皆が読めるように安価な本を量産したいのです」

「量産？　大勢に書かせるということか？　孤児院の子供達全員が字を覚えればそれも可能かもしれないが、気の遠くなるような時間がかかるぞ？」

神官長はよくわからないと言いたげにこめかみを押さえて、節の目立つ指でトントンと軽く叩いた。わたしの場合、最初から印刷方法ばかりを考えていたので、そんな気の遠くなるような量産方法は考えたこともなかった。

「違います。印刷で量産するんです。これと同じ絵本がすでに三十冊ありますけれど……」

「ちょっと待ちなさい」

神官長がピクリと眉を動かして、わたしの言葉を遮った。薄い金色の瞳が軽く見張られて、信じられないと言いたげにわたしを見つめる。

「すでに三十冊も同じ物があるとはどういうことだ？」

「だから、印刷したんですよ」

「印刷とは？」

神官長が聞いていなかったのか、フランもあまり工房へ行かないので理解できていなかったのか、工房の業務内容には詳しくないらしい。利益報告はきっちりとさせて神殿にお金を納めているので、フランから報告が入っていると思っていたが、そうではなかったようだ。

神官長のあまりにも根本的な質問に、わたしはどこから説明すればいいのか迷う。

「マイン工房で植物紙を作っているのはご存じですよね？」

「あぁ」

「そこで少し厚めの紙を作って、文字の形や絵の黒い部分を切り抜くんです。『カッター』……えーと、ナイフのような刃物で。これを版紙と言います」

「紙を切り抜くだと？」

神官長が少し裏返ったような声を出したことから、かなり常識はずれなことをしてしまったことを悟った。後の祭りなので見なかったことにしよう。

「そして、本にする紙の上に版紙を重ねて、上からインクを付けると、切り抜いている部分だけにインクが付きます。できあがった紙を退けて、新しい紙の上にまた版紙を置いてインクを付けます。そうしたら、全く同じ二枚目ができます。それを各ページにつき三十回繰り返すと、三十冊の本になるんです」

途中から、処理落ちしたパソコンのように神官長の反応がなくなった。「神官長、聞こえていますか？」と言いながら、わたしは神官長の目の前で軽く手を振ってみる。

「……聞いている。聞いてはいるが……」

再起動した神官長が、きつく目を閉じて深い溜息を吐いた。ベンノの時にも見られなかった反応にわたしの方が戸惑ってしまう。

「えーと、大丈夫ですか？」

「……君は、ずいぶんと思い切ったことをしたな」

何か思い切ったことがあっただろうか、とわたしは絵本作りの過程を思い返した。一番思い切ったのは「木版画はダメだ」と見切りを付けて、版紙を作ることにした時だったと思うが、神官長が示すものではないだろう。神官長が言う「思い切ったこと」に該当するものがわからない。わたしが考え込んでいると、神官長は何度目かの溜息を吐いた。

「つまり、印刷というのは紙を切り刻んで、インクを塗るのだろう？」

「今の段階ではそうですね」

「紙を切り刻むというのもあり得ないが、惜しげもなくインクを塗るというのも信じ難い」

羊皮紙は高くて希少価値が高いので、切り刻むなんてもったいない使い方は誰もしなかったようだ。植物紙も同じくらいの値段がするけれど、マイン工房で自作しているということと孔版印刷の存在をわたしが知っていたので、それほど勿体ない使い方だとは思わなかった。

わたしと神官長では本に求めるものが違うから、不毛な言い争いにしかならないけれど、絶対に表紙をごてごて飾るよりは版紙を作って印刷する方がお金の有効な使い方だと思う。

「表紙だけに惜しげもなく金額をかける方がわたくしには信じられません。それに、神官達が集めてくれた煤からインクを作ったので、売られているインクよりは安上がりでしたし……」

「インクも本当に煤から作れたのか」

煤集めを不審がられた時にインクを作るためだと説明したはずだけれど、どうやら完成するとは思っていなかったようだ。呆気にとられた神官長の顔にわたしは不思議な気分になる。

「……そんなに驚くことですか？」

「当たり前ではないか」

「先にお渡ししたベンノ様も頭が痛いとはおっしゃっていましたけれど、すぐに原価計算や新作絵本の話に移ったので、そこまで驚くようなことではないと思っていました」

ベンノはもうわたしとの付き合い方を心得ているし、商人としての利益計算をすることで衝撃を上手く緩和しているだけで、実は神官長くらい驚くのが普通なのかもしれない。わたしが考え込んでいると神官長はゆっくりと頭を振って、少しばかり遠い視線で窓の方を見遣った。

「……ベンノは意外と苦労人ではないのか？　君が作る物がこのように規格外の物ばかりならば、彼の心労は相当だと思うぞ？」

「うぇっ⁉　商人なので売れる商品が欲しいんですよ。確かに苦労はしてますけれど、自分から首を突っ込んでいるせいもあると思います。わたくしだけの責任ではないです。多分」

植物紙協会を作って羊皮紙協会と対立したのも、イルゼの喧嘩を高額で買ってイタリアンレストランを始めたのもベンノだ。わたしの主張に神官長はフンと肩を竦め、結果はわかっていると言わんばかりの顔で唇の端を上げた。

「君ではなく、ベンノの話を聞いてみなければわからぬな。……ところで、マイン。先程、君は新作絵本と言わなかったか？」

「言いましたけれど、それが何か？」

「作る前に必ず報告するように。何度もこのように驚かされるのはごめんだ」

いつ報告しても驚くものは驚くと思うけど、と心の中で呟きながら、わたしはフランから受け取った紙を神官長に差し出した。見てくれるなら、それに越したことはない。

「次の絵本はこのシンデレラにする予定なんですけれど、これで作っても大丈夫ですか？」

昨日書いたシンデレラの文章を見せると、軽く目を通した神官長がこめかみを押さえた。

「富豪の娘が王子と結婚などできるわけがないだろう？　君は馬鹿か？　それとも、身分差というものがわかってないのか？」

「身分差もわかりませんけれど、えーと、じゃあ、どのくらいの貴族だったら、皆が羨ましがる玉の輿で、神官長が許せるお話になるんでしょう？」

馬鹿と言われるほどひどい話ならば、もうちょっと妥協点を探した方が良いかもしれない。わたしの譲歩に神官長は、顎に手を当ててしばらく考え込む。

「……王子の結婚相手ともなれば、上級貴族の中でもよく教育された淑女でなければ許されぬ。玉の輿などあり得ない。結婚ではなく、愛妾にしなさい。それでも十分に玉の輿だろう？」

「いやいや、愛妾では全く夢がないですから！　お話になりませんから！」

「夢より現実を見なさい」

話の筋が玉の輿なので身分差を乗り越えてくれなければ話にならないのだが、神官長は断固とした口調で却下する。現実ではなくて夢を見たいから本を読むのにひどすぎる。

「あの、王子様ではなくて辺境の領主様辺りならどうですか？　ちょっとは玉の輿が存在しますか？　お話レベルなら許していただけますか？」

「ふーむ、領地の大きさにもよるが、多少の身分差があっても何とかなるかもしれないな。周囲の反対は多いだろうが……」

多少の身分差があっても周囲の反対を乗り越えてハッピーエンドならばお話としては成立する。妥協点が見つかったことにわたしはホッと胸を撫で下ろした。

「じゃあ、王子様ではなく、領主の息子にしましょう」

「それから、シンデレラも富豪ではなく、中級貴族の娘にしておきなさい。この魔法使いというのは何だ？　一体どうすればこのような妙な呪文で魔術が使えるというのだ？　君に魔術の知識がないにしてもひどすぎる」

シンデレラは神官長の数々のツッコミにより、魔法使いが出てくるくだりは全て却下され、中級貴族の娘が後妻に苛められ、亡き母に連なる貴族の援助により社交界へ赴いて領主の息子に見初められる話となった。もうシンデレラの面影もないが、主要な読者層になる貴族視点の意見はありがたくいただいておこう。

「しかし、二人は幸せに暮らしました、とあるが、この二人が幸せに暮らすことはできぬぞ？」

「はい？」

結婚を貫いた後は父親である領主に追放されるか、寛大に許された場合でも次期領主の座を追われて弟の補佐につくことになるだろうと教えてくれたけれど、そんなところまで書くつもりは全くない。全く夢のない現実的な後日談まで知ってしまったせいで、これから作るシンデレラはわたしにとってハッピーエンドにならないお話になってしまった。

今回で学んだ。ここは魔力や魔術があるファンタジーな世界なので、わたしが知っている適当ファンタジーは受け入れられないということを。これから先、お話を作るのが大変そうだ。

冬支度についての話し合い

「神官長、もう一つ相談したいことがありました」

書き直した紙をトントンと自分の膝で揃えながら神官長へと視線を向ける。視線に気付いた神官長はわたしが書き直しをしている間、目を通していた資料をバサリと後ろの机に置いた。

「孤児院の冬支度についてなのですが……」

「冬支度？……あぁ、薪や食料の神の恵みはおそらく去年とそれほど変わらないだろうと予測が立っているが、詳しい状況は追々フランから報告させよう。収穫祭から青色神官が戻ってこなければはっきりとは答えられぬが、天候にも問題はなく、大きな疫病などもなかった。故に去年と同程度の神の恵みは得られるはずだ」

「え？　予測が立つのですか？」

青色神官が戻ってくるまでわからないはずなのに、予測が立つとはどういうことだろうか。神殿から出ることがほとんどないはずの神官長の言葉に何度か目を瞬いた。わたしは市場に行く家族や、物流と共に噂話や情報を得てくるギルベルタ商会から多少の話が流れてくるけれど、神官長は神殿から出ることもなかったはずだ。

「天候くらいならともかく、農村の疫病状態などどうすればわかるのですか？　神官長は街に出ることもないですよね？」

「私には私の伝手がある。下町に出ることはないが、貴族街へ赴くことはあるからな」

　わたしにとっての街は自宅がある下町だが、神官長にとっての街は貴族街だ。情報源がわかって納得した。これは完全に偏見だが、貴族間ではとても陰湿な情報戦なんかがありそうだ。

「マイン、孤児院の冬支度と言うが、目途が立ったのか？」

「はい。ベンノさんを通して道具や材料の準備をしてもらうことになりました。自分達のための冬支度なので灰色神官はもちろん、子供達にも手伝ってもらうつもりです」

「……子供達とは洗礼前の幼子か？」

　驚いたように神官長が目を見張る。身の回りのことに関して自分で動くことがないお貴族様で、洗礼前の子供は孤児院から出さない神官長には小さい子供を働かせるという概念が存在しないようだ。しかし、そんな慣習は貧乏の前では通用しない。「働かざる者食うべからず」が浸透した孤児院では食べ盛りの少年達が先を争うようにお手伝いをしてくれるし、神の恵みが最後に回ってくる幼い子供達も負けてはいないのだ。

「下町では当たり前のことですし、幼くてもお手伝いくらいはできます。……わたくしは毎年寝込んでいるのであまり戦力にはなりませんけれど」

「さもありなん」

「それで、豚肉加工自体は農村で行うのですけれど、その後、膠を作ったり、牛の脂肪から蝋燭《ろうそく》を作ったりする予定なので、臭いがひどいと思うのです。孤児院の方とはいえ、神殿内で悪臭が漂うのはまずい、ですよね？」

わたしが恐る恐る神官長の様子を窺うと、神官長は少し難しい顔になった。

「孤児院から漂ってくるのでは青色神官がうるさそうだな」

「……やっぱりそうですよね」

膠作りも、蝋燭作りも臭いが大変なことになるので、マイン工房の外で行う予定だ。貴族区域と孤児院は少し離れているが、悪臭に気付かれないはずがない。どうしようもない場合は、あの倉庫のマイン工房で行う予定だが、あそこは狭いので人数が入れないし、道具の移動も大変だ。できれば孤児院で作りたい。

「本来ならば難しいであろうが……そうだな。これから十日ほどの間は収穫祭のため、青色神官がほとんど出払って不在となる。多少悪臭がしようと何とかなるだろう。それ以降になると、神殿内では無理だと思った方が良い」

収穫祭の間に、豚肉加工を終わらせられるかどうかわからない。豚の準備も道具の準備もできていないのだ。けれど、これはベンノに相談してみれば何とかなる可能性はある。

「わかりました。ベンノさんに相談してみます」

少しだけれど見えてきた希望にわたしがグッと拳を握ると、神官長は前髪を掻き上げた。

「……マイン、あれだけの人数の冬支度だが、金銭的には問題ないのか？」

「マイン工房で孤児院の皆が稼いだお金を使いますから大丈夫です」

「君個人が全額負担するのでなければ良い。それにしても、本当に孤児達が自分達の手で生活を賄えるようになるとは、な」

「神の恵みがあってこそ、ですけれど」

神官長の感嘆の混じった吐息に、わたしは肩を竦めて見せた。神の恵みがなければ、さすがに全員の生活を支えるだけの収入はマイン工房にはないのだ。実のところ、マイン工房はかなり低賃金で子供まで労働をさせているブラック工房なのである。

「孤児院の冬が相当に厳しいものになるだろうと考えていた私にとっては朗報だった」

珍しく神官長が表情を緩めて褒めてくれた。孤児院のために行動したことが無駄ではなかったことが嬉しくて、わたしも表情を緩める。

「孤児院の冬支度は十日ほどの間に終わるならば問題ない。むしろ、問題視しなければならないのは君の冬支度だ」

意味がわからない。わたしの冬支度は家でする。正確にはわたしが手伝うと邪魔なので家族がやってしまう。今年は母さんが妊娠中だし、わたしもちょっと大きくなったし、役に立てるように張り切るつもりではいる。けれど、そんなことを神官長が心配するとは思えない。

「わたくしの冬支度は家でしますけれど？」

「それでは駄目だ。冬には奉納式がある。これは君も知っているだろう？」

神官長は少し身を乗り出すようにして、薄い金色の瞳でわたしを見据えた。

奉納式はフランと神官長から教えられた儀式の一つで、わたしが必ず出席しなければならないと言われている。次の春に命が芽吹き、無事に成長することを祈って、神殿にある全ての神具に魔力を込めて満タンにする儀式だ。ここで魔力を満たしておかなければ、春の祈念式の時に農村に与える魔力が足りなくなって収穫量に影響を及ぼすらしい。

「奉納式は大量の魔力を要する儀式なので、君は絶対に参加しなければならない。それなのに、吹雪で神殿まで来られないようでは困るのだ。故に、冬の間は神殿に籠もるように」

「わたくしは通いですから、雪が降ると奉納式に影響するかもしれないというのはわかります。でも、それでは家族がすごく心配します。冬は本当に熱を出すことが多いので……」

奉納式のために、わたしは青色巫女見習いとして認められていると言っても過言ではないので神官長の言い分は理解できるが、それでは困る。家族が一体何と言うだろうか。

「君の家族の言い分もわかっているつもりだ。だから、心配する家族が君の様子を見るために君の部屋に出入りすることについては許可する。それがこちらからの最大の譲歩だ。そのつもりで君の部屋の冬支度も怠《おこた》らぬように」

神官長は「怠らぬように」なんて簡単に言ってくれるが、冬支度を整えるのは簡単なことではない。孤児院分に上乗せして準備する形になるのだから予想外の出費だ。わたしは真っ青になりながら神官長の部屋を出た。

……のおおぉ！　孤児院よりわたしの冬支度の方が大変じゃん！

「マイン様、お顔の色が優れませんわ……」

「大丈夫です、ロジーナ。少し動揺しているだけですから。フラン、先程神官長から伺ったのですけれど、わたくし、冬の間は神殿で暮らさなければならないようなのです」

心配してくれるロジーナに笑って答えた後、わたしはフランに冬支度の話を持ちかける。フランは神官長の言い分にゆっくりと頷いた。

「奉納式がありますから、マイン様が通われるのは難しいでしょう」

「……わたくしの分の冬支度は完全に想定外だったのですけれど、何が必要かしら？」

「薪、食料に関しては我々の分の冬支度として想定しておりますので、マイン様の分が増えてもそれほど問題ありません。何もかもを少しずつ増やすことで何とかなるでしょう」

大した問題ではないと言われて、わたしは軽く安堵の息を吐いた。それでも、きちんと計算してみなければどれだけ出費が増えるのかわからない。

「……ロジーナ、悪いけれど、工房へ行ってルッツを呼んで来てくれる？」

「かしこまりました」

自室について、デリアにお茶を淹れてもらいながら、冬支度の話は続く。生活のために準備しなければならない物、手仕事のために準備しなければならない物、冬の名物パルゥ採りに必要な物、わたしは他に必要な物がないか、考えては書字板に書いていく。フランには料理人の予定を聞きに行ってもらい、冬の間、住み込むことができるかどうか尋ねてもらう。

そうこうしている間に、ロジーナとルッツが工房から戻ってきた。

「マイン、ロジーナが呼びに来たけど、何かあったのか？」

「ねぇ、ルッツ。わたし、自分が関わったことがないから全くわからないんだけど、豚肉加工って十日以内にできると思う？」

神官長に言われた豚肉加工の予定について話をすると、ルッツは唸りながら顔をしかめた。

「さすがに急すぎるんじゃねぇ？　燻製《くんせい》小屋が借りられるかどうか、オレにはわからねぇよ」

「わたしも急すぎると思うけど、この時期しか青色神官が留守にする期間がないって言われたの。どうしようもなかったら膠作りは前の倉庫のところでやるけど、あそこは狭いし、道具をまた運び込むのも大変でしょ？」

六畳ほどの広さの倉庫で作業するのは大変すぎる。ルッツはその状況を思い浮かべたのか、鼻の上に皺を刻んで、むーん、と唸った。

「今から店に行って旦那様に頼んでみる。無理だったら倉庫でやるって決めてるなら、できるかどうかの打診くらいは農村にしてくれると思う。帰りは店までフランに送ってもらえよ」

「ありがと。お願いね、ルッツ」

ルッツが身を翻してギルベルタ商会へと駆け出して行くと、わたしは書字板を見下ろして冬支度に必要な物を書き出した。わたし一人分が増えるとかなり必要な量も増える。数カ月分の食料だと考えると子供一人分でもバカにならない。

……まずい。お金が足りないかもしれない。急いでシンデレラを作らなきゃ。

「マイン様には服も新しい物が必要ですわよ」

「大丈夫よ、デリア。それは、明日にでも買いに行くつもりですもの。側仕えや孤児達にも冬物は必要だと思っていましたから。うーん、孤児院の子供達の分も買うなら、明日の買い物は側仕え達も一緒に連れていった方が良いかしら？」

わたしの言葉にデリアが「まぁ！」と弾んだ声を上げた。買い物と新しい服にはとても興味があるらしい。デリアとは反対にロジーナは少し浮かない顔になる。きっと出かけるより留守番をしてフェシュピールを弾きたいと思っているに違いない。

「……孤児達は神の恵みがございます。外に出ないのならば必要ないかと存じますが？」

確かに、今まで神の恵みで何とかしてきたのだから、神殿内にいる分には平気かもしれない。しかし、冬の晴れ間はパルゥを採りに行ってもらわなければならないのだ。

「子供達は冬の森に行かなければならない日がありますから帽子と手袋も必要なのです」

せっかく森に慣れてきた大人数がいるのだから、上手く使わなくては。特に今年はウチの母さんが妊娠中で冬の森には行けない。トゥーリに子供達を率いてもらうことで、ウチの分のパルゥもしっかり確保するつもりなのだ。

……職権乱用？　何と言われても、貴重な冬の甘味を見逃すつもりはないからね。

そのために防寒具は必須になる。それから、荷物を載せるためのそりも必要だ。パルゥケーキを焼くための鉄板もヘラも欲しい。わたしは思いつく物を次々と書字板に控えていく。その出費額を計算してみると、今のわたしの手持ちでは足りない。

「マイン様、エラは部屋があるならば、冬の間住み込んでも良いそうです」

フランを通じた交渉で、雪に閉ざされている間はエラが主導となって食事を作り、孤児院の子供の中から料理に興味がある子を助手として付けることになった。

「ロジーナ、誰が助手に相応《ふさわ》しいか、孤児院でスープ作りをしているヴィルマに聞いておいてください。それから、フラン。ルッツが先に店へ戻ったのでわたくしを店まで送ってください」

「かしこまりました」

ロジーナとフランの二人が声を揃えて返事した。その後ろにいるデリアがそわそわと落ち着かない様子だと思っていたら、こちらの話が終わるのを待っていたようで、帯を解いて青の衣を脱がせながら次々と質問を重ねてくる。

「それで、マイン様。どこにお買い物に行きますの？　あたしの冬服も買ってくださいますの？　マイン様の冬服を選びますの？　どのくらい買いますの？」

「……デリアは興奮しすぎですよ。これでは今夜は寝られないかもしれませんね」

デリアの勢いに押されていたわたしが思わず苦笑すると、デリアは水色の瞳をキラキラに輝かせたまま断言した。

「もー！　興奮くらいしても当然ではありませんか！　お買い物ですのよ！」

「デリア、早くマイン様のお召し替えを終わらせなければ、フランが下で待っていますよ」

ロジーナが手が止まっていることを指摘すると、デリアは慌てて着替えを終わらせる。

「では、明日、冬物の服を買いに行きましょう。ヴィルマが嫌がれば、ヴィルマを除いた側仕えには三の鐘にギルベルタ商会に来てほしいのだけれど」

先導するデリアについて階段を下りながら明日の予定を口にすると、デリアは満面の笑みでドアを開けて振り返る。

「三の鐘ですわね？　かしこまりました。では、いってらっしゃいませ、マイン様。お早いお帰りをお待ちしております」

デリアの興奮っぷりにフランと二人で笑い、書字板に書き込んだ内容をフランと話し合いながら、ひんやりとした肌寒さを感じる夕暮れの街を歩く。

「フラン、ギルに工房にある子供用聖典を五冊、明日ギルベルタ商会に持ってくるように言ってくれないかしら？」

「……それは構いませんが、何故でございましょう？」

わたしが教科書にするのだ、と息巻いていたことを知っているフランが目を瞬きながら尋ねる。部屋の全てを取り仕切っているフランには言っておいた方が良いだろう。

「売らなきゃお金がないの」

「……は？」

「神官長は簡単に神殿へ籠もれって言ったけど、わたしの冬支度なんて完全に想定外だったの。ベンノさんに早く冬支度の注文しなきゃいけないけど、絵本の第二弾を作るには日数が足りないし、紙もインクもこれから絵本を作ることを考えたら売れないし……。とても切実な状況なの」

わたしのぶっちゃけ話にフランがどうすればいいのかわからないと言うように固まり、小さく口を開け閉めする。混乱した時の仕草が神官長の処理落ちと似ているな、と思いながら見上げていると、フランはふるりと頭を振った。

「それは大丈夫なのですか？　その、お金がなくて。私はお金がないという状況がどういうものなのか、よく理解できていないのですが、買い物ができない状況になる……のですよね？」

孤児院育ちで、本を五冊も神殿に持ち込めるような金持ち貴族の神官長に仕えていたフランは金欠病にかかったことがないらしい。わたしに仕えるようになって初めて、欲しい物が全て手に入るわけではないということ、お金がなければ主であっても我慢しなければならないこと、稼がなければお金が手に入らないことを知ったと言う。

「大丈夫よ、フラン。なるべく早くシンデレラを作って売るし、冬の手仕事で取り返せる自信はあるから。ただ、今の手持ちが心許ないだけ。デリアがあれだけ喜んでいるんだもの。他の子には金欠については知らせないで、絵本が良い出来だったからどうしても売ってほしい、とベンノさんが言ったと誤魔化してちょうだい。お買い物が楽しめなかったら可哀想でしょ？」

「……かしこまりました」

フランとの内緒話を終える頃、ギルベルタ商会が見えてきた。店の前には人影が見える。こちらを見つけて、手を振る人影はルッツだった。

「お待たせ、ルッツ」

「じゃあ、帰るか」

「フラン、ありがとう。少し日が傾くのが早くなってきたから、フランはこのまま神殿へ戻ってちょうだい。明日はよろしくね」

わたしの言葉に複雑な笑みを浮かべて頷いたフランは、両手を胸の前で交差させて軽く腰を折って一礼すると、くるりと踵を返した。

わたしはルッツからベンノとの話し合いの結果を聞きながら一緒に家へ帰る。

「旦那様から、一応農村と交渉はしてやる、って言葉はもらえたぞ。やっぱり燻製小屋の予定次第だってさ」

「そっか。青色神官が戻ってくるまでに膠作りが終わればいいんだけど……」

大丈夫かなぁ、とわたしが呟くと、ルッツは呆れたように肩を竦めた。

「マイン、膠より豚肉加工ができるかどうかを心配しろよ。初めてのヤツばかりだろ？　店の冬支度はもっと先でするから、農村が確保できても手伝える経験者がほとんどいないんだぜ？　旦那様は肉屋から派遣を頼むって言ってたけど、もうちょっと経験者がいないときついぞ？」

本来ならギルベルタ商会の冬支度と合同でやる予定だったが、こちらの予定を大幅に早めるのだからそれぞれで冬支度をすることになる。そうなれば経験者の数がぐっと減る。何をすればいいのかわかっていない、おそらく、豚を捌《さば》くところを初めて見る初心者ばかりになる。自分のことを考えても何も知らない者が役に立つとは思えない。

「……一応父さんとトゥーリに頼んでみるつもりだけど、まだ豚肉加工がいつになるかわからないから頼みようがないんだもん」

母さんは妊娠して大変そうなので除外しているが、できれば父さんとトゥーリには手伝ってもらいたいと思っている。しかし、日が決まっていないのに話を持ちかけることはできない。

「まぁ、そうだな。……それより、お前は大丈夫か？　冬の間ずっと神殿に籠もるなんて、ギュンターおじさん、怒るんじゃねぇ？」

そう、今日の食後は久し振りの家族会議だ。納得してもらうしかないけれど、家族が心配して怒ることは目に見えているので今から胃がキリキリしている。

「でも、奉納はマインの仕事だからな。オレもマインは神殿から出ない方が良いと思う。言っちゃなんだけど、家より神殿のお前の部屋の方が絶対に暖かくて風邪を引きにくいと思うし、フランはお前の体調のこと、結構わかるようになってきたからな」

「ありがと、ルッツ。ルッツの言葉も交渉材料にさせてもらうよ。わたしの言葉より、ウチの家族には信用あるんだもん」

頑張れよ、と激励してくれたルッツと井戸の広場で別れて、わたしはのそのそと階段を上がって行った。

「それで、マイン。話って何？」

食事が終わった後、わたしが「話があるんだけれど」と切り出した途端、家族の顔色が一斉に変わった。命の期限、神殿入り、神殿からの招待状……よく考えなくても、これまでのわたしの話は心臓に悪い話ばかりだ。警戒されるのも無理はない。

「えーと、その、実は……今日、神官長に言われたの。冬の間は大事な儀式があるから、吹雪で来られないようなことになると困るって。雪が降り始めたら、神殿に籠もるようにって」

「どういうことだ!? マインは通いだと言ったはずだ！」

案の定、父さんがテーブルを叩いて激昂《げきこう》した。トゥーリと母さんも揃って頷く。

「それはそうだけど、奉納式は大事なの。神具に魔力を込める儀式できちんと魔力が溜まっていないと、次の年の収穫量に影響するから。作物が育たないと、大勢の人が困るよね？」

「え？　神殿ってそんなことをしてたの？」

驚きに満ちたトゥーリの言葉にわたしはゆっくりと頷いた。神殿で行われている神事なんて、巫女見習いになるまで全く知らなかった。神殿関係者は基本的に街に下りてこないので、洗礼式や成人式などで神殿に行かなければ見ることもない。神殿の仕事内容が語られることもないので、街の中で神殿の評価はそれほど高くない。

「それでも、体調の方が大事だ。マインを一人で神殿に籠もらせるなんて、いつ死ぬかわからん」

「フランはわたしの体調が見られるようになってるって、ルッツが言っていたよ。それに、家族が様子を見に来るのはいいんだって。それが最大の譲歩だって神官長は言ってた」

父さんがギリッと奥歯を噛み締める。神事の大切さも神官長の譲歩もわかるけれど、許可したくないという心情が痛いほどに伝わってくる。

「マインはどうしたいと思ってるの？」

母さんが自分を落ち着かせるようにお腹を撫でながら尋ねる。わたしはすでに神官長に返事をしているし、冬支度の準備のために色々な人に協力してもらっている。答えは一つだ。

「……神殿に籠もる。それがわたしの仕事だから」

「マイン！」

父さんの怒声にわたしはゆっくりと首を振った。

「父さん、わたし、孤児院の院長だから孤児院の面倒も見なくちゃいけないの。それに、わたしが神殿に入ることを許されたのは魔力が必要だったからだよ？　だから、青の衣を纏うのを許されているし、辛い肉体労働はせずに済んでる」

父さんが固く拳を握り締めた。唇を噛んで言いたい言葉を呑み、きつく目を閉じる。

「神官長はできるだけこっちの条件を聞き入れてくれてる。だから、わたしも魔力が必要な儀式にはきちんと出なきゃいけないの。魔力を奉納してるから、身食いの熱で倒れることはほとんどなくなったでしょ？　奉納するのはわたしのためでもあるんだよ？」

魔術具がなければそろそろ死んでいてもおかしくない。神殿で神具に魔力を奉納することで、わたしは生き長らえているのだ。

「マインが体調を崩したらどうするの？」

「部屋にはベッドもあるし、側仕えもいるし、一人で放置されることはないよ。熱で倒れた時の対処をトゥーリから側仕えに教えてほしいとは思うけど」

部屋に入ったことがあるトゥーリが「あそこのベッド、ふかふかそうでいいよね」と呟いた。

「じゃあ、母さんが教えに行くわ。マインが冬の間中、世話をかけるなら挨拶しなきゃ……」

「母さんは今動けないでしょ？　絶対に無理だけはしないでね」

「動けるわよ。妊娠は病気じゃないんだから。悪阻も少しずつマシになってきたもの」

母さんはもう少し体調が良くなったら神殿の部屋の様子を見て側仕えに挨拶すると決定してしまった。当人であるわたしが籠もる気になっていて、母さんも籠もることを前提にフォローの態勢で動き始めてしまった。貴族である神殿側の決定が今更覆《くつがえ》るはずもない。父さんはガシガシと頭を掻きながら諦めの表情になった。

「……家族が様子を見に行くのは良いんだな？」

「うん、わたしが寂しいから会いに来て」

「わたしは裁縫教室の先生もするし、字を覚えるためにも冬の間はちょくちょく孤児院に行くつもりだからマインの様子を見に行ってあげるよ」

トゥーリがニコニコ笑いながら孤児院での予定を口にすると、父さんは反対にぶすっとした表情になって、わたしを睨んだ。

「どうしてマインはトゥーリばかりを頼りにするんだ？　もうちょっと父さんにも頼れ」

娘に頼られたくて、わかりやすく拗ねている父さんのためにわたしは急いで仕事を探す。

「えーと……じゃあ、父さんは孤児院の冬の手仕事を教えるのを手伝ってくれる？　木の板を切ったり、溝を彫ったりするんだけど、ルッツ一人で教えるのは大変だから」

「よし、任せておけ。他には？」

本職ではないが、手先の器用な父さんに木工教室の先生をお願いしたら、笑って引き受けてくれた。頼っていいなら、手伝ってくれると言うなら、して欲しいことはたくさんある。

「それからね、まだはっきりと日が決まっていないんだけど、孤児院の豚肉加工も手伝ってほしいの。孤児院には経験者がいないし、この加工品がわたし達の冬の食料になるから」

「それは大変だな。日が決まったら仕事を代わってもらうか、調整するとしよう」

「あとね、冬支度に必要な物をきちんと教えてほしいの。わたし、いつも熱を出していて家の冬支度も満足に知らないでしょ？　神殿の部屋にどんな不足があるかもわからなくて……」

その後、家族がそれぞれ冬支度に必要な物や点検しておかなければならないことなどを口々に言い始めた。大半がわたしの身体を案じたもので、苦笑しながらわたしは全て書き留めた。

冬服を買いに

今日は三の鐘でギルベルタ商会に集合して服を買いに行く予定だ。わたしとルッツは少し早い時間にベンノから呼び出されていて、冬支度についてベンノと話をすることになっていた。

「トゥーリはどうする？　話をしてる間、暇でしょ？」

「コリンナと冬の手仕事の話をしてくればいい」

ベンノの一言にトゥーリが嬉しそうに青の瞳を輝かせた。ベンノがベルを鳴らすと奥の扉から下働きの女性が出てきて、テンションの上がったトゥーリを連れて戻って行く。

「……とりあえず、今朝のうちに豚二匹、それから、肉屋の職人を二人手配した。職人がいないと初心者ばかりではどうしようもないだろう？」

「本当ですか⁉　昨日の今日で⁉　ベンノさん、仕事早い！　ビックリしました！」

わたしが拍手して褒め称えると、ベンノは得意そうに笑って「もっと褒めろ」と胸を張った。これから、大量の道具を注文するので、もっと褒め称えてみる。

「ベンノさん、すごい！　素敵！　値引きしてくれたらもっとカッコイイ！」

「却下だ、阿呆」

「露骨すぎるだろ、マイン」

手数料の値引き交渉をしてみたが、呆れた表情の二人にあっさり却下されてしまった。

「燻製小屋については、この十日ほどならいつでも空いているらしい。保存を考えると、皆冬になるギリギリに作りたがるからな。いつがいい？」

豚肉加工が冬の間の保存食作りだと考えると、確かに早い時期に作りたがる人は少ないだろう。ウチの近所でも雪がちらつく寸前であることが多い。地下室が半分冷蔵庫のようなひんやり感になってきている今、品質の問題より普段の食料として使ってしまう危険性の高さが問題なのだ。下手すると冬半ばで保存食がなくなってしまう。

「三日後でお願いします。その日は父さんもトゥーリもお休みなんです」

「わかった。では、三日後の予定で進めよう。道具の購入は合同になると決まった頃から注文していたからある程度揃っている。足りない分は貸し出すし、お前の家にある分も使ぇ」

「ありがとうございます。それから、これが薪と食料以外で孤児院の冬支度に必要な物です」

わたしが木札に羅列した一覧を見て、ベンノが顔をしかめて唸った。

「……ずいぶん多いな」

「まともに準備するのが初めてなので、足りない物だらけなんですよ。人数も多いし……」

「なくても何とかなってきたなら、敢えて準備する必要もないんじゃないか？」

ルッツの言葉にわたしは曖昧に笑った。実は孤児院の方はそれで行くつもりだったのだ。今年は薪と食料だけを準備して、少しずつ揃えていけば良いと思っていた。

「でも、わたしが神殿に籠もることになったら家族が許してくれなくて。想定外の出費ですよ」

「まぁ、お前はすぐに倒れるし、寝込むからな。目が届かなくなると思えば家族の心配もあながち間違ってはいない」

「マインの部屋も確かに生活しようと思ったら、細々したものが足りないもんな」

昼食を食べているので食事関係は大丈夫だが、お風呂や寝具に関する日用品の不足が目立つ。タオルやシーツなどのリネン類が全くなくて、ベッドに布団は入っているけれど毛布もない。家から持ち込むと雰囲気が違いすぎるし、家の分が足りなくなるので新しく買うしかないのだ。

困ったことに、部屋には床に敷く秋冬用のカーペットの類もない。前任者が置いていった物はカビが生えていたので使えないと言われてしまったのである。

「マイン、オレがお金を貸してやろうか？」

「ダメ！　友達とお金の貸し借りはしない方が良いの。友情が壊れる可能性もあるからね」

三の鐘が鳴る頃にフランが側仕えを率いてやってきた。全員外出用の衣装の上に灰色の上着を着ている。シンプルな上着なのでマフラーなり手袋なりで差があれば、街でもそれほどの違和感はないはずだ。けれど、全員が全く同じ色で同じ作りの上着なので非常に目立っている。

「服は早く買わないとまずいな」

「ですよね？　冬物なんて中よりもコートの方が重要な気がします。コートさえ着ていれば下が神官服でも問題なさそうじゃないですか」

わたしの言葉にベンノがくわっと赤褐色の目を見開いて怒鳴った。

「こら、待て。それは駄目だ。きちんと一式買ってやれ！」

「ちょっと言ってみただけですよ」

「お前の場合は八割方本気に決まっている」

思考を読まれてしまったわたしはベンノからふいっと視線を逸らして外に向かい、ルッツはトゥーリを呼ぶために奥の扉から階段を駆け上がって行った。


「トゥーリも皆も一着ずつだからね。気に入ったの、探して」

「はぁい！」

トゥーリとデリアは弾むような足取りで服を選び始め、二人でキャッキャッと楽しそうに子供用の服のところを見始めた。ルッツとギルは似たような背恰好なので張り合うようにして服を探し始める。ロジーナは成人に近い体格なので一人だけ別の場所で静かに服を見ていた。

「……よろしいのですか、マイン様？」

こっそりとフランが不安そうに尋ねてきた。わたしは残金を計算してコクリと頷く。ここで服を買う分には問題ない。その後、ちらりとフランが持っているバッグに視線を向けた。

「ここの分は問題ありません。……それに、問題になりそうなら本を売りますから。フランも自分の分を選んでくればどうかしら？　寒かったら部屋でも着込めるでしょう？」

たまにしか主らしいことができないのだから今日は遠慮しないように言うと、フランは困りきったように視線をさまよわせる。

「自分の服を選ぶようにと言われましても、何を基準に選べば良いのか……」

主の服を選ぶならば、着て行く場所や季節、行事、訪問相手など、色々な情報から服を選ぶことができるフランだが、その技術を自分自身には当てはめることができないらしい。自分に関することには不器用なフランにわたしは選ぶ基準を与える。

「まずは体格に合う物。それから、素材。冬だから、温かい服を選んでね。体格に合う温かい服を選んでくれれば、その後はフランに一番似合う服を見立ててあげるよ」

「恐れ入ります」

恐縮するフランに小さく笑いながら、わたしは昨夜の母さんの言葉を思い出した。

「フラン、母さんが一度挨拶したいと言ってるんだけど、都合が良いのはいつかしら？」

部屋を見て、わたしが冬の間きちんと暮らせるかどうかを確認したい、と母さんが言っていたことを伝えると、フランは困ったように視線を伏せた。

「……マイン様、それはできればお止めいただきたく存じます。以前にも申し上げたと思いますが、妊娠されている女性や家族というものに対する感情が複雑な者が神殿には多くいます。孤児院が苦手だというデリアも敏感な方ですし、神殿長に余計な情報が回ることにも繋がりますから、顔を合わせたいとおっしゃられるならば、私がそちらに足を運びます」

「……そう、ね。母さんにはそう伝えます」

楽しそうにはしゃぐデリアへ一度視線を向けた後、わたしはゆっくりと頷いた。フランと成人男性の服のところにいると、ベンノがゆったりとした足取りで近付いてくる。

「お前は神殿に籠もるんだったな？」

「そうです。さすがに神殿で過ごすのに、安い服ばかりってわけにはいきませんよね？」

「当たり前だ。普段の部屋着と神殿で他の人を訪ねる時の訪問着、寝巻、外出着は必要だろう？下着類もある程度の品質の物を作っておけ。後は厚手の靴下だ。冬の神殿は冷えるぞ」

「……うぅ、出費が痛いですよ。下着なんて他の人が見る予定もないんだから、別にこだわらなくても、ボロボロでもいいじゃないですか」

見えるところだけ取り繕えば、とわたしが言うとベンノは目を剥いて怒った。

「馬鹿者！　気を抜くな！　それに、お前はただでさえ体調を崩しやすいんだ。着込んでおけ」

「つまり、着込めるだけの服を買っておけって、ことですよね？」

何枚も重ね着しようと思ったら枚数が必要だ。いつもの普段着を買う、安い中古服屋で買うのならば何枚買っても全く問題ないのだが、神殿で着られる服を何枚も揃えようと思ったら結構なお値段になる。財布に大打撃だ。わたしの冬支度で一番お金がかかる。

「下着はウチで生地を買って、母親かトゥーリに縫ってもらえ。二人とも腕は良いんだろう？」

「それはそうですけど……そこまで揃えられるだけの余裕が財布にないんですよ。ベンノさん、店に戻ったら、この間の本を五冊買ってください」

下着まで新品で揃えようと思ったら、完全に予算オーバーだ。

「だったら、もっと刷ればいいじゃないか。インクさえあれば同じ型で刷れるんだろう？」

「……あ〜、刷るなら、一度に刷ってしまわないとダメだったんです」

わたしが失敗を思い出して項垂れると、ベンノはわけがわからないようで眉を軽く上げた。

「インクが乾いて、版紙がくるんって反ってしまって、使えなくなっちゃったんです。あの絵、本当に細かく切れ込みが入っていたし、板とか金属と違ってインクを拭き取ったり、洗ったりできる素材じゃないので一度乾いてしまうとダメみたいで……」

絵本を作るには結構な枚数の紙が必要になる。三十冊は試作品で、良い出来だったら紙を量産してもう一度刷ろうと思っていたが、版紙がダメになったのだ。勿体なさすぎて泣いた。

「印刷する時には大量の紙を準備して、一気に作らなきゃダメだってわかりました」

「足りないならこっちの工房に注文して買ってくれても良いぞ？」

「……高いから嫌です。マイン工房で作ってルッツから買いますよ」

わたしがむぅっと頬を膨らませると、ベンノが苦笑する。その時、「だーかーらー！　オレのだって言ってるだろ！」と店の奥の方からルッツとギルが服を巡って争う声が響いてきた。中古服屋とはいえ、ここは高級な店だ。ベンノがひくっと頬を引きつらせる。

「……マイン、あれを仲裁《ちゅうさい》してこい」

ベンノが示した指の先に向かってぽてぽてと歩いて行くと、ルッツとギルが喧々囂々《けんけんごうごう》と言い合う姿があった。背恰好が似ているせいで一つの服を取り合っているらしい。

「二人ともうるさいよ。静かにしないとお店に迷惑じゃない」

わたしの姿を見つけた二人が、一つの服を握ったまま先を争うようにして駆け寄ってくる。

「マイン、これさ、オレとギルのどっちが似合う⁉　オレだよな？」

「違うっ！　オレの方が似合うって！　なぁ、マイン様？」

二人がずずいっと怖い顔で迫ってきた。わたしは二人が持っている水色のような上着を見て、これ見よがしに溜息を一つ吐いて首を振った。

「どっちも似合わない」

まさかそう言われるとは思っていなかったのか、二人が目を丸くして口を閉ざした。

デザインが似合わないわけではない。二人とも髪の色が薄いので、冬の服に水色ではものすごく寒々しく見えるだけだ。夏の服なら良かったが、冬には合わない。

「あのね、ルッツ。前の時にベンノさんが言ってたでしょ？　色には暖かく見える色と寒い感じに見える色があるって。これはどっちの色？　寒い冬に着る服はどんな色が良いと思う？」

ハッとしたようにルッツが手に持っている服から手を離した。ギルは水色の服を持ったまま、よくわからないというように首を傾げる。

「ギルはその水色を片付けて、こっちの赤茶の上着に茶のズボンを合わせてごらん。その方が温かそうだよ？」

「わかった。着てみる」

ギルは水色の服を片付けるために踵を返す。ルッツは少ししょぼんと肩を落としながら、わたしが取り出す服を見比べる。キャメル色の上着は一見薄手に見えるが、裏が起毛しているので温かいはずだ。

「ルッツはこの焦げ茶のズボンでしょ。それにこのキャメル……黄土色か、緑の上着の好きな方を合わせればいいと思うよ。素材に違いがあるから、家の周辺を歩くことを考えて選んでね」

「だったら、こっちって最初から決まってるじゃないか！」

ルッツがキャメルの上着をつかんでわたしを睨んだ。緑はいかにも生地が高級で、わたし達の家の周辺で着ていられるものではない。

「うん。自分が服を選ぶ時の条件を考えたら、水色はもっと無理でしょ？」

ぐっと悔しそうにルッツが口を噤《つぐ》んでキャメルの上着を羽織る。少し大きい気もするが、下に重ね着をしたり、来年も着られることを考えれば少しくらいは余裕があった方が良い。裏の起毛が温かかったようでルッツの口元がへにゃっと緩んだ。

ルッツがキャメルの上着に満足した頃、トゥーリが両手にワンピースを持ってやってきた。

「ねぇ、マイン。これとこれ、どっちが良いと思う？」

深緑に鮮やかな花の刺繍が付いたワンピースとシンプルな紺色のワンピースだ。個人的には紺色ワンピースに白のエプロンを付けたメイドさん風トゥーリを見てみたい。

「トゥーリはどうしてこれとこれを選んだの？」

「これは可愛いの。ほら、色とかこの刺繍とか素敵でしょ？　わたしの髪にも合うと思うんだけど、こっちは素材が良くてすごく温かいの」

今までの実用主義で選ぶなら紺色だけど、欲しいのは深緑のワンピースらしい。

「この可愛い方で外を歩いたら悪目立ちすると思うけど、冬は上からコートを着るからね。下に着るだけならコートに隠れると思うし、どっちでもトゥーリの好きな方でいいと思うよ？　わたしだったら可愛さより温かさを取るけど、トゥーリは可愛いのが欲しいんでしょ？」

「うぅ～……悩むぅ」

お針子としてセンスを磨いていくならば、自分の好きな服を買うのも良いと思う。けれど、今までの常識に囚われているトゥーリには実用より見た目を取るのが難しいようだ。

「マイン様、あたしはこの服が欲しいですわ！」

悩んでいるトゥーリの隣にデリアが弾んだ足取りでピンク色の可愛い服を持ってきた。しっかりと温かそうなコートも付けてある。ちゃっかりさんめ。しかし、デリアが完全に浮かれているのがわかるので何も言う気はない。今日のわたしはお財布に徹することにする。

「わかった。デリアは決定ね」

「ありがとう存じます、マイン様。うふふ～ん」

満面の笑みでピンクのワンピースを見ながら鼻歌を歌っているデリアは全身から喜びが溢れている。あそこまで喜んでくれたら、多少高いのは大目に見ても良い気がしてくる。可愛い女の子に貢《みつ》ぐ気持ちなんてわかりたくなかったけれどわかってしまった。

可愛い服を持って喜んでいるデリアを見て、トゥーリも決心を固めたらしい。深緑のワンピースをビシッとわたしに向かって突きつけてくる。

「マイン、わたしも可愛い方にする！」

「わかった。トゥーリの場合、コートはここで買っちゃうと家の周辺や仕事場で悪目立ちするから諦めてね。代わりにショールやマフラーは温かいのを選んで。母さんや父さんの分も」

「うん！　ありがとう、マイン」

嬉しそうに店の中を駆けて行くトゥーリを見送って、わたしは一人で選んでいるロジーナのところへ向かう。ロジーナはすでに自分の分を選んだようで、臙脂《えんじ》色のワンピースを持って、じっと飾り気のない紺色のワンピースを見ていた。服よりも絵を描く道具が欲しいと言っていたヴィルマでも着てくれるかもしれないと思えるような素っ気ないワンピースだ。

「ロジーナ、ヴィルマの服は……」

「いらないそうです。外に出ることができないので必要ございません、と言っていました。工房には時々顔を出すことができるようになったようなので、工房に下りるための汚れても良い中古服の方が喜ぶと思います。……ヴィルマは装うことに嫌悪感を持っていますから」

美人なのにオシャレしないなんて勿体ないと思うけれど、本人が嫌ならば強くは言えない。

「マイン様が落ち込む必要はございませんよ。あのヴィルマが子供達と工房に向かうようになっただけでも大きな進歩ですもの」

フッと柔らかく微笑んだロジーナと一緒にベンノが待つカウンターの方へと戻っていると、途中の成人男性向けのところでフランが立ち往生している姿を見つけた。この店は客層故か、成人男性

向きの服が一番多い。いくつもある服の中でフランが途方に暮れている。

「フラン、決まった？」

「……マイン様」

振り返ったフランが珍しく情けない顔をしている。困りきっているフランはちょっと可愛い。

「フランは落ち着いた雰囲気があるから、シンプルなのが良いならこれか、これ。ちょっとオシャレに行くならこれか、これ」

「……もう、マイン様が決めてください」

弱りきったフランに目を輝かせたロジーナが栗色の髪を揺らして、ずいっと一歩前に出た。

「フランも苦手を克服しなければなりませんわ」

「……いつもと立場が逆転で楽しそうだね、ロジーナ」

「わたくしもフランの役に立てそうですもの」

「では、ロジーナにお任せしましょう。わたくしの意見は述べましたし」

うきうきしているロジーナと「マイン様っ!?」と助けを求めるような声を上げたフランを置いて、わたしはベンノの元へと戻る。カウンターの上にはそれぞれが選んだ服が積み上がっているけれど、他の皆の姿が見えない。

「あれ？　ベンノさん、ルッツ達は？」

「あぁ、騒がれたら面倒だから、マインの服を選んでこいと言ってある。最低でも部屋着は二、三着、訪問着、外出着は一着ずつ必要だろう？　勝ち負けはつかんと思うから、気楽に選べ」

前回引き分けたルッツとトゥーリが火花を散らして服を探しに行き、そこにデリアとギルも側仕えだから、と参戦したらしい。

「……うあぁぁ。高い。自分に必要な服が一番高いですよ」

「貴族らしさを装うなら当たり前だ。ただでさえ平民が同じ青色をまとっているなんて、と反感を買っているのに、貧乏人の恰好でうろついて向こうを刺激するような真似はするな」

ベンノの言い分はもっともでガックリと項垂れるしかない。カウンター前で必死にお金の計算をしていると、トゥーリとルッツが張り合うように服を持ってきた。

「マイン、これはどう?」

二人とも手に持っているのは、厚めの生地のブラウスとスカートとベストだ。前回、ワンピース以外の服もあると言われた二人はワンピース以外から探してきたらしい。そこにデリアとギルがいくつかの服を持ってやってきた。

「マイン様、こちらが可愛いですわ」

ワンピースやチュニックなど次々と出てくる。元々わたしくらいの大きさの子供服は数がない。つまり、この店にある、わたしに合うサイズの服が一切合財《いっさいがっさい》広げられている状況だ。

どれを選ぶか、四人の視線を受けながら考えていると、服を選び終えたらしいフランとロジーナがカウンターへとやってきた。わたしに必要な服を選んでいると言うと、並んでいる服に次々と決定を下していく。

「神殿内を歩く服ならば、この辺りでしょうか」

「春に祈念式があります。神官長と街を出ることになりますから、この辺りでなければ釣り合いが取れないでしょう。これとこれですね」

わたしが決めることもなく、フランとロジーナが神殿で過ごす上で必要な服を選んでいく。とても頼りになる側仕えだが、わたしのお財布は大ピンチだ。

のおおぉぉ、とわたしが内心頭を抱えていると、ベンノがちょいちょいと指でルッツを呼び寄せて何やら耳打ちする。それを聞いたルッツが顔を輝かせて、ポンと手を打った。

「マインの服はオレが買ってやるよ」

「ルッツ⁉　ベンノさん、何を吹き込んだんですか⁉」

わたしがキッとベンノを睨むと、フンと鼻を鳴らしたベンノは面白そうにルッツを見る。

「オレの金はマインが新商品を発明した時に半分もらったものだし、家族仲も修復してもらったから、そのお礼だ。友達間でお金の貸し借りはできなくても、贈り物ならいいんだろ？」

どうだとルッツは得意そうに胸を張るが、いくら何でも贈り物の額を超えていると思う。しかも、家族ではない男の子に服を買ってもらうなんて麗乃時代でも経験がない。どうしたらいいのかわからなくて悩むわたしに、ベンノがニヤニヤしたままルッツの後押しをする。

「こんな大勢の前で男からの贈り物を拒否するような無粋で、恥をかかせるような真似はするなよ、マイン」

ベンノはからかうようにそう言ったけれど、確かにここでわたしが拒否すればルッツに恥をかかせることになるかもしれない。スマートな断り方なんて、わたしは知らない。助けを求めて周囲を見回すと、デリアが腰に手を当てて、わたしを叱責した。

「もー！　マイン様はニッコリと笑って受け取ればいいのです。男に貢がせてこそ女の価値は上がるのですから」

「デリア、お願い。黙って」

その言い方ではまるでわたしが男に貢がせる悪女のようではないか。余計に受け取りにくくなった。頭を抱えるわたしの肩をルッツが自分のギルドカードを見せながら軽く叩いた。

「とりあえず、支払いは終わったから諦めろ。な？」

……何、そのスマートさ！　ちょっと分けて！

よくやった、と笑いながらワシワシとルッツの頭を撫でているベンノの影響が非常に濃くなっている気がする。ロジーナから貴族教育を受けてもスマートさの欠片も身についていない自分にがっかりしながら、わたしもトゥーリや側仕え達の服の精算を終わらせた。

側仕えは順番に試着室で買った服に着替えて、今まで着ていた服をバッグに入れている。わたしの服は神殿に置いておくため、側仕え達が手分けして片付けることになっているのだ。皆の視線がそれぞれの服に向いているうちに、わたしはすすっとルッツに近付いた。

「ルッツ、ありがと。すごく助かった。……ホントに」

「気にするなって。前に旦那様から言われてたんだよ」

紙はもちろん、絵本、ハンガー、書字板についても収益を半分に分けているのに、初期投資を半分に分けていないんじゃないか、とルッツはベンノから指摘されたことがあるらしい。

「マインが気付くか、行き詰まるまで黙っていろ、とも言われたけど、今は間違いなく行き詰まってるから、いいよな？」

……うひぃ！　全く気付いてなかったよ。

そして、わたしはルッツから初期投資にかかった費用の半額を受け取り、自分の下着用の布と替えのシーツと冬用の温かい敷物を揃えるために使うことになった。その後、孤児院の子供達用の冬服を買い漁ったり、細々とした日用品を買ったりして、冬のための買い物を終えた。

豚肉加工のお留守番

買い物に行った次の日から、ベンノに注文した物を神殿に運び込む仕事がマイン工房の子供達に加わった。厚めの服に替わった子供達が新しく購入した荷車に荷物を積んで、ギルベルタ商会と孤児院の間を行き来している。半分くらいはわたしの部屋へ入れるが、孤児院で使う物もある。それから、豚肉加工に使うための道具がどんどん運ばれてくるようになった。

「荷物はここで開けて、孤児院長室に運ぶ分はギルに渡してください。それから、女子棟の地下室には薪と食料を、男子棟の地下室には薪と道具の数々を置いてください」

フランが荷台に届いた荷物を検品しながら、どこに運ぶ物か割り振っていく。この荷物の割り振りは、女子棟の地階が調理場、男子棟の地階がマイン工房になっているためだ。保存食はヴィルマが管理することになり、他の子が勝手に出入りできないように鍵も取り付けた。冬の貴重な食料が途中でなくなると全員が困るからだ。

灰色神官や巫女がそれぞれの地下室へと運んで行き、子供達もきゃあきゃあと楽しそうな声を上げながら、荷物運びを手伝っている。その様子を見ながらルッツが口を開く。

「ウチの家族も孤児院の豚肉加工を手伝うってさ。あんまりはっきりとは言わなかったんだけど、なんか父さんが神官長に恩を感じているみたいなんだ」

頑固で職人気質で無口なディードは相変わらず言葉足らずではあるものの、話し合いの場を設けてくれた神官長に感謝しているらしい。

「でも、ほら、神官長はお貴族様だからお礼のしようもないだろ？　だから、代わりに孤児院の手伝いをしてやるって感じのことを言ってたんだ。で、家族全員が動員されることになった」

「家族全員……。ディードおじさん、相変わらず暴走してない？」

ルッツの家族は四人兄弟で男ばかりなので、こういう作業の時に増えてくれるのはすごく助かるけれど、本当に他の家族が納得済みなのかが非常に気になるところだ。

「大丈夫だって。しょうがねぇなって、兄貴達も言ってたし、母さんが乗り気だからな」

「ルッツの家族が手伝ってくれるなら何とかなりそうだね。豚肉加工、楽しみになってきた」

うふふん、と浮かれてわたしが笑うと、ルッツは顔をしかめてわたしを見た。

「マインは留守番に決まってるだろ？　毎年、この時期には熱出すし、前は荷台の中で熱を出して一人で倒れてて門まで運ばれたじゃないか。今回みたいに初心者ばかり引き連れて行く豚肉加工なんかに連れて行けるわけないじゃん」

「そ、それは、そうだけど……。母さんが妊娠中だし、来年にはお姉ちゃんになるし、わたしも今年こそ参加してお仕事を覚えようと思ってるのに」

やっと解体作業を見ても泣かずに内臓を抉り出せるようになったのに、豚肉解体に行けないなんてひどい。今年はご近所さんの豚肉解体にちゃんと参加してお手伝いするためにも、孤児院の豚肉解体で予行演習しようと思っていたのだ。

「ダメだ。孤児院のヤツらを連れて行くなら、どうせマインは働けないんだ。外で一日作業を見てたら熱を出すに決まってる。そうしたら膠だっけ？　後の作業ができなくなるぞ」

わたしが行ってはいけない理由を次々と並べられてしまった。困ったことに反論できない。

「マインは留守番。その間に金策で頭使えよ。えーと、何だっけ？　マインが前に言っていた適材適所ってヤツだ」

「おぉう……」


豚肉加工の日の朝、ウチの家族とルッツの家族が集まって井戸の広場で段取りを打ち合わせた結果、わたしは父さんとトゥーリと一緒に孤児院へ向かうことになった。わたしは孤児院で留守番、父さんとトゥーリは孤児院から荷物運びと孤児院の皆の引率をするためだ。

ルッツはギルベルタ商会の見習いとして肉屋へ行って職人と一緒に農村へ向かい、ルッツの家族と母さんは先に農村へ向かって、燻製小屋の準備や水汲みなどをすることになっている。

「では、本日はこのような組み分けで、仕事に取り掛かります。豚肉加工班は荷車を押して出発。留守番班は神殿と孤児院の清め、夕飯にするスープの準備をお願いします」

フランによって孤児院の皆は二つに分けられた。力仕事に向いた灰色神官は監督役を除いて全員豚肉加工班に組み込まれている。

「父さん、豚の皮だけは持って帰ってきてね。膠作りに使うから。骨とか内臓は残らなかったら諦めるけど、皮だけはお願い。死守して」

皮を持って帰ってきてくれるように念を押すと、父さんはわたしの頭を軽く叩きながら笑う。

「わかった、わかった。マインは部屋でおとなしくしているんだぞ。熱を出さないように気を付けてくれ。この後の作業が大事だってルッツが言っていただろ？」

「わかってる。ホントは一緒に行きたいけど、ちゃんとお留守番してるよ」

父さんへの念押しを終えると、わたしは子供達と一緒に荷物を荷台に運び込んでいるトゥーリのところへ向かった。

「トゥーリ、デリアをお願いね」

「わかってるよ。一緒に頑張ろうね」

トゥーリがデリアの方を向いてニッコリ笑うと、デリアはクッと眉を上げてわたしを睨んだ。

「マイン様、どうしてあたしが行かなければなりませんの!?」

「デリアに神殿以外の世界も見てほしいから」

わたしの側仕えはロジーナとヴィルマが留守番で、彼女達以外は豚肉加工に向かうことになっている。デリアは嫌がっているが、今回は強制的に豚肉加工である。孤児院に行くのではないし、孤児院以外のところで他の子供達と交流を持てばいいと思う。孤児院の子供達とはほとんど交流がないようだが、トゥーリとは買い物で気が合っていたようだし、ギルやフランもいるので一人ぼっちになることはないだろう。

「ねぇ、マインは残って何をするの？」

「新しい絵本作りだよ。ロジーナとヴィルマも一緒。二人とも字が綺麗だし、絵を描いてもらわなきゃいけないから」

ロジーナはわたしのフェシュピールの先生であると同時に、字の美しさには定評があるので、次の絵本を作るのを手伝ってもらうことになっている。ヴィルマは男の側仕えを全員外に出すので、今日はわたしの部屋で一緒に絵本作りをする予定だ。ついでに、料理上手な女の子を二人連れて来てもらって、厨房で冬に向けて特訓させることになっている。

わたしはロジーナと一緒に皆を見送ってから部屋に戻った。フェシュピールの練習をしていると、ヴィルマが女の子を二人連れてやってくる。

「では、ニコラ、モニカ。おいしい料理が作れるようにしっかり練習してくださいね」

緊張している二人を激励し、ロジーナに厨房へと連れて行ってもらう。

「収穫祭の間は青色神官が基本的に出払っているため、神の恵みが非常に雑な物になるのです。料理人を連れて行く神官もいれば、主が食べないとわかっているので手を抜く料理人もいます。自分達でスープが作れなければ、この十日ほどの期間がとても苦しい時間となったでしょう」

ヴィルマの言葉にぞっとした。青色神官が減っている現在、収穫祭の間ずっと神殿に残っている青色神官はわたしだけだ。他の青色神官はどこかの農村に派遣されている。青色神官が全員料理人を連れて行ってしまえば、神の恵みがなくなってしまう。

「昔は青色神官の人数が多かったので、半数ほどが出かけたところでもう半分の神の恵みがございましたし、他の青色神官の手前、主に恥をかかせるわけにはいかないと料理人が手抜きをすることなど考えられませんでした。けれど、今は……」

そう言って息を吐いたヴィルマが一度目を伏せる。ゆっくりと開いた明るい茶色の目に穏やかな笑みが戻って、わたしを見つめてきた。

「マイン様のおかげでわたくし達は自分で作ることができます。幼い子供達が飢えることなく過ごせているのです。孤児院のための冬支度もわたくしは本当に感謝しています。ですから、わたくしにできることは何でもおっしゃってくださいませ」

そう言ったヴィルマは二階に上がると、早速絵を描くための道具をテーブルに広げ始めた。

「こちらが次のお話ですか？」

「えぇ、シンデレラというお話です」

ヴィルマが話に目を通し始めたので、再度フェシュピールを構えて練習を始める。神官長から与えられた第三課題と自由曲だ。今回の自由曲は季節に合わせて「こぎつね」である。この付近にいる動物の名前を当てはめたので子狐ではなく子兎になっているが気にしない。

「懐かしい音色でございますね」

「ヴィルマもフェシュピールを弾けるのですか？」

「嗜み程度です。ロジーナのフェシュピールを聴いているマイン様にはお耳汚しですよ」

ヴィルマは笑いながらそう言ったけれど、初心者のわたしより上手に決まっている。

「ロジーナは上手すぎて、嗜みというのがどの程度なのかわからないのです。わたくしにヴィルマのフェシュピールも聴かせてちょうだい」

「本当に嗜み程度ですよ？」

それでも、やはり楽器に触るのは久し振りで嬉しいようで、どこかうっとりとしたような表情でヴィルマはロジーナの持っている大きい方のフェシュピールを手に取った。

ピィンと弾かれた弦から流れてくる音はヴィルマの性格をよく表しているようで、柔らかくてゆったりとしていてとても心地良い音である。そこにヴィルマの子守唄のような優しい声が合わさると冗談抜きで眠ってしまいそうだ。

「ヴィルマの音は相変わらずとても柔らかいわね」

「ロジーナのように技術がなくて、ゆっくりした曲ばかり選んでしまうからではないかしら？」

楽しげに語らう二人を見ながら、わたしは求められているレベルの高さに愕然《がくぜん》としてしまった。これで嗜み程度ならば貴族の子供はかなり芸達者なようだ。

「……これが嗜みということは、ロジーナも絵が上手いということでしょうか？」

「この程度ならば、身につけさせられましたから」

ヴィルマの音楽の嗜みレベルを考えれば、ロジーナの絵画レベルも何となく察せられる。それだけの教育を側仕えに与えられたクリスティーネは本当に規格外の巫女見習いだったようだ。

三の鐘が鳴ってフェシュピールの練習を終えると、次はシンデレラの絵本作りである。お話を読んだヴィルマとどのような挿絵を入れるか話し合う。

「シンデレラの美しさを出すのが難しいですね。肌の色も変えられませんし……」

「継母や義姉の体型に差を出す、というのではいかがでしょう？」

「中級貴族の後添えになることができる貴婦人ならば美しいと思いますけれど？」

美しいシンデレラと対比するための継母や義姉に対して、そんな現実を突きつけられると困る。わたしが、うーん、と悩んでいるとロジーナがシンデレラを見ながら提案する。

「マイン様、新しいお話に悩むよりも内容が決まっている子供用の聖典を作り直した方がよろしいのではないかしら？　マイン様に貴族のお話を書くのは早いと思われます。もう少し、せめて、神殿での内情に通じてからにされた方が良いのではありませんか？」

神官長にも言われたが、ロジーナにまで貴族社会を知らなすぎると指摘されてしまった。

「わたくしとしては、普通の物語が受け入れられるかどうかを知るためにシンデレラを作りたいと思ったのですけれど……」

「マイン様、それは普通の物語を作れる方がおっしゃることですわ」

ロジーナはゆっくりと首を横に振った。「ロジーナ、言いすぎですよ」とヴィルマが横から口を出す。つまり、ヴィルマもシンデレラが普通のお話ではないと思っているということだ。

「……シンデレラは普通の物語ではないのですか？」

「普通の物語は建国物語であるとか、神々のお話であるとか、騎士のお話でございます。こちらのシンデレラのようなお話は伺ったことがございません」

クリスティーネに仕えていた時に聞かされた物語は基本的に芸術の基になっていたらしい。物語を題材にした絵や音楽、詩もあると言う。ならば、それを研究しなければ貴族階級に受け入れられる絵本にはならないだろう。

「二人は子供用聖典とシンデレラ、どちらが貴族階級に受け入れられると思いますか？」

「子供用聖典です。教養に必須の知識ですし、とてもわかりやすくまとめられていますもの」

そこまではっきりと言われると、シンデレラをすっぱりと諦める決心がついた。受け入れられないとわかりきっている絵本を作るよりは確実に売れる物を作った方が良い。

「では、シンデレラは諦めて、今回は子供用聖典を作り直しましょう。……ロジーナ、また今度その普通のお話を聞かせてもらっていいかしら？　次はそれを絵本にいたします」

「教養には必要な知識ですもの。いつでもお教えいたします」

子供用聖典を一つ解いてバラバラにすると、半分に切って字と絵のページを分ける。シンデレラの版紙を作るはずだった厚紙の上に絵を重ねて、黒い部分を切り取っていく。そうすれば、前回と全く同じ絵ができるはずだ。工房に置いてあるルッツのカッターを持ってきたロジーナとヴィルマがせっせと絵を切り取っていく。

「マイン様は前回と同じように、字のページを切ってくださいませ」

ニコリと笑ったロジーナに仕事を割り振られて、わたしはコクリと頷く。繊細な絵を切る仕事には向いていないと早々に結論を出されてしまった。

……ロジーナの方が器用で綺麗に切り抜くけど、きっと手が小さいせいだから。わたしだって大きくなったらきっともっと器用になるはず！

麗乃時代、成人しても大して器用にならなかった事実からはそっと目を逸らした。


六の鐘が鳴る前に孤児院に届ける夕食が仕上がり、初めて料理の助手をしたニコラとモニカは疲れ切った表情で厨房から出てきた。フランが戻ってきたら孤児院に届けると話をして、ロジーナに料理人を解散させてもらう。

「……皆、遅いですわね」

「豚肉加工は時間がかかりますもの。六の鐘の閉門ギリギリまで作業しているはずです」

わたしはそう言いながら、窓の外を見遣った。日が落ちようとしていて少しずつ薄暗くなってきている。ご近所で豚肉加工をするのはもう少し寒くなってからだから、家族が戻ってくるのは完全に日が落ちた後だった。もうちょっとしなければ帰ってこないだろう。そう思っていると、デリアが息を大きく弾ませながら戻ってきた。外は寒くなってきているのか、走って帰ってきたのか、頬がリンゴのように真っ赤になっている。

「おかえりなさい、デリア。たくさんできたかしら？」

「ただいま戻りました。あれだけあれば、冬の間も大丈夫だと思いますわ」

心配していたデリアが上機嫌で帰ってきたことにホッと安堵の息を吐いた。デリアが先に戻ってきたのはわたしを着替えさせるためで、他の人は地下室に加工された豚肉の数々をどんどん運び込んでいる最中らしい。デリアはわたしを着替えさせながら、どんな風に腸詰が作られていったのか、肉屋の鮮やかな捌き方などを興奮気味に一生懸命話してくれる。

「それで、孤児院用のこんなに大きな塩漬け肉が吊り下げられて燻《いぶ》されていましたの。煙で腐りにくくなるなんて不思議ですわね。それから……」

どうやら外に出てみんなで行う豚肉加工はデリアにとって良い刺激になったようだ。この調子で孤児院の子供達と交流が持てるようになってくれればいいと思う。

「マイン様、ルッツが豚の皮についてお話が聞きたいと言っています。着替えが終わったら工房に足を運んでいただいてもよろしいですか？」

階下からフランの声が聞こえてきた。すでに着替えを終えていたわたしは階段を下りて行く。

「ギル、マイン様の案内をお願いします」

「わかった」

工房に向かう途中で神殿の門の側に置かれた荷車から皆が女子棟の地下室に食料を運び込んでいるのが見えた。父さんやトゥーリの姿も見える。皆のところへ向かいたい衝動を抑えながら、わたしは工房へと足を運んだ。

「マイン、この豚の皮、どうしておけばいい？」

わたしの姿を見つけるなり、丸められた皮を指差してルッツがそう言った。わたしは工房の中をぐるりと見回して、「ひとまず、あの鍋にでも入れておく？」と、一つの鍋を指差す。

「下準備は良いのか？」

「石灰水に漬けて、毛を取り除くつもりだけれど、どのくらい漬けておけばいいかわからないから様子を見ながらした方が良いと思う。今日はもう遅いでしょ？」

ルッツは「無駄になったら怖いもんな」と言いながら書字板を取り出した。鉄筆を持ったルッツがちらりとわたしを見る。それを合図にわたしは膠の作り方を説明し始めた。

「まず、脱毛のために石灰水に浸したら、なめし革用に表皮と内皮とに剥離《はくり》するの。これはルッツもできるよね？」

「あんまり上手じゃないけどな」

ルッツは肩を竦めてそう言うと視線で先を促す。

「内皮が膠の原料で表皮は使わないから、なめして本の表紙にすればいいと思うんだけど」

「皮をなめすのは誰がやるんだよ？」

じろりとルッツに睨まれて、わたしは首を傾げた。

「……えーと、革細工の工房に頼む？」

「金があったらな」

痛いところを突かれたので、わたしは聞かなかったことにして説明を続けることにした。

「それで内皮をさらに石灰水に漬けて、膨れて柔らかくなるまで放置して、原料中の『蛋白質』や『脂肪』なんかの除去……勝手になるから、放っておいてくれていいよ。その後は、石灰を綺麗にするために皮を洗って、熱いお湯で小さい火で鐘二つ分くらい煮るの」

「鐘二つ分か。結構長いな」

ルッツがそう言いながら書字板に鉄筆を走らせていく。

「ここからが難しいんだけど、お茶を飲む時くらいの温度で静かに置いておくと、不純物は沈んだり浮いたりして真ん中が透明になるんだよね。この真ん中の透明なところを使うんだけど」

わたしが言葉を止めると、ルッツが書字板から顔を上げて首を傾げた。

「……どうやって真ん中だけ使うんだよ？」

「まだやったことないから試行錯誤で？」

「マジかよ。じゃあ、小さめの鍋に分けてやった方が良さそうだな」

そっと上の不純物を取り除けば良いことはわかるが、どうすればいいのか、どこまでやればいいのかは、やってみなければわからない。

「それで、膠液を木箱に注いで冬の寒い北風が入る窓際に置いて冷却凝固させればできあがり」

「ふーん、漬けたり煮たりしている時間が長いから、蝋燭も一緒に作れそうだな」

ルッツは書字板を見返してそう結論付けた。

「じゃあ、明日は膠作りと同時に蝋燭作りもするぞ。臭い仕事を一気に片付けるんだ」

「はーい！　頑張ろうね」

初めての膠作りにわくわくしながら、わたしは大きく手を上げた。

冬支度の終わり

さて、青色神官が戻ってくるまでに、一気に臭いのする仕事を終わらせてしまいたい。豚肉加工の次の日、膠作りと蝋燭作りをメインにチーズも作るとルッツは言っていた。

わたしの家では牛を飼っている家から買ってきた牛乳にお酢を入れて作るカッテージチーズしか作ったことがないけれど、ルッツの家は卵と交換することで牛乳がよく手に入ることもあり、発酵熟成させるナチュラルチーズも作っているらしい。

「保存に向くから、孤児院はそっちの方が良いだろ？」

「……なんかよくわかんねぇけど、冬の食べ物が増えるのは良いと思う」

ルッツとギルがそんな話をしながら今日の作業をしているのが見える。わたしは三の鐘が鳴るまでフェシュピールの練習があったので、工房への到着は遅くなってしまったけれど、順調に作業は進んでいるようだ。フランを従えてやってきた工房の中では色々な作業を分担して行っている灰色神官や見習い達の姿がある。普段は神官長のお手伝いに行くので、あまり工房の中を見回ることはないため、ちょっと新鮮で楽しい。

「ルッツ、ギル、進み具合はどうかしら？」

「一応順調だぞ。豚の皮はここ、蝋燭作りはあっちで、一回溶かして濾過《ろか》して肉のかすを取り除いているところ。エンセキ？　って、いうのはまだしてない」

ルッツとギルの目の前にある鍋の中にはすでに表皮を剥がれた内皮が石灰水の中に漂っているのが見えた。まだ石灰水に漬け始めたところなのか、ぶよぶよには程遠い。ルッツが指差した方では灰色神官が三人がかりで溶かした牛脂を濾過していた。

「皮はもう少し放置だね。『塩析』はちょっと面倒かもしれないけど、臭さがかなりマシになるし、質が良い油になるから頑張ってほしいな」

ルッツの家ではわざわざ塩析などしないらしい。ウチでもわたしが口を出して、本当に臭いが減ったことから採用されるようになったので、この辺りではあまり一般的ではないようだ。わたしの知っている周囲が基本的には貧民街で、他の香辛料よりマシだとはいえ、塩が決して安価ではないせいもあると思う。

「ディエンブとルモザーの薬草は細かく刻んで溶かした蝋に混ぜておくと臭い消しになるよ。でも、ギエリーとサルコレロは使っちゃダメ。臭さが倍増しちゃうからね。気を付けて」

わたしが蝋燭の獣臭さを少しでも軽減する方法を教えると、ルッツは少し目を丸くした後、クックと肩を揺らして笑いを漏らした。

「あぁ、マインの失敗談か」

「うぐぅ……。失敗は成功の母だから。たくさんの失敗の中から成功が生まれるんだよ」

「へぇ、なるほど。すげぇな、マイン様」

わたしの言葉にギルは目を輝かせて素直に頷いている。ウチの側仕えは可愛い。このまま素直に育ってほしいものだ。

「ところで、マイン様。エンセキって何だ？　難しいのか？」

「手間が増えて面倒だけれど、難しくはありません。塩水を入れて、しばらくの間弱火で煮込んでゴミを何度か漉《こ》して取るの。そのうち冷えてくると、上に油だけ下に塩水って感じで分かれて固まるでしょ？　真っ白に固まったら下の水は抜いて上澄みの油だけ使うの」

わたしが手順を簡単に説明すると、ギルはフンフンと頷いている。ルッツも頷きながら聞いていたが、ふと目を瞬かせた。

「なぁ、マイン。ここは石鹸の分は考えなくていいのか？」

「神の恵みで来るから、全部蝋燭に回しちゃって大丈夫だよ」

ウチでは春に石鹸作りをするので油の一部を取っておくが、神殿では石鹸が神の恵みとして支給される。灰色神官が服や身を清めることは大事なので、かなり余裕を持って与えられるのだ。孤児院としては石鹸より食料が欲しいが、青色神官にとっての優先順位は違うらしい。

「あぁ、ギル。今漉している布の中には多分油についていたお肉の小さい塊がたくさんあるから、今夜のスープに入れるとおいしくなるわ。灰色神官に教えてあげてちょうだい」

ギルが大きく頷いて、濾過していた神官のところへと走って行く。漉した布を一度開いて中を覗き込んだ神官が「肉か！」と嬉しそうに声を上げているのがわかった。

「まぁ、肉は大事だよな」

ルッツの言葉に顔を見合わせて小さく笑いを零した後、わたしはぐるりと工房の中を見回す。膠と蝋燭以外の作業では、紙の水分を絞るための圧搾機で木の実の油を絞っている灰色神官や見習いがいた。ランプの油はもちろん料理にも使えるのでたくさん欲しい。孤児院では基本的にスープしか作らないから、料理に使うことはないけれど。

工房では普段の主役が隅に寄せられていた。作る途中で水分を絞っている紙や乾燥中の白皮や黒皮が端の方に見える。わたしは、完成して積み上げられている紙に視線を留めた。

「ねぇ、ルッツ。今、工房の紙ってどれくらいできてる？」

ルッツはわたしと同じところを見て、目を細めた。

「この間、絵本を刷ったところだし、今は三百枚もなかったと思う。水を切っている分を乾かしてみないと正確な数字はわかんねぇよ。いるのか？」

「うん、子供用聖典の第二弾を印刷したいんだけど、版紙がダメにならないように一気に量を刷りたいの。だから、絵本用の紙が大量に欲しい。……今から作るとしてどのくらいできる？」

版紙を無駄にしないためには紙とインクが大量に必要だ。インクはベンノに亜麻仁油の追加を注文しているし、煤もまだ大量に残っているので問題ない。必要なのは紙だ。

「フォリンはあんまり薪に向く木じゃねぇけど、そろそろ皮が硬くなってくる季節だからな。材木屋には確認してみるよ。今ここにある白皮と黒皮を全部使っても七百五十ってところだな」

「そう、じゃあ、できるだけたくさんお願いね」

「任せとけ」

ルッツが請け負ってくれたので、紙の件はルッツに任せることにしよう。

「マイン、まだ皮がふやけるまでに時間があるならチーズ作りの方を見に行くか？」

ルッツの言葉にわたしは頷いて、フランを引きつれたまま一緒に女子棟の地階へと移動する。

「チーズは女子棟で作ってるの？」

「あぁ、鍋がさ。……さすがに紙を作る鍋とチーズを作る鍋は別の方が良いんだろ？」

灰と木の皮を煮込む鍋で保存食を作るのは止めてほしいとわたしは考えてしまうけれど、この辺りでは洗っていれば問題ないと言う人が多い。ちょっとくらい灰が交じっていたところで食べられるらしい。食べられるけれど嫌だ、とわたしは思う。それに、孤児院の子供達は貴族の余り物を食べるのが普通なので、分けられるだけ鍋の数があるなら分けた方が無難だ。


「できたよ！」

「次はこれを干してちょうだい」

女子棟へ行くと、子供達が森で採ってきた果物や茸を干していて、灰色巫女や見習い達がチーズ作りとスープ作り、森で拾ってきた果物と蜂蜜を煮詰めて作るジャム作りに精を出していた。甘い匂いが漂っていて男子棟の獣臭さとは全く違う。

「これだけ作ってもお昼にはなくなっちゃうわね」

「収穫祭が早く終わればいいのに。一日に何度もたくさんのスープを作るのは大変だもの」

青色神官から下げ渡される神の恵みが少ない収穫祭の間は料理係が大忙しのようで、普段の倍近くの量のスープを作らなければならないようだ。唇を尖らせながら野菜を切ったり、苦笑しながら鍋をかき混ぜたりしている少女達の姿に頬が緩む。

「まぁ、マイン様⁉」

わたしの姿を見つけた子供達が慌てて手を止めて、胸の前で両手を交差させて腰をかがめた。わたしが「作業を続けてちょうだい」と声をかけると、先程とは違う、緊張しきったぎくしゃくとした動きで作業を再開する。

……あああぁぁ、めっちゃ怖がられてる。

ルッツとの打ち合わせや新しい作業を見るために時々出入りしているので、工房で働いている神官達はまだ緊張が解れてきている。けれど、女子棟のスープ作りには顔を出すことがないので、皆がガチガチに緊張しているのがわかる。

「ルッツからチーズ作りをしていると聞いて見に来ただけです。順調ですか？」

「牛乳はまだやっと温まってきたばかりです」

くるくると少し大きめの木べらでゆっくりと鍋をかき混ぜながらぎこちなく少女が笑う。ルッツは鍋の中を覗き込んで軽く頷いた。

「温めるのはゆっくりでいいから、鍋の縁にブツブツの小さい泡が付き始めたら呼んでくれよ」

鍋と火の様子を見れば大体の時間は計算できるのか、ルッツは「これなら大丈夫そうだな」と呟いた後、果物を干している子供達に声をかける。

「おーい、チビ達。店に荷物を取りに行くから工房の方へ来てくれ。次々と荷物が来てるから余裕があるうちに取りに行くぞ」

子供達は歯切れの良い返事をして果物を干す手を止めると、籠を片付け始めた。

「マインは部屋に戻ってろ。お前がいると周りが緊張するから」

「うん、わかった。後はよろしくね」

わたしは作業が順調に進んでいることに満足しながら部屋に戻る。この分なら青色神官が戻ってくるまでに作業は終わりそうだ。臭いが出る作業さえ終われば、後はゆっくりでもいい。


ウチの部屋の厨房では普段の食事作りと並行して、昨日薄切りにして燻されなかった分の大量の豚肉を塩漬けやコンフィにする作業も行われているようで、料理人はとても忙しそうだ。バタバタとしている厨房を横目で見ながら二階に上がると、デリアは子供用聖典を見ながら字の練習に励み、ロジーナはフランが残していった課題と向き合っていた。

「版紙の続きでも作ろうかしら？」

わたしも作業をしようかと考えていると、フランがニコリと笑って木札を差し出す。

「いいえ、マイン様。版紙より先に騎士団の要請がいつあっても対処できるように、お祈りの言葉を復習いたしましょう」

騎士団は当然貴族の集まりなので、要請があって出動した時には些細な失敗もするわけにはいかないらしい。フランが一番心配しているのは孤児院の冬支度よりも騎士団からの招集だ。

「……騎士団の要請はいつ来るのですか？」

「はっきりと決まっていませんが、冬に入る前に毎年一度か二度はございますので、もう少しすれば来るでしょう」

「そう……」

本来ならば、儀式に見習いが姿を現すことはない。誰だって未熟な見習いに大事な儀式を執り行われたくはないはずだ。だからこそ、神殿で行われる洗礼式や成人式、星結びの儀式などにわたしが青色巫女として参加することはなかった。そして、騎士団は男が多いので、悪い噂を避けるためにも青色巫女は近付けない。騎士団からの要請は成人した青色神官が向かう儀式だった。しかし、今は儀式を行える青色神官がいないため、青色巫女見習いという、本来なら神殿の中で一番役目から遠いはずのわたしがその役目を負うことになってしまったそうだ。

「でも、フラン、おかしいわ。神官長は魔力が多いのではないですか？」

わたしでなくとも適任者はいる。神官長は今神殿に残っている青色神官の中では飛び抜けて魔力も多かったはずだ。

「神官長は時と場合により、神殿業務より貴族の業務を優先させなければならないのです」

貴族の人数が不足しているのは神殿ばかりではなく、騎士団も同じ状態らしい。優秀な騎士なら ば神殿同様に中央に引き抜かれた者も多く、本来の魔力の量から考えると入団できないくらいの貴族が騎士団に入っているような現状だそうだ。そんな中、貴族院を卒業している立派な貴族である神官長は騎士団のフォロー役をこなさねばならない可能性があるため、わたしが巫女としてきっちり仕事することを求められているとフランはこっそりと教えてくれた。

……巫女らしい初任務が騎士団の要請って、もしかして責任重大ではないですか？

冷や汗をかく思いで祈りの言葉を唱えていると、フランがハッとしたように顔を上げた。

「……マイン様、儀式用の衣装はどうなりましたか？」

「仮縫いが終わって本縫いに入っているから、もうじきできると思うけれど？」

コリンナからは体調が良ければ四日、悪くても十日もかからずにできると言われている。わたしがフランにそう伝えると、フランは安堵したように胸を撫で下ろした。

「では、要請があればすぐに出られるように、なるべく早めに神殿にお持ちください」

そうして、わたしとフランがお祈りを復習しているとギルが箱を抱えて部屋に戻ってきた。ギルベルタ商会からの荷物が届いたらしい。

「フラン、手伝ってくれないか？　大きな荷物もあるんだ」

「わかりました。今行きます。デリア、ロジーナ、開封を頼みます。マイン様は動かず、ここで復習していてください」

ギルの声に立ち上がったフランに続いて、ロジーナとデリアも階下へと下りて行く。小ホールに置かれる荷物をデリアとロジーナが解き、フランとギルは工房へ荷物を取りに行った。

「まぁ！　敷物が届きましたわ！」

部屋の模様替えや飾り立てるのが好きなデリアの弾んだ声が階下から響いてくる。

「これでこの部屋も冬のお支度ができるのね。早速模様替えを……」

「デリア、もうじき昼食ですよ。模様替えはお昼からのお仕事にいたしましょう」

デリアの暴走を止めたロジーナの言葉により、昼食後は部屋の模様替えが決定してしまった。

「さぁ、マイン様はギルと一緒に工房にでもお出かけくださいませ」

　昼食後、わたしはデリアに笑顔で部屋から追い出されてしまった。神官長が収穫祭で不在のため、わたしはフランが一緒でも図書室には入れない。図書室に行けないわたしは部屋にいられなくなったら工房へ行くしかない。そして、フランは貴重な男手なので連れて行かれると困るとデリアに言われたため、工房へのお伴はギルである。

「皮がかなり膨れてきたから見てほしいって、昼前にルッツも言っていたんだ。マイン様、オレと一緒に工房に行こうぜ」

　孤児院での食事がまだ終わっていないのか、工房は人がいなくてガランとしている。止める人がいないので、わたしは遠慮なく鍋に近付いて中を覗き込んだ。

「もう良さそう。石灰を落とすためによく洗ったら、グツグツ煮込んでいってね」

「……あれ？　マイン、来ていたのか？」

　ベンノのところで昼食と報告を終えたルッツが工房にいるわたしを見て目を丸くする。基本的に働いてはいけないわたしが一日に何度も工房に足を運ぶことは珍しいのだ。

「ギルベルタ商会から敷物が届いたでしょ？　デリアがお部屋の模様替えをするって、張り切っちゃって……。邪魔だから追い出されたの」

「へぇ。じゃあ、ちょうど良かったかな？　儀式用の衣装ができたから、時間があったらコリンナ様のところへ行ってほしいって、旦那様からマインへの伝言を頼まれたんだ。部屋にいられないならコリンナ様のところへ行けばどうだ？　帰りはそっちへ迎えに行くから」

ルッツの提案にわたしはコクリと頷いた。寒くなってきている秋の日に、わたしが工房で突っ立っているのは危険だ。避難できるところがあるなら行った方が良い。

「そうする。コリンナさんのところにはロジーナを連れて行くから、ルッツが迎えに来る時にはフランを一緒に連れてきてね。ロジーナ一人では帰せないから」

「わかった」

「ルッツ、先に皮を洗っててくれ。オレ、マイン様を部屋まで送ってくる」

ギルと一緒に部屋へ戻ると、大きな家具を退け始めたデリアに「もー！」と怒られた。荒れた部屋を見せるわけにはいかないので、掃除が終わるまで主は戻ってきてはならないそうだ。

「儀式用の衣装ができたのですって。ギルベルタ商会へ行って、本日はそのまま帰宅します。着替えだけさせてちょうだい。それから、コリンナ様のところへ向かうお伴はロジーナに任せて良いかしら？」

「かしこまりました」

ロジーナは外出用の服に着替えに行き、デリアは「明日までには部屋を整えておきます」と楽しそうに言いながら手早くわたしを着替えさせた。

「フラン、悪いけれど、ルッツが店に戻る時には呼びに来ると思うから、一緒に店まで来てちょうだい。さすがに日が暮れてからロジーナを一人で帰せないもの」

「かしこまりました。いってらっしゃいませ、マイン様。お早いお帰りをお待ちしております」

フランに見送られて、日差しは暖かいけれど風が冷たくなってきた街の大通りを、買ったばかりの臙脂の服を着たロジーナと二人で歩く。ギルベルタ商会や家までの送り迎えをするフランや森まで出かけるギルと違ってロジーナが外を出歩く機会はあまりない。街の臭いに少し顔をしかめつつ、珍しそうに周りを見ているロジーナの様子が可愛らしい。

「ヴィルマもこうして外を歩けたら、絵に描けるものも増えると思うのだけれど……」

「そのうちヴィルマも出かける気になるかもしれません。最初は地階でスープを作る時に灰色神官が水運びを手伝うだけでも遠目に見てビクビクしていたヴィルマが、今では指示を出せるようになっているのですもの」

孤児院と子供達を任せられたヴィルマは以前に比べるとちょっとずつ強くなっているらしい。ロジーナからの報告にヴィルマの変化が少しずつ見えてきて嬉しくなった。

「こんにちは、マルクさん。ベンノさんに呼ばれたので早速やってきました」

「今、旦那様は商談中ですので直接コリンナ様に伺ってまいります。こちらでお待ちください」

マルクに勧められて椅子に座ると、ロジーナはわたしの後ろにそっと立つ。マルクに指示された見習いがお茶を運んでくれた。わたしはそのお茶を飲んで、ふぅと一息吐いた。

「マイン様、こちらからどうぞ」

ロジーナがいることと、今日のわたしがコリンナの客であることから、マルクが様付けでわたしを呼んだ。店を出て表の階段から三階へ上がる。

「コリンナ様、マイン様でございます」

「いらっしゃい、マインちゃん」

マルクがノックするとコリンナがおっとりとした笑顔で迎えてくれる。そして、ロジーナに視線を留めて軽く目を見張った。

「今日は側仕えがいらっしゃるのね？　マイン様と呼んだ方が良いかしら？」

「どっちでも良いですけど、ロジーナの心証を考えると、その方が良いかもしれません」

「ふふっ。では、マイン様。こちらへどうぞ」

案内されたいつもの応接室に入ると、普段はハンガーラックとして使っている家具を着物をかける衣桁《いこう》のように使って、正面に儀式用の衣装が大きく広げてかけられていた。

「わぁ！」

窓から入ってくる光が当たる位置に設置されているようで、同色の糸で刺繍された流水紋と季節を代表する花が浮かび上がって見える。光でわずかに糸が白く光って見える様子が本当に水のようで一瞬言葉を失った。

「……見事ですね」

ロジーナの感嘆が籠もった声に、わたしもハッとする。

「コリンナさん、本当に素敵です。ありがとう存じます」

「こちらこそありがとう存じます」

ふわりと笑ったコリンナが少しずつ大きくなっているお腹を押さえるようにして、そっと丁寧な仕草で衣装を外す。

「試着してみてくださいませ。申し訳ないのですけれど、このようなお腹ですので手伝っていただいてもよろしいですか？」

「えぇ、もちろんです」

ロジーナはコリンナから受け取った青の衣をわたしに着せていく。青色巫女見習いに仕えていたロジーナの手には一切の迷いがない。青一色に染められた衣装に同色の刺繍、縁取りは袖と裾が銀糸で、首元は金糸で刺繍がされている。そして、首周りの刺繍で、正面から見た時にちょうど真ん中に見える位置にはマイン工房の紋章が金糸で刺繍されている。

わたしは緊張して立っていた。まるで成人式の振り袖を着せられているような気分だ。お淑《しと》やかにしなければならない。汚してはならない。そんな強迫観念に駆られてしまう。

「帯はこちらです」

儀式用の衣装に合わせる帯は、見習いが白に銀の刺繍、成人すると白に金の刺繍と決まっているらしい。この刺繍も聖典の祈りの言葉を縫い込んだものだとコリンナが説明してくれた。

「あの、この衣装、布がずいぶん厚く感じられるのですが……？」

着付けをしていたロジーナが帯を整えながらコリンナを見上げた。コリンナはニコリとした笑顔を崩さずに、衣装に取り入れた上げの説明をする。

「こうして予め生地を折って縫い込むことで成長に合わせて、大きくできるのです。……元々マイン様にお願いされてこういう形にいたしました。珍しいですが、滅多に使わない儀式用の衣装ならば合理的でございましょう？」

「……マイン様にはいつも驚かされますね」

コリンナの独創ではなく、わたしの提案だと説明されたところでロジーナは納得の息を吐いた。そして、着付けを終えたロジーナが立ち上がり、衣装を着たわたしを様々な角度から見て、コクリと一つ頷いた。

「とても良い衣装です、マイン様。動きに合わせて水と花の刺繍が浮かび上がり、周囲の方の視線を引き付けるでしょう」

クリスティーネ様に仕えていたロジーナからの太鼓判をもらったことで、儀式用衣装に新しいやり方を取り入れたコリンナが安心したように肩の力を抜いた。


儀式用の衣装が調い、部屋が冬仕様に模様替えされた。保存食や蝋燭が作られて、薪と共に地下室へ運び込まれる。膠は涼しい風が通る場所に置かれ、工房では二回目の印刷を行うため、紙やインクが大量に作られた。そして、冬の手仕事に必要な道具の数が確認されて、足りないものは買い足されていく。こうして、孤児院の冬支度はほとんど終わった。

騎士団からの要請

収穫祭の時期が終わり、青色神官が神殿へと戻ってきたらしい。わたしは青色神官を直接見ていないのでわからないけれど、孤児院では神の恵みが増えることで顕著にわかるようだ。

神官長は派遣されたのが近くの村だったということで、青色神官達の中でも比較的早く戻ってきた。そのため、わたしのお手伝いも復活し、三の鐘の後は神官長の部屋に通っている。

「神官長、こちらの計算は終わりました」

今日も日課通り、わたしは神官長に任された計算に精を出していた。ちょうど区切りがついて顔を上げると、窓に向かって白い鳥が真っ直ぐに飛んでくるのが見えた。「危ない！　ぶつかる！」と思わずわたしが声を上げた瞬間、白い鳥はスッとガラスを通り抜け、そのまま部屋の中をくるりと一周する。神官長の机にパサパサと翼を動かして下り、行儀良く羽をたたんだ。

「わわっ！　何これ!?」

ぎょぎょっと目を見開いて驚いているわたしと違い、この鳥が何かわかっているのか、周囲にいる神官長の側仕え達は少しばかり身構えるようにして白い鳥を凝視している。

「マイン、静かにしなさい」

神官長がわたしを叱責しながら白い鳥に触れた瞬間、鳥の口から男性の声が響いてきた。

「フェルディナンド、騎士団からの要請があった。すぐに出立の準備を」

同じ言葉を三回繰り返すと、鳥の姿はふっと消え、その場には黄色の石がコロリと転がった。神官長は光るタクトのような棒をどこからか取り出して、何やらブツブツ言いながら机の上に転がっている黄色の石を軽く叩く。すると、石はぐにゃりと歪んで大きさを増して、また先程と同じ白い鳥の形をとった。

「了解した」

神官長が鳥に向かってそう言ってタクトを振ると、鳥はそれに合わせてバサリと翼を広げる。そして、部屋に入ってきた時と同じようにガラスを通り抜けて飛んで行った。

……わぉ！　ファンタジー！

目の前で神官長が起こした魔法っぽい不思議現象にわたしが興奮していると、神官長にじろりと睨まれた。気が付くと、今まで静かに仕事をしていた周りの側仕え達が何やらバタバタと片付けたり、次の準備をしたりしている。

「マイン、騎士団からの要請だ！　すぐに儀式用の衣装に着替え、貴族門へ急ぐように！」

神官長の剣幕《けんまく》につられて、「はい！」と元気良く返事したものの、わたしは貴族門を知らない。

「……あの、貴族門とはどちらにあるのでしょう？」

「私が存じ上げております」

フランはそう言いながら神官長に一礼してわたしを抱え上げると、足早に神官長の部屋を出た。そのままスタスタと大股で歩いて回廊を突っ切って行く。

「マイン様、儀式の祈りは覚えていらっしゃいますね？」

フランの肩にしがみつきながら、わたしはコクリと頷いた。

「デリア、ロジーナ！　すぐに儀式用の衣装の準備を！」

早足で部屋に戻ったフランはドアを開けるなり、初めて聞くような大きな声を出した。二階の二人に命じながらもフランの足は止まらない。階段を素早く上がって行く。二階に着いて、わたしを下ろすとフランはすぐさま背を向けて足早に階下に降りて行った。

儀式用の衣装を手に駆け寄ってきたデリアはテーブルの上に衣装を置くと、即座にわたしが今着ている青の衣装を剥ぎ取り始めた。

「わわっ⁉」

「もーっ！　じっとしていてくださいませ」

いつもと違う少し乱暴な動きにわたしが思わずよろけると、デリアが水色の瞳でわたしをキッと強く睨む。周囲の勢いに目を白黒させているうちに、今度は儀式用の衣装をバサリと被せられた。わたしが袖に腕を通しているうちに、ロジーナが帯を持ってきて巻き始める。デリアが黄色っぽいタスキのような細長い布を取ってきてロジーナに渡すと、ロジーナはそれを帯の上から更に巻いて飾るように結んでいく。

……すごい連係プレーだ。

ロジーナによって帯が整えられるのとほぼ同時に、デリアがするりと簪《かんざし》を引き抜いた。パサリと髪が落ちてくるより早く、ロジーナがわたしの脇に手を差し入れて椅子に座らせた。

「マイン様、相手は騎士団でございます。不愉快なことが起こっても、決して表情に出さないようにお気を付けくださいませ」

椅子に座らされ、ロジーナが髪を梳《す》いている間にデリアはクローゼットから洗礼式で使った豪華な簪を持ち出してくる。

「マイン様、こちらでお願いします」

差し出された簪を手にとって、わたしはいつも通りに髪をまとめた。

「マイン様の準備が整いました！」

デリアの声にフランが階段を駆け上がってくる。そして、ウェストポーチのようなバッグを身につけたフランが神官長の部屋で事務をするために使っていた道具をテーブルに置いた。

「ロジーナ、こちらの片付けを頼みます。マイン様、急ぎますので失礼いたします」

そう言うと、フランは再びわたしを抱き上げて大股で歩き、部屋を出た。

「フラン、貴族門とはどこにあるのですか？」

「神殿の貴族区域の中でも一番奥にございます。貴族門は貴族街と繋がっている門で、青色神官が自宅に帰ったり、儀式のために貴族街へ向かったりする時に使う門でございます」

青色神官と顔を合わせるのを避けるために貴族区域をあまりうろうろしないように気を付けていた上に、平民で貴族街に全く用がないわたしには使う必要がない門だったようだ。

「お待たせいたしました」

貴族区域の奥の扉を出たところに、白銀の鎧に身を固めた神官長と、水の女神フリュートレーネの神具である杖を持ったアルノーがいた。神官長は板金鎧と言われるような全身を覆う甲冑を身につけていて、その左手には兜を抱えていた。兜は派手な飾りがついていないけれど、T字型の鼻あてがあり、目元と口元だけが見えるコリント式のような形だ。そして、白銀に輝く鎧に映える青のマントが鮮やかな彩りを添えている。

正面にはまるで街と外を隔てるような高い塀と人の力では到底開きそうもないような大きな両開きの扉が見えた。どちらも神殿と同じ白い石造りで、日差しを反射して眩しいほどだ。

「それが儀式用の衣装か？」

フランがわたしを下ろすと、神官長はわたしの頭から足まで視線を走らせた後、人差し指を回して、回れと指示を出す。儀式用の衣装がよく見えるようにわたしは手を広げてくるりと回った。

「少々見慣れぬ柄だが、予想以上の出来だ」

フッと表情を緩めた神官長が儀式用の衣装を褒めて、「アルノー」と声をかける。アルノーはわたしに向かって何かを差し出してきた。

「マイン、君は夏の生まれだったな？　これを貸してやろう。中指にはめておけ」

アルノーから渡されたのは大きな青い石のついた指輪だった。明らかに大きさが合わない指輪を受け取って、わたしは礼を述べる。ぶかぶかだよ？　と思いながら、言われた通りに左手の中指にはめた。次の瞬間、石が青く光ったかと思うと、勝手にサイズがしゅるんと縮んでわたしの指にぴったりと合う大きさになった。

「わわっ⁉」

「このくらいでいちいち驚くな」

「そ、そんなことを言われても……」

驚かずにいられるわけがない。わたしにとっては「このくらい」ではないのだ。

神官長がこの指輪を貸してくれるということは、これが必要な場所へ行くということだ。わたしの常識が全く通用しないファンタジーな場所へ。

「そこで待ちなさい」

神官長がわたし達にそう声をかけた後、ガシャガシャと音を立てて歩き、巨大な門に手をかざした。神官長の部屋にある隠し部屋を開ける時と同じように大きな魔法陣が浮かび上がって光る。その後、ゆっくりとではあるが門が勝手に開いていく。麗乃時代には自動扉なんて見慣れていたはずなのに、ここで見たのが初めてのせいか心臓が飛び出るほど驚いた。

「うぇっ⁉」

「平民丸出しだ。せめて黙っていなさい」

平民以外の何者でもないわたしに神官長はなかなか無茶なことを言ってくれる。しかし、現に神官長の側仕えとして貴族街に同行しているアルノーやフランは見慣れているようで、顔色一つ変えずに平然としている。これが貴族の普通で、側仕えも主と一緒に経験している程度にありふれていることならば、わたしがいちいち驚いていると騎士団から奇異な目で見られることは間違いないだろう。わたしはぐっと口元に力を入れた。

「行くぞ」

開いた門へ歩き出した神官長の後ろにアルノーと再びわたしを抱き上げたフランが続いた。

門をくぐった先が貴族街だ。門一つであからさまに下町とは全く違う別世界が広がっていることにわたしは目を見張った。門の前は大きな噴水がある石畳の広場になっていて、その石畳は白く輝き、同じ石で大通りが作られている。狭苦しく高い建物が密集している下町とは違って、見渡す限り白い石畳と緑の豊かな公園がずっと続き、わたしが知っている臭くて汚い街並みはどこにも見当たらず、汚物一つ落ちていない。恐ろしく清潔で美しい場所だった。何かで隔てられているのか、空気まで違う。

白い石畳の広場には神官長と同じような白銀の鎧に身を固めた二十名ほどの騎士がいる。神官長と違うのは明るい黄土色の揃いのマントだ。彼等が間違いなく騎士団だろう。開門に気付いたらしい男達が集まってきて、四列に整列した。

「マイン様、貴族らしくお願いいたします」

わたしを抱き上げたままのフランが、わたしにしか聞こえないくらいの小さな声で注意する。わたしはコクリと頷きながら、ロジーナ直伝の優雅な笑顔を浮かべてみた。

一番前にいる騎士だけが兜を小脇に抱えている。赤茶の髪の大柄なおじさんだ。動作は洗練されていて美しいが、雰囲気は武人という感じで猛々しさを感じる。彼が神官長に向かって跪くと、整列している騎士団がガシャと鎧の音を響かせて一斉に跪いた。

「フェルディナンド様、お変わりないようで何よりでございます」

「あぁ、カルステッド。其方《そなた》も」

神官長と話をしているカルステッドと呼ばれた人が、おそらく団長とか、部隊長とか、今ここにいる騎士団を率いる立場の人に違いない。

「ずいぶんと少ないな」

「まだ収穫祭から戻っていない者が多いですから」

諦めたように「そうか」と言った神官長が軽く手を上げると、フランがわたしを下ろして、前に出るようにそっと背中を押した。

「カルステッド、今回の儀式を執り行う巫女見習いのマインだ。くれぐれもよろしく頼む」

「カルステッド様、マインと申します。よろしくお願いいたします」

わたしは貴族であるカルステッドの前で跪いて挨拶する。跪いたままのカルステッドと目が合うと、検分するように薄い青の瞳が細められた。

「こちらこそよろしく」

「では、出立する」

神官長の言葉と同時に騎士が全員ザッと立ち上がって、鎧の右の手甲についている石に触れる。するど、その石が光って動物の彫刻がぶわっと広場を埋め尽くした。どの鎧の手甲からも石がなくなって丸く穴が開いていることから考えても、この色とりどりの動物は手甲の石で作られた動物のようだ。

「カルステッド、側仕えを誰かに相乗りさせてくれ。マインはこちらだ」

指示を出しながら兜を被った神官長に抱えられて、わたしは羽が付いた白いライオンのような動物の上に乗せられた。安定重視でわたしはライオンもどきに跨《またが》る。神官長が全身の鎧をつけているとは思えないくらいに軽い動きでわたしの後ろに飛び乗って手綱を握った。その途端、彫刻だと思っていたライオンもどきは普通の動物のように動き出した。

「ひぁっ⁉」

予想していなかった動きに身体が揺れて、ゴンと神官長の胸元で思い切り後頭部を打つ。

「い、いったぁ……」

「口を閉じておきなさい。舌を噛むぞ」

ぐっと奥歯を噛み締めたわたしは、やや前のめりになるように身体を倒し、目の前に揺れる手綱をぎゅっと握った。タタタッと数歩軽く駆けた羽付きのライオンはバサリと羽を震わせると上空へと駆けて行く。途中でクモの巣を突き破ったように何かが引っ掛かるような感じがしたけれど、それはほんの一瞬のことだった。そのまま空を駆けて、下町を飛び越えて行く。

「うわぁ、高い……」

「怖かったのではないのか？」

「自分が知らない不思議現象に驚いただけです。ほとんど揺れない分、馬車より怖くないです」

空を駆けて行く不思議ライオンは速度が遅いジェットコースターのようなものだった。馬車より揺れない分、不安定感はない。安全ベルトなしというところには非常にスリルを感じるけれど、後

ろから手綱を握る神官長の腕が両脇にあるおかげで、それほど怖くなかった。

周囲には同じような空飛ぶ彫刻の動物達が並び始める。天馬が人気のようで一番多く、色々な色の天馬が空を駆けていた。狼っぽいものや虎っぽい動物もいる。個人的に一番可愛いと思ったのは羽の生えた兎だ。

「神官長、この動物は何ですか？」

「魔石を変化させた騎獣だ。魔力の供給が切れぬ限り、自在に動いてくれる。何に変化させるかは術者の好みによる」

下町の街並みを駆け抜けて、門を越える。街道が続き、街道の先にうっすらと他の町の外壁が見えた。街の周囲には収穫が終わった農地と緑豊かな森がそこかしこに広がっている。

「神官長、どこへ行くのですか？」

「あそこだ」

普段わたし達が採集している森のずっと奥の方を神官長が指差した。大きなクレーターのようにそこだけぽっかりと森に穴が開いている。目を凝らしてみると、その部分だけが土を露出させていて、木々も草も何もなく、そのど真ん中で大木が長い枝を振り回して大暴れしている。そして、大木が大暴れすればするほど、クレーターが少しずつ拡大しているように見えた。

「な、何ですか、あれ？」

「トロンベという魔木だ」

「えぇ!?　あれがトロンベ!?」

クレーターの真ん中で枝を振り回しているトロンベは、わたしが知っているにょきにょっ木とあまりに違いすぎて、見ても全くわからなかった。そういえば、ルッツも他の下町の子供達もトロンベは顔色を変えて刈っていたし、少し成長すると門を守る兵士達が半分以上出動して刈っていた。大きくなりすぎて兵士では対応できないトロンベは、騎士団が刈りに行くと聞いたことはあるけれど、まさかこんな状態になる物だとは予想外だった。

……これは危険だ。

紙を作り始めた当初、トロンベを栽培したいと言った時に、ルッツがものすごい剣幕で怒った理由をわたしは今頃になってやっと理解した。

「騎士団が刈り終わってからが、君の出番だ。それまでは危険なので、森に隠れているように」

騎士団が巨大トロンベをやっつけた後、根こそぎ魔力が奪われた土地に再度魔力を満たすのが神官の仕事だそうだ。騎士団の人数が少ない今回、神官長はトロンベをやっつける方に参加し、その後、わたしの補助もするらしい。

……神官長、マジ万能。

神官長が手綱を操り、トロンベのクレーターから少し離れたところにある、開けた場所に向かって下りて行くと、騎士団もそれに合わせて降下してくる。

「マインとフランとアルノーはここで待機だ。カルステッド、護衛を二人ほど選んでくれ」

するりとライオンから降りた神官長が後ろを振り返って、カルステッドに声をかけた。軽く頷いたカルステッドが護衛役を指名する。

「ダームエル、シキコーザ。お前達が護衛だ」

「はっ！」

護衛役として、ダームエルとシキコーザと呼ばれた二人は天馬のような動物から降り立つと、動物を消した。キラキラとした光の軌道が手甲の穴へと飛び込んで元の石に戻る。

「お手数をおかけいたしました」

フランとアルノーは相乗りさせてもらった騎士に礼を言って、するりと動物から飛び降りる。わたしも二人を見習って華麗に飛び降りようとしたが、それより先に神官長に睨まれて視線だけで「止めろ」と怒られた。

……忘れてた。優雅、優雅。

わたしは自分の立場を思い出して、完全に彫刻と化して微動だにしなくなったライオンの背中で方向だけ変えて足を揃えて待つ。「まったく、君は」と低く呟く神官長に抱き上げられてライオンから下ろされた。

「巫女見習いに傷一つ付けぬよう、しっかり守るように」

神官長の言葉に、護衛を任じられた騎士達が「はっ！」と頷いた。

このやり取りの間にもトロンべのクレーターは少しずつ大きくなっている。突然多くの鳥達が飛び立つ音がしたかと思うと、ズシンと何かが倒れたような大きな音がして地面が揺れた。

「きゃっ⁉」

木々の間から大木が一本倒れたのが見えた。トロンべのクレーターに向かって倒れたその木に、まるで意思を持っているように土から飛び出してきた根が絡みつく。見る見るうちに大木の葉が枯れて散り、太かった幹が生気を失ったように干からびていった。生気を吸い取った根は、用が済んだとばかりにまた土の中へと戻って行く。

想像もしていなかったトロンベの化物っぷりに背筋を冷たい汗が伝って行く。わたしは、木々の先で暴れるトロンベとの戦いに赴く騎士団を交互に見て、その場に跪いた。

「神官長、騎士団の皆様……。ご武運をお祈り申し上げます。ライデンシャフトの眷属《けんぞく》である武勇の神アングリーフの御加護がありますように」

わたしがそう言った瞬間、神官長から借りていた指輪が青く光って騎士団に光が降り注いでいく。指輪の石が魔力を吸い上げていることに気付いて、わたしは慌てて魔力を抑えた。魔力を引っ込めるようにすると、指輪の光が消える。

「巫女見習いの祝福だ。行くぞ！」

カルステッドの言葉で、わたしは自分がしたことを理解する。ちらりと神官長を見上げると、何とも言えない複雑な顔でわたしを見下ろしていた。

「マイン、くれぐれも、くれぐれも出番までおとなしくしているように」

神官長は「くれぐれも」を強調して言い残すと、ライオンもどきに跨って上空へと駆けて行く。神官長に続くように騎士達も手綱を操り、空へ向かっていった。

トロンベの討伐

「意味がない祝福だったな。何てバカなことをするんだ」

小さくなっていく騎士団を見上げていると、背後からバカにするようにフンと鼻で笑う声が聞こえてきた。

「シキコーザ、何を言っているのですか⁉」

二人とも兜を付けたままなので目元と口元しか見えなくて違いがよくわからないけれど、仁王立ちしているのがシキコーザで、押さえようとしているのがダームエルだろう。声の感じから考えると二人ともまだ若そうだ。成人したばかりか、もしかしたら、していないかもしれない。

「だが、そうだろう？　ただでさえ魔力が少なくて足りない状況で、騎士団への祝福に力を使うなんてバカじゃないか。愚か者以外何者でもない」

ダームエルの手を払いのけるようにして、シキコーザがわたしを指差した。

「確かに祝福がなくても騎士団はトロンベなんかに負けはしませんが、武勇の神アングリーフの祝福があると無いでは大違いではないですか。今回は人数も少ないし」

二人の意見をわたしは冷や汗をかく思いで聞いていた。あれはただ巨大トロンベと戦う神官長達の武運を祈りたくて、貴族の前で口にしてもおかしくないような言葉を選んで発したら勝手に祝福になってしまっただけだ。指輪からいきなり光が溢れて驚いたのはわたしの方である。神官長から指輪を借りていなかったら、祝福にはならなかったはずの偶然の産物だ。

……多分、神官長も驚いていたと思うけどね。

それに、魔力が勿体ないと言うけれど、指輪の石に魔力を吸われているのに気付いて急いで止めたからほんのちょっと放出してしまっただけだ。この後の儀式には何の問題もないと思う。

「ご不快な思いをさせてしまったのでしたら申し訳ございません。以後、気を付けます」

反論は心の中に留めて、面倒くさいことにならないようにわたしはすぐさま詫びを入れた。返ってきたのはフンという鼻息一つだったけれど、これで話が終わるならそれでいい。

「シキコーザの言うことは気にしなくていい。人数が少ない分、魔力の上乗せをしてくれる祝福はありがたいんだ。……ほら、ご覧。始まるよ」

わたしに気を使うようにそう言いながらダームエルが空を指差した。ダームエルの指先には木々の間から空を旋回する騎士団の姿がちらちらと見える。トロンベのような化物を一体どのようにして倒すのか、わたしは少し背伸びするようにして騎士団に目を凝らした。

「――――!」

空の上で何か号令のような声が響いた。わたしには、何か叫んでいるな、としかわからなかったけれど、その号令と同時に全員が闇のように黒く光る武器を手にする。

「あれは何でしょう？　フラン、わかりますか？」

「いいえ、これほど近くで見るのは私も初めてなので存じません」

本来は神具を持って儀式をメインで行う神官と魔力的な意味で補佐できる神官の二人が騎士に相乗りして現場に赴くため、騎士団の要請に側仕えが同行することはないそうだ。しかし、今回は神官長が騎士団と共に戦うこと、わたしが自分の身長の二倍ほどある神具を移動中や待機中に持っていられないこと、フランはわたしが体調を崩さないように見張っている役目を負っていることを考慮したため、側仕え二人が同行することになったらしい。

「巫女見習い、あれは闇の神の御加護を賜《たまわ》った武器だ。魔力を込めて攻撃すれば、その倍ほどの魔力を奪うことができる。トロンベ討伐には必須なのだ」

まさか貴族がわざわざ解説してくれるとは思っていなかったので少し驚いて全身金属で覆われたダームエルを見上げた。兜の隙間から口元しか見えないけれど、平民であるわたしを忌避している様子は見られない。

「騎士の戦いをその目で見られる者は少ない。よく見ておくと良い」

「ありがとう存じます」

「最初は矢で勢いを削いでいくんだ。ほら、あの青いマントはフェルディナンド様だ」

ダームエルの指差す先にはライオンに跨ったまま弓を引き絞る騎士の姿があった。騎乗したまま弓を引く姿は流鏑馬《やぶさめ》に似ているように見える。上空の風を受けてぶわりと翻るマントの色は黄土色の中に一つだけある、青だった。

……神官長だ！　すごい！　頑張れ！

声に出すわけにはいかず、わたしは心の中で一生懸命に応援する。遠すぎて弦が見えないけれど、腕の動きと黒い矢が飛び出したことで、神官長が矢を放ったのがわかった。ヒュンと弓を離れた矢は空中で黒くて細い矢に分裂しながら、巨大トロンベに雨のように降り注いでいく。矢が当たったところが小さく光り、ボン！　ボン！　と小規模な爆発が起こった。しかし、この程度の攻撃では何ともないのか、巨大トロンベは変わらずに枝を振り回して大暴れしている。

「射た矢をあれほど分裂させるには、かなりの魔力が必要だ。それを何度も射ることができるフェルディナンド様はすごいだろう？」

ダームエルは神官長をとても尊敬しているようで、得意そうに神官長のどこがどのようにすごいのか語ってくれる。

「早く騎士団に戻られればいいのに……」

神官長を称賛する間にポロリと零れた言葉を耳にして、わたしは何度か目を瞬いた。見上げるわたしに気付いたのか、ダームエルは気まずい沈黙の後、ぼそりと呟く。

「……これは口外法度《こうがいはっと》だ」

「かしこまりました。口外法度で」

元々神殿育ちではないと聞いていたが、なんと神官長は騎士団にいたらしい。道理でカルステッドと知己のような会話をしていて、お揃いのような鎧を持っているわけだ。細身で神経質で事務仕事に適した顔と体型をしているから、まさか騎士団にいたなんて想像もしていなかったが、今の戦う姿を見るとあまり違和感はない。

……文官武官の両方がこなせる芸達者な貴族だなんて、神官長、マジ万能。

少しくらい能力を分けてほしい。そう思いながらわたしは神官長を見上げた。青いマントをはためかせながら、神官長は次々とトロンベに向けて矢を降らせている。

「効果が出てきたな。トロンベが黒くなっていくのが見えるかい?」

ダームエルの言う通り、神官長が次々と放つ矢の当たったところに小さな黒い点が付いていくのが見えた。染みのように見える小さな黒い点は矢が当たるごとに増えていく。

「見えます。……あ、枝が」

まるでその黒い部分から腐っていくようにブルンブルンと勢い良く振り回されていたトロンベの枝がボキリと折れてドスンと落ちた。落ちた枝はキラキラと光って消えていく。

巨大トロンベはまだ元気な枝を精一杯に伸ばして、空中を駆け回る騎士達を何とか叩き落とそうとしているが、自在に逃げる騎士達には当たらない。逆に騎士達が持っている斧と槍と鉾《ほこ》が組み合わさったような黒いハルバードで枝を撃たれ、払われ、突かれ、そこからどんどんと黒くなってボトリ、ドサリと落ちていく。

どれくらいの枝が落ちたのか、気が付いた時にはトロンベのクレーターの成長が止まっていた。振り回される枝が減ってくると、騎士達は枝の攻撃をくぐりぬけ、今度は直接トロンベの幹に攻撃を加えるようになった。ずいぶんと大きな幹だが、いたるところに黒い斑点が増えていく。攻撃を受けるたびにトロンベの元気がなくなっていくのがよくわかった。

「もうじき終わるな」

ダームエルが少し気を緩めるようにそう呟いた。巨大トロンベの危険さに一時はどうなることかと思ったけれど、予想外に早く片が付いてくれそうで、わたしはそっと胸を撫で下ろす。

「あのような化物と戦うなんて一体どうなることかと思いましたけれど、こちらにはほとんど被害がないようで安心いたしました」

「毎年のことだからいくら人数が少ないとはいえ、負けるようなことはない。今回は特にフェルディナンド様がいらっしゃったから枝を払うのが楽だったようだ」

連続して大量の矢を降らせることができる神官長がいるといないでは、効率が全く違うらしい。トロンベの攻撃が当たらない遠隔からの攻撃が少ないと、なかなか弱らせることができないため、枝にぶっ飛ばされる騎士が毎回数人はいるそうだ。

兜を被ったままなのでいまいち表情はわかりにくいけれどダームエルの声は優しい。わたしがニコリと笑って見上げていると、背後から忌々しそうな舌打ちが聞こえた。

「ダームエル、何を平民と馴れ合っている？　お前は知らないのか？　それは平民だ。平民の分際で貴族にのみ許される青の衣をまとう思い上がった愚か者だ。いくら貴族が減ったからとはいえ、平民風情に青の衣を与えるなんてフェルディナンド様も一体何を考えているのか」

「シキコーザ、一体何を……適当なことを言わないでください」

動揺したようなダームエルの声から彼はわたしが平民であることを知らなかったことがわかる。優しく解説してくれたのも、貴族出身の青色巫女見習いだと思っていたからなのだろう。悪意を撒き散らすシキコーザからも、平民だと知って動揺しているダームエルからも、そっと距離を取る。

わたしが平民だと知った貴族がどのような態度を取るのかわからない。神殿長の時のようになったら厄介だ。

「本当のことだ。星結びの儀式の折、我が家にいらっしゃった神殿長が嘆いておられた。神殿の秩序がたった一人の平民のために狂っていくと、な」

……犯人はお前か、神殿長！

神殿では全く顔を合わせないし、特に何もされていないので記憶の隅に追いやられていたが、神殿長は貴族達に愚痴を垂れて回っていたらしい。

……まずい。これってすごく危険じゃない？

わたしが平民である以上、いくら反論したいと思ったところで反論が許されるはずがないし、神殿長は自分に都合が良いように話を膨らませたり、多少歪曲《わいきょく》させたりしているに違いない。貴族ばかりで構成された騎士団と行動しなければならない時に、こういう悪意を帯びた噂話というのは非常に厄介な敵になる。

「何か言えよ、平民」

何か言えと言われても、何を言えばいいのかわからない。貴族相手に下手なことを言えば、その場で何をされるかわからないのだから。ただ口を噤んでいるだけでもシキコーザの勘気に触れているようで、ニィッと嗜虐《しぎゃく》的に歪む口元が見えた。

「何だ、フェルディナンド様がいなければ、その生意気な口も動かせないのか？」

「止めてください、シキコーザ！　彼女は護衛対象です！」

役目を終えるまで身分は関係ない、とダームエルがシキコーザからわたしを守るように背に庇《かば》ってくれる。しかし、それはシキコーザの怒りに油を注いだ結果になったようだ。

「黙れ、ダームエル！　身分を弁えろ！　私に命令するな！」

ぐっと歯を食いしばったダームエルが一歩横にずれた。開けた視界の中、シキコーザが一歩ずつ近寄ってくる。でっかい金属鎧に包まれた男が自分に悪意を持ってガシャガシャ音を立てながら近寄ってくるのは恐怖以外の何ものでもない。

……怖い。

足が震えて歯が小さく鳴る。その場から逃げ出したいのに足が竦んで動けない。わたしの怯えを見てとったのか、クックッと笑いながら、シキコーザは金属で固められている手を拳のように握って振り上げた。

「マイン様！」

「退け！　邪魔だ！」

わたしを庇うように間に入ったフランがシキコーザにドンと突き飛ばされた。

「フラン！」

わたしが思わずフランに駆け寄ろうとすると、シキコーザはそれを阻止するようにガシッとわたしの髪をつかんだ。側頭部が引きつって、ブチブチと何本かの髪が抜ける音がする。

「いっ！」

「マイン様！」

「フラン、動いてはなりません！　貴方が動いたことで主が叱責を受けているのです。これ以上、事を荒立ててはなりません」

素早い動きで身体を起こし、助け寄ろうとしたフランにアルノーが厳しい声をかける。フランが悔しそうに唇を噛むのを見たシキコーザが愉しくて仕方がないような笑みを浮かべ、わたしの髪をつかんだまま、再び乱暴に引っ張った。

「教えてやろう、平民。こういう時はお前が側仕えの非礼を詫びるんだ」

フランが唇を噛んで我慢している時にわたしが暴走するわけにはいかない。貴族相手に反論するな、と言われているわたしはひとまず謝罪する。

「……わたくしの側仕えが大変失礼いたしました」

しかし、謝罪もまたシキコーザの気に障ったらしい。わたしはドンと突き飛ばされて尻餅をついた。お尻は痛いし、頭もズキズキ痛んでいるが、解放されただけでもマシだ。

「何だ、その生意気な目は!?　抉り取ってやろうか!?」

シキコーザはそう怒鳴りながら、左の手甲の石に手を当てて淡く光るタクトを取り出した。タクトをくるくる回しながら、シキコーザが「メッサー」と呟くと、細長い棒のようだったタクトが小ぶりなナイフへと形を変える。鋭く尖った刃の先がギラリと光った。

自分に向かって突きつけられている刃物にゴクリと喉が鳴る。背中を冷たい汗が流れ、心臓が不自然なほど速く鼓動を打っているのがわかる。恐怖に腰が抜けて、立ち上がることもできないまま、わたしは刃のきらめきを見つめていた。

「シキコーザ、駄目です！　彼女は護衛対象で、儀式を行う巫女見習いではないですか！」

取り出された武器を見て慌てふためいたようにダームエルがシキコーザに手を伸ばしたが、シキコーザはダームエルの忠告と腕を振り払い、ナイフを振り上げた。

「うるさい！　目が見えなくても儀式には何の支障もないだろうが！」

自分に向かって振り下ろされようとするナイフを目にして、わたしは尻餅をついた状態のまま、頭を抱えるようにして亀のようにうずくまる。

「平民はそうやって、貴族を畏《おそ》れ敬《うやま》って、小さく丸まっているのが似合いだ！」

ギュッと閉じた視界の中、シキコーザの怒声の向こうでバサリと羽が空を叩く音がした。上を見上げると、ナイフを振りかざした鎧の向こうの上空に青いマントが見える。

「神官長！」

シキコーザを何とかしてくれそうな保護者の姿を見つけて、わたしはすぐさま助けを求めて立ち上がった。わたしが立ち上がるのと、「神官長」という言葉にシキコーザが慌ててナイフを持った手を引いたのが同時だったようで、頭を抱えていたわたしの左手の甲に熱い痛みが走った。

「いたっ！」

「いきなり立ち上がるな、この愚か者！」

頭から手を下ろして見れば、かなり勢い良く切ったようで、傷が深いことが一目でわかった。血が止まるまでに時間がかかりそうだ。貴族に文句を言っても黙殺されることはわかりきっているので、せめて儀式用の衣装が汚れないように急いで袖を捲《まく》る。左腕を真っ直ぐに伸ばして、右手で左の袖を汚さないように押さえた。

「マイン様、今布を……」

すぐさまフランが腰につけていたウェストポーチのようなカバンへと手を突っ込む。怪我をした時の準備もあるらしい。ウチの側仕えは本当に優秀だ。

「助かるわ、フラン」

真っ直ぐにパクリと開いた傷口から流れ出した血が手首の方へと垂れていき、ポタリと落ちる。赤い血が地面に染みを作った途端、ボゴボゴと音を立てて地面が蠢《うごめ》いた。

何の音だろうと、わたしが下を向く間にもポタポタと音を立てて血が滴り落ちて行く。そのたびに泡立つように地面が動いては、ポコ、ポコポコ、ポコポコポコと瞬きをする間にトロンベの芽がいくつも出てきた。

「わ⁉」

わたしの血が落ちた場所から芽吹いたトロンベは、わたしが知っているトロンベよりずっと速い成長速度で伸びて行き、足に巻きついてくる。

「ひっ！　やっ！」

慌てて足を振ってトロンベを振り払おうとするが、高速成長している朝顔の茎のようにトロンベが次から次へと足に巻きついてくる。一つの茎を取り除くより早く、何本もの茎が足首に絡まって動けなくなった。その間も手から滴る血によってトロンベはますます活性化しているようで、わたしを中心に次々と芽吹き続ける。

「こ、これは俺が悪いんじゃない！　お前がいきなり立ち上がったのが悪いんだからな！」

ハッとしたようにそう言い捨ててシキコーザは手にしていたナイフでトロンベを切りながら、わたしから距離を取っていく。

「マイン様！」

刃物を持っていないフランが素手でトロンベを引きちぎろうとするが、少し成長した枝は素手で引きちぎることができない。

トロンベが足首から膝、膝から太ももへとするする伸びてきた。緑の芽が伸びて、白っぽい茎となっている。伸びていくうちにだんだんと根元の色は茶色に色づいていき、木の色を見せ始めた。ほんの少しずつだけれど、巻きついてくる茎が太くなってきて、その縛《いまし》めがきつくなり、新しい芽がまたわたしを捕らえようと伸びてくる。

「巫女見習い！」

ダームエルは左の手甲から光るタクトを取り出し、ナイフの形に変形させた。その間にもトロンベの枝はぐんぐん伸びて十重二十重にわたしに巻きついてくる。

「闇の神の御加護を賜るまで少し待ってくれ。なるべく早く助けるから」

ダームエルが祈りの言葉を唱え始めた。それはわたしが儀式で捧げる祈りの言葉によく似ている。神を称え、御加護を願う祈りだ。つまり、暗記するために練習するのが必要なくらい長いということで、祈っている間にどれだけトロンベが成長するのか考えるだけで身が竦んだ。

……怖い！

歯がカチカチと鳴る。巨大トロンベのクレーターに倒れ込み、根に生気を吸われて朽ちていった大木の姿が脳裏を過った。

……怖い！　怖い！

トロンベにからめとられる恐怖に涙が浮かんでくる。手を振って、トロンベを追い払おうとしても、血が飛んだ場所から次から次へと芽吹き始める始末だ。

太股に巻きついていた茎が、あっという間に腰からお腹へと伸びてくる。動くこともできない恐怖に駆られて、わたしは大声で助けを求めた。

「ルッツ！　ルッツ！　ルッツ！　助けて！」

救済と叱責

わたしが少しでも血が落ちるのを防ごうと手を上げた状態で、声の限り助けを求めて叫ぶのと、指輪が光るのはほぼ同時だった。青い光が一筋空に向かって伸びていく。

その直後、バサリという羽音と共に黒い何かが頭上から降ってきた。ボン、ボボン！　と小さな衝撃が足元に響く。顔を動かすと足元に黒い矢が数本刺さっていた。同時に、わたしの周囲のトロンべが力を失ったようにおとなしくなる。

「神官長！」

見覚えのある矢にわたしは上を見上げた。羽を大きく広げたライオンもどきがこちらに向かって一直線に滑降《かっこう》してくるのが見える。あの矢があれば、もう大丈夫だろう。

しかし、神官長の姿に安堵していられたのはほんの数秒のことだった。トロンベがおとなしかったのは束の間のことで、わたしの手から零れる血によってすぐに活性化し始める。ピタリと止まっていたトロンベが再び動き始めて、お腹から胸へと伸びてきた。次々と生えてくる新しい芽が更に巻き付き、足の締め付けがきつくなってくる。

「神官長、急いで……」

滑るように下りてきた白いライオンもどきから全身金属の鎧で覆っているとは思えないような軽い動きで神官長が飛び降りる。その手に持っているのは、闇の神の祝福を受けた黒い矢だ。矢でザクザクとトロンベを突き刺しながら、神官長がこちらに向かってやってくる。

「マイン、これは一体どういう事態だ!?」

「巫女見習い、待たせた！」

やっと闇の神の御加護を得られたらしいダームエルが黒いナイフを振り回しながら、わたしを救出しようと奮闘を始めた。だが、ダームエルのナイフは神官長の黒い矢とは全く効果が違う。いくら切りつけてもトロンベは全くおとなしくならない。

「全く加護が効かない!?」

「効いていないわけではない！　すぐにトロンベが復活するのだ！　何故だ!?」

矢を刺した数秒間はおとなしくなるが、またすぐに力を得てトロンベは活動を始める。成長速度は落ちたものの、全く朽ちていかないトロンベに神官長は舌打ちしながら矢を刺し続ける。

「神官長、血が、わたしの血が……トロンベを」

「君の血だと⁉　最悪だ！」

トロンベが活性化する原因を伝えると、神官長は声を荒げた。それだけで、兜で顔が見えにくくてもカッと眦《まなじり》を決して眉を吊り上げているのがわかる。

「一体何のために君を現場から引き離し、わざわざ護衛を付けたと思っている⁉　何のための護衛だ⁉　無能が！」

神官長はそう吐き捨てるように言いながら護衛として残っていた騎士二人を罵《ののし》った。ダームエルは黒いナイフを持って奮闘しているが、シキコーザは今、闇の神の祝福を得ようと奮闘しているところだ。上司からの命令を無視して護衛対象に対して刃物を突きつけて怪我させて、今の状況を作り上げたわけだから、護衛として考えるなら間違いなく無能だろう。

そして、神官長が矢でトロンベを制しながら言っている文句でわかったことだが、わたしの魔力はかなり多いらしい。ダームエルはもちろん、騎士団の半数くらいは祝福を受けた武器で攻撃しても効果がないかもしれないと神官長が呟いた。

「いくら牽制しても傷口を塞がねば意味がないな。マイン、傷口はどこだ⁉」

「ここです」

わたしは目一杯に左手を伸ばす。傷口を見た神官長は軽く舌打ちして、「エントヴァフヌング」と呟いた。黒い弓が淡く光るタクトへと変化する。すぐさま神官長が「ロート」と呟きながら、タクトを振ると、赤い光が空に向かって伸びた。赤い光が何かの合図だったのか、他の騎士達が次々と飛んでくるのが見える。

「苦痛だろうが、絶対に泣かぬように。涙も血も魔力を含んでいるという意味では変わらぬ」

そう忠告した神官長が光るタクトでわたしの傷口をゆっくりとなぞっていく。タクトから出てくる、もやもやとした光が傷口に触れた途端、ぞわりと全身が震えた。

「ひゃっ！」

自分ではないものが無理やり自分の中に入ってこようとしているような違和感と苦痛で全身に鳥肌が立った。生理的な涙が込み上げてくる。涙を零さないように上を向いて、ふーっとゆっくり息を吐いた。傷口が熱くなり、まるで異物の侵入を防ごうとするように自分の中の魔力が一斉に傷口へと向かって移動するのがわかる。わたしの魔力と神官長が流し込もうとする魔力がぶつかり合って、傷口が薄い黄色に光った。光が消えた時には傷口が完全に塞がっていた。

「傷が……」

「傷口を塞ぐだけの応急処置だ。魔力で塞いでいるだけで完治したわけではない。トロンベの上で魔力を出すなど自殺行為だが、仕方あるまい」

疲れきったように息を吐きながら神官長が呟く。傷口は塞がったけれど、トロンベは今まで以上に活性化している。

「神官長……」

「私は加護を打ち切って君の傷を塞いだ。トロンベに対抗できる武器がない。すぐに救援が来るはずだが……」

そう言いながら神官長は空を睨み上げ、こちらに向かって滑降してくる騎士団に向かって「遅い！」と怒鳴った。基本的に貴族然としていて、隠し部屋以外で感情らしい感情を見せることがない神官長の怒声にわたしは動けないままビクッとする。

「フェルディナンド様、救助信号とは一体何が……何だ、これは⁉」

続々と降り立つ騎士達が第二のトロンベとその中心に囚われているわたしを見て目を見張る。

「カルステッド、お前が選んだ護衛が無能でこの不始末だ。即刻マインを救い出せ。私は加護を打ち切ったので使えぬ。枝が首まで伸びつつある。急げ」

「はっ！」

トロンベに対抗できる武器を持っていない神官長がわたしから離れて行き、代わりに黒いハルバードを構えた金属鎧が駆け寄ってきて、武器を一息に振りおろした。ドゴン！　という爆発音と共に、土煙やトロンベの小さな破片が巻き上がる。

「けほっ……こほっ……」

「カルステッド、マインには傷一つ付けるな！　格好の餌になるぞ！」

これだけぎっちりと絡んでいるトロンベを払うのに、中心にいるわたしには決して傷を付けぬように武器を振るえと言い置いて、神官長はシキコーザと側仕えの方へ歩いて行く。その背中からは怒りが漏れているのが目に見えるようで非常に怖い。

もしかしたら、貴族と平民という身分差の建前上、貴族であるシキコーザの罪状を全部被せられて、わたし一人が頭ごなしに怒られる展開になるのだろうか。トロンベが活性化したのはわたしの血が原因だから、と何か罰則があったり罪に問われたりするのだろうか。

……あり得る。

これから先の展開を考えて憂鬱になってきたわたしの周りには大量の騎士が集まっていた。黒いハルバードを持った騎士達が地中に突き刺すようにして、手を休めることなくトロンベの根を断ち切っている。それと同時に黒いナイフを構えた騎士がわたしの首に絡みつき始めた茎を少しずつ切り取っていた。

「……加護が効き始めた」

ダームエルが心底ホッとしたような声を出した。手の甲の傷が塞がり、これ以上血が零れることがなくなったため、トロンベは活性化しようがないようで伸びる気配がなくなったのだ。

闇の神の祝福を帯びた武器を使えば、先程の巨大トロンベと同じように、黒く変色した部分が出てきて、武器を当てたところから朽ちていく。トロンベに首を絞められる恐怖から逃れることができたわたしも、ひとまず安堵の息を吐いた。

「くっ、やりにくい！」

「ナイフを持っているのはお前だけだ。丁寧にやれよ、ダームエル」

どうやら祝福を受けた後は武器の形を変えることができないようだ。騎士達は巨大トロンベを切り倒すための大きな武器で少しずつ慎重にわたしの周囲のトロンベの枝を切っていく。

「ダームエル、それから、巫女見習い……マインと言ったな？　何故こんなことになっているんだ？　あれほど怒っているフェルディナンド様は初めてだぞ」

ハルバードでわたしの足元の枝を切りながら、カルステッドが声を潜めて素早く問いかけた。

「それは……」

ダームエルがガチガチッと金属の擦れる音を立ててシキコーザの方を見た。しかし、積極的に告発する気がないようで、言葉は曖昧に濁される。はっきりしないダームエルの態度にわたしは何とも言えない苛立ちと身分社会の厳しさを感じた。

喉に伸びつつあったトロンベも胸元まで切り取られて、話をするだけなら問題のない状態にはなっているので、わたしが全てを暴露するのは簡単だ。しかし、信用されるかどうかは別問題で、おそらく身分が物を言う状況になる。平民の巫女見習いであるわたしの言葉がどれくらい通じるのか、信用されるのかはわからない。カルステッドも貴族なのだ。

……どうしよう？

「少しでも情報が欲しい。はっきり喋れ」

歯噛みするような苛立った声音でカルステッドが低く唸ってわたしとダームエルを促す。

そういえば、神官長は「無能を護衛に選んだ」とカルステッドにも怒りを向けていた。今ならば神官長の怒りの原因を探ろうとしているカルステッドが、保身のためにもわたしの話をきちんと聞いてくれるかもしれない。

「カルステッド様、わたくしがお話をしたとして、身の安全は保障されるのでしょうか？」

シキコーザの行動が貴族として普通なのかどうか確認する意味を込めて、わたしはカルステッドに問いかける。儀式が終わっていない今ならば、少なくともいきなり殺されるようなことはないだろう。そんな計算の元、わたしは口を開いた。

「たとえわたくしが正直にお話ししても、気に入らなければ貴族はわたくしの髪をつかんで振り回したり、ナイフで目を抉ろうとしたりするのでしょう？」

「何だ、それは？……まさか、巫女見習いを相手に、したのか⁉」

カルステッドがガシャッと音を立てて兜を脱ぎ捨てた。怒りに満ちた顔が露わになり、険しい目がダームエルを貫く。怒鳴られたダームエルはカルステッドの剣幕に驚いたようで必死に自己弁護を始めた。

「私ではありません！　シキコーザがナイフを取り出して、巫女見習いを脅したのです。助けようにも、身分を弁えよと言われ……」

「阿呆が！　フェルディナンド様のお怒りは当然だ！」

黒く脆くなってきたトロンベをカルステッドが力任せに引きちぎった。メリメリと音を立ててトロンベが割れる。神官長だけではなく、カルステッドも護衛達の行動には怒っているようだ。これならば、多分正直に話してもいきなり切りかかられるようなことにならないだろう。そんな風に状況を判断していたわたしにカルステッドが怒りに満ちた薄い青の目を向ける。

「マイン、話せ。全てを正確に、嘘偽りなく、神に誓って述べろ」

「かしこまりました。カルステッド様。神に誓って嘘は申しません」

ちょっと待て、と言わんばかりに上げられたダームエルの手をカルステッドが払い除ける。真面目に聞いてくれる雰囲気を察したわたしは二人の護衛がしたことを詳細に告げた。側仕えから裏が取れると証人の存在も強調しながら。

複雑にがっちりと絡んだトロンベから傷一つ付けることなくわたしを救出するには、かなり時間がかかった。カルステッドに全部話し終わってもまだ終わっていなかったくらいだ。

「おい、大丈夫か？」

「……ダメです。わたくしの側仕えを呼んでください」

トロンベに巻きつかれていたわたしはボロボロだ。新調したばかりの儀式用の服はあちこちが擦り切れていて、血を含んでいた部分はまるでトロンベに食われたように穴が開いている。身体中が痛いし、必死に抵抗していたせいか、ぐったりと全身が疲れていて力が入らない。

「巫女見習いの側仕え、どこだ⁉」

ぐてっとして力が入らないわたしの身体をカルステッドが担ぎ上げる。トロンベの根を徹底的に断つためにはへろへろのわたしが邪魔らしい。金属鎧に担ぎ上げられるとあちこち痛いけれど、もう文句を言う気力もない。

「マイン様！」

駆け寄ってくるフランにわたしは視線を向ける。カルステッドからフランへと身柄が移され、わたしはでろんとフランにもたれかかった。

「神官長、熱が出ていらっしゃいます！」

「さもありなん。そちらで休憩させて薬を飲ませておけ。血も失っているし、あれだけのトロンベに巻き付かれていたのだ。魔力もかなり失っているはずだ」

シキコーザから事情聴取していた神官長はこちらを一瞥《いちべつ》しただけで、視線を元に戻す。兜を脱いで表情がよく見えるようになっている神官長は、先程より怒りが増しているように見えた。

「かしこまりました」

フランは日当たりの良い暖かい場所へと移動してわたしを座らせると、バッグから薄い緑の液体が入った小瓶を取り出した。

「これを飲んでください、マイン様。神官長のお薬でございます」

わけがわからないものを口に入れるのは怖いけれど、きちんと飲まなければ無理矢理でも飲まされそうだ。わたしは仕方なく瓶を手に取ろうとした。けれど、血が滴らないように必死で上げていた両腕は鉛のように重くて自力で上げることもできない。

「ごめんなさい、フラン。無理です。腕が上がらないみたい」

全く力が入らないわたしの背中を支え、蓋を開けたフランが口元に瓶を運んでくれた。煮詰められた薬草の臭いが鼻を突く。漢方薬のような臭いに、うっと息が詰まった。

「フラン、これ、本当に飲んでも大丈夫なのでしょうか?」

「神官長も先程使用されました。神官長が調合された疲労回復や魔力回復に効く薬だそうです」

疲労回復と言われれば飲まざるを得ない。少なくとも神官長本人が飲んでいるならば毒ではないのだろう。きつい臭いに顔を歪めながらわたしは口に流し込んだ。

「んぐっ⁉」

ブハッと吐き出しそうになる口元を慌てて押さえた。一気に涙が盛り上がり、全身が震える。舌が痺れて、喉の奥が焼けるように熱い。しばらくは何を食べても味を感じないのではないかと思われるくらいに強烈で壮絶な苦味だ。人が口に入れるとは思えない。口を押さえたまま、ひくひくと震えるわたしを見たフランがざっと青ざめながら、神官長のところへ走る。

「神官長、マイン様がずいぶん苦しんでおられますが……」

「味を犠牲にした分、すぐに効果が出るはずだ」

神官長はこちらを見ることもなくそう言った。その言葉は正しく、ぐったりとしていた身体からだるさと重さが抜けて、すぅっと熱が引いていくのが自分でもわかる。

「……すごい。熱が引いていくみたい……」

ものすごく効果の高い薬だった。しかし、良薬は口に苦し、と言っても苦すぎだ。味の改良を心底要求したい。効果のために味を犠牲にしたと言い切る神官長が改良なんてしてくれるはずもないけれど、せめて、青汁程度にならないだろうか。

わたしが休憩して回復している間に、騎士達によってトロンベは完全に退治された。巨大トロンベと違ってクレーターはできていない。これはわたしの魔力のみで発芽したせいだと騎士の一人が言っていた。自然発生するトロンベは地中に潜り、何カ月、下手したら数年かけて辺りの土地の魔力を吸い込み、蓄えて発芽する分、広く深く根付いていて退治にも骨が折れるそうだ。

「全員整列！」

トロンベ退治を終えた騎士達はカルステッドの号令によって整列する。整列していないのはわたしの護衛を任じられた二人だ。二人は兜を取った状態で神官長の前に並ばされ、跪いた状態でじっと下を向いている。

「マイン、こちらに来なさい」

動けるようになったわたしも呼ばれ、全員がその場に集められた。わたしは神官長の指示通り、神官長の半歩後ろに立つ。背が低いせいで、ほんの少し顔を上げた護衛の二人と目が合った。声から予想した通り、二人ともまだ成人して間もないくらいの十代半ばのようだ。

シキコーザは自己主張の激しい黄緑のような髪に憎悪に満ちた深緑の目をしていた。整ってはいるが傲慢さが全面に出た顔付きで、全ての原因はわたしだ、とその目が雄弁に語っている。

ダームエルはおとなしくて地味な色合いの茶色の髪で、困りきったような申し訳なさそうな灰色の目をわたしに向けてくる。兜を付けていた時にはわからなかったけれど、何と言うか、いじめられっこのような雰囲気がにじみ出ている気がした。

「では、シキコーザ、ダームエル。今回の騒動について、何か申し開きがあるならば述べよ」

神官長の言葉に、シキコーザは顔を上げた。

「申し開かねばならぬようなことはございません。あれは平民。それだけで十分でございます」

その主張が当然通るものだと信じきった堂々とした態度にわたしはそっと胸元を押さえた。相手が平民ならば申し開きをする必要もない。それがここの当たり前なのだと思い知る。

「私は傷一つ付けるな、と命じたはずだが？」

「いきなり立ち上がった平民が勝手に怪我をしたことを責められても困ります」

神官長の怒りをにじませた声にもシキコーザははっきりと頭を振った。神官長は「なるほど」と呟いた後、ダームエルへと視線を向ける。神官長に見据えられたダームエルはビクリと一度震えた後、下を向いて一気に喋った。

「身分差を弁えよ、と言われ、抗うことができませんでした。申し訳ございませんでした」

頭を下げたままそう言ったダームエルを見て、神官長は軽く息を吐く。

「そうだ。二人の主張する通り、身分差は弁えなければならぬ」

神官長の言葉にシキコーザが喜色に満ちた顔を上げて、勝ち誇ったようにわたしを見た。わたしは儀式用の衣装に開いた穴をそっと撫でて悔しさを噛み締める。

神官長が一歩前に出た。

「この場で最も身分が高いのは誰だ、シキコーザ？」

「フェルディナンド様でございます」

当たり前のことだと言わんばかりにシキコーザは答えを返す。ただ、神官長の質問の意図が読み取れなかったようで、わずかに首を傾げた。

「あぁ、そうだ。その私が命令したのだ。巫女見習いに傷一つ付けぬよう、しっかり守るように、と。身分差を弁えれば守るべきものが何か、優先すべきものが何かは自ずとわかるはずだ。其方こそ身分差を弁えよ！」

衝撃を受けたようにシキコーザが神官長を仰ぎ見る。その顔は愕然としていて、信じられないというように目が見開かれていた。

「ですが、あれは平民で。神殿の秩序を乱す愚かな子供で……」

「全く情勢がわかっていないようだから述べておこう。マインは青色の衣を与えられた巫女見習いだ。魔力の多さを見込んだ神殿側が望み、領主の許可を得て青の衣が与えられている。それに不平不満を漏らすのは、神殿及び領主に不平不満を漏らすに等しいとその胸に刻み込め！」

神官長の言葉に、シキコーザとダームエルだけではなく、後ろに並んでいた騎士の一部からも息を呑んだ音が聞こえてきた。

「其方等も知っての通り、今この国には貴族が不足している。それは魔力を扱える者が不足しているということだ。神殿から貴族社会へと戻った其方はそれをよく知っているだろう？」

シキコーザと神殿長にどういう繋がりがあるのかと思えば、シキコーザは元々青色神官見習いとして神殿で育ったらしい。それがわかれば平民であるわたしが青の衣をまとっていることに強烈な反感を示すのもわかる気がした。神殿にいる青色神官は平民と同列扱いされるのは許せないと憤る者ばかりだからだ。

「実際、この儀式を執り行うことができるのは今の神殿において私とマインしかいない。儀式を行える青色神官がいれば、巫女見習いがこの場に出されるはずがないのだ。その程度のことも思い至らぬ愚昧《ぐまい》さには呆れる他ない。マインは儀式を行うための青色巫女見習いとしてここにいる。其方が危害を加えたのはただの平民ではない。青の衣を与えられた巫女見習いだ」

神官長は何度もわたしが青色巫女見習いであることを強調した。それは平民ならばシキコーザを罪に問えないことの裏返しだ。自分の身を守ることになる青色の衣装をわたしはギュッと握り、魔力を扱うのだから青色として遇するように交渉しろ、と助言してくれたベンノの慧眼《けいがん》に今更ながら感謝する。

「其方等は命令違反、任務放棄をした上に、護衛対象へ危害を加え、本来は現れなかったはずのトロンベを出現させ、騎士団を混乱させ、仕事を増やした。そして、護衛を任された騎士が護衛対象を害するということで騎士団の誇りを傷つけた。軽い罪で済むと思うな。処分については追って領主から沙汰があろう」

神官長は二人から視線を外すと、ずらりと並ぶ騎士団の方をくるりと向いた。そして、一番前で跪くカルステッドを冷たい視線で見下ろす。

「カルステッド。このような無能を護衛に選んだこと、それから、命令を聞くことさえ知らぬような新人への教育不足については騎士団長である其方の罪だ。追って処分を言い渡す」

「このたびの騒動、騎士団を率いる私の不徳の致すところでございます。フェルディナンド様のお手を煩わせることになりましたこと、深くお詫び申し上げます」

神官長が怒って当然だと言っていたカルステッドは、自分に対する処分があることも覚悟していたようだ。表情一つ変えることなく静かに神官長に向かって首を垂れた。それと同時に、後ろに整列して跪く騎士達が一斉に神官長に向かって頭を下げた。

癒しの儀式

「マイン、薬が効いているうちに儀式を終わらせるぞ」

一通りの叱責を終えた後、神官長はそう言って、バサリとマントを翻した。右の手甲に触れて、白いライオンもどきを出す。神官長の動きに合わせて騎士団も立ち上がり、それぞれ騎乗するための動物を出していく。

「来なさい」

手を差し出す神官長のところへ優雅に見えるように歩き、わたしは手を差し伸べる。神官長に抱き上げられると、今度はバランスを崩さないように最初から手綱を握った。わたしの後ろに軽い動作で飛び乗った神官長が片手を上げる。

「行くぞ！」

神官長が手綱を握ると、彫刻のようだった白いライオンもどきが命を得たように動き出す。大きく羽を震わせて上空へと駆け上がると、先程の巨大トロンベが暴れていた跡地へ向かう。

わたしの血を吸って魔力で伸びたトロンベは周囲の土地の魔力をあまり吸収していなかったため、魔力を満たすための癒しの儀式は必要ない。けれど、巨大トロンベの跡は広大なクレーターになっていて、魔力を満たさなければ草も生えないままになるらしい。

「……君には悪いことをしたと思っている」

上空を移動する間は他人から聞かれる心配がないためか、背後から神官長の低い声が囁くような調子で響いてきた。

「怪我をさせるつもりもなかったし、あのような悪意に晒すつもりもなかった。まして、薬で無理やり体調を整えなければ儀式が行えないような状況になる予定ではなかった。騎士団が私の命に背くようなことをするとは考えてもみなかった私の落ち度だ」

神官長の声には後悔と口惜しさがにじんでいた。万全の態勢を取るための護衛が全てをめちゃくちゃにしたようなもので、護衛を付けたこと自体を神官長は後悔しているようだ。でも、護衛が暴走したのも、悪意のある噂が広がっているのも、わたしが身食いで虚弱なのも、神官長が責任を感じなければならないようなことではない。

「神官長の責任ではないですよ？」

「いや、君に関することは私の責任だ」

きっぱりと神官長はそう言った。平民であるわたしを上手く使わなければ神殿が立ち行かない以上、わたしを上手く使うのは上司である神官長の仕事だと言う。神官長はなまじ有能なせいで、人に任せることができずに自分から仕事を抱え込む気苦労タイプだ。

「マイン、薬は効いているか？」

「はい」

「ならば、良い。儀式が君の身体に負担をかけることは重々承知している。だが、君に青色巫女見習いとしての仕事ができることを騎士団に知らしめなければならない。私が庇う。青の衣をまとうに相応しい存在であることを見せつけろ。君が神殿やこの地を守る騎士団にとって必要な存在であると突きつけてやれ。騎士団が必要性を認めれば、それは君を守る力になる」

ただの平民ではなく青色巫女見習いだ、と神官長に庇われたのだから、わたしはその地位に相応しい仕事ぶりを見せなければならない。

「……でも、緊張しますね。初めてだから本当に成功するか、心配です」

やらなければならないことはわかるけれど、本当にわたしにできるか不安で仕方ない。儀式というものを行うのが初めてなのだ。そんなわたしの心配を神官長は鼻で笑い飛ばした。

「フン、心配する必要はない。騎士団が認めざるを得ない引き立て役は準備する」

「……え？」

「私は勝てない勝負はしない主義だ」

ひやりとした声音にぶるりと身震いする。どうやら、自分の計画を壊された神官長のお怒りは全く解けていないようである。

「……あの、ダームエル様はわたくしに親切にしてくれましたし、一応助けようとしてくれたり、シキコーザ様を諫《いさ》める言葉をかけたりしてくれましたから手加減してあげてくださいね」

巨大トロンベが育った場所は大きな円形に土の部分が露出して、森の中に巨大な赤茶のお皿が置かれているように見えた。

「儀式で魔力を満たして植物が育つようになったら、農村の一つくらいできそうですね」

「ここが農地になれば祈念式や収穫祭に赴く神官や貴族が大変になるぞ」

祈念式が行われなければいずれ土地が力を失うからな、と神官長が呟いた。確かにこんな森の奥では移住する農民も儀式のために移動する神官や貴族も大変だ。

クレーターの真ん中辺りにライオンもどきは降り、わたしは神官長にエスコートされる形でその地に立った。次々と騎士団の面々が降り立って、動物達はすぅっと手甲へと戻っていく。

騎士団の全員が整列した後、兜を外して跪いた。兜を被ったまま儀式に参列するのは神に対して不敬だそうだ。神官長も兜を外して足元に置いた。足元の土が森でよく見るしっとりとした黒い土ではなく、学校の運動場のような赤茶の乾いた土になっている。

「神官長、これを」

アルノーが差し出した成人男性の身長より少し長いくらいの杖を神官長が受け取った。この杖は今回の儀式に必要な神具で、水の女神フリュートレーネの象徴である。金で作られた杖の先には大人の手のひらくらいはあるだろうか、緑に透き通った大きな魔石が太陽を照り返して光っていた。持ち手の部分には小さな魔石が並んで埋め込まれていて、ほとんどの魔石の色が変わっている。魔力が十分に蓄えられていることがわかる。

「シキコーザ」

神官長が騎士団の方へと声をかける。呼ばれたシキコーザはガシャガシャと鎧を鳴らしながら早足でこちらに向かってくる。神官長はシキコーザに向かって、神具の杖を差し出した。

「其方が儀式を行うのだ」

よくわからないと言うように、シキコーザが目を瞬く。神官長は冷めた目でシキコーザを見下ろしながら、わざとらしく溜息を吐いた。

「任務も放棄していたくらいだ。魔力は余っているだろう？　本来ならば私が先だって手本を見せる予定だったが、君が余計な仕事を増やしてくれたので私には余分な魔力が残っていない」

……嘘だ！　余裕綽々《しゃくしゃく》に決まってる！

神官長が調合した舌が痺れるような極悪な苦みの薬は、味を犠牲に効果を上げたと本人が言っていたようにものすごく良く効く薬だった。それを飲んだ神官長に魔力がないわけがない。

「まさかできないわけではないだろう？　マインに手本と格の違いを見せてやってくれ」

神具の杖を神官長は差し出し、半強制的に握らせる。予想外の事態に動揺していたらしいシキコーザだったが、わたしの視線に気付いた途端、キッとわたしを睨んで背筋を伸ばした。

「癒しと変化をもたらす水の女神フリュートレーネよ　側に仕える眷属たる十二の女神よ」

朗々とした声でシキコーザが祈りの言葉を唱え始めた。同時に、杖の大きな魔石が輝き、杖をついた部分からシキコーザを中心にゆっくりと土が黒く染まって行く。土が黒く変化した後、新芽の緑がポコリポコリと顔を出し始めた。

わたしは思わず「わぁ！」と感嘆の声を上げた。まさか神具を握って暗記させられていたお祈りの言葉を唱えるだけで、本当に土の様子が目に見えて変わるとは思っていなかったのだ。まるで麗乃時代の理科で見た教育番組のワンシーンのようだ。

魔力が満たされることで、じわじわと土が色を変え、少しずつ植物が芽吹いていく。しかし、それは半径十メートルほどの円で止まった。

「まだだ。全く足りていない」

止めようとしたシキコーザを叱責し、神官長は杖から手を離すことを許さなかった。握っている限り、杖は勝手に魔力を引き出していく。どんどんと杖に魔力を吸収されていったシキコーザは意識が朦朧《もうろう》としてきたようで、その場にガクリと崩れ落ちて膝を突いた。

「フン、偉そうに威張っていたが、この程度か。騎士団の人材不足も深刻だな」

その場に倒れるシキコーザには目もくれず、神官長がぐらりと揺らいだ神具の杖をつかんだ。そして、杖を支えたまま、神官長がわたしを指名した。

「残りはマイン、君の仕事だ」

わたしは気合いを入れて両足を肩幅に開き、気を抜けば倒れそうになる大きな杖をグッとつかんだ。シキコーザがお手本を見せてくれたので安心して儀式に取り組める。

……見せつけろ、って言われたし、できるだけいっぱい魔力を流し込んだ方がいいんだよね？

杖を握る手に力を入れると、わたしはゆっくりと深呼吸して目を伏せた。普段は魔力を詰め込んで溢れてこないように固く閉めてある蓋を開放し、自分の内にある魔力を動かす。奥の方から溢れてきた魔力が出口を求めて杖へと流れ込んで行くのがわかった。

「癒しと変化をもたらす水の女神フリュートレーネよ　側に仕える眷属たる十二の女神よ　我の祈りを聞き届け　聖なる力を与え給え　魔に属するものの手により　傷つけられし御身が妹　土の女

神ゲドゥルリーヒを癒す力を我が手に」

杖にはめ込まれた大きな緑色の魔石がカッと強い光を放った。魔力が渦巻き、自分を中心に風が起こる。髪が風に揺られて舞い上がり、衣装の袖や裾がぶわりと翻った。

「御身に捧ぐは聖なる調べ　至上の波紋を投げかけて　清らかなる御加護を賜らん　我が望むところまで　御身が貴色《きしょく》で満たし給え」

一気に魔力が杖へと流れ、その魔力が魔石を通じて土へと浸透して行った。黒い土の部分がザアッと音を立てるような勢いで広がり、見る見るうちに新緑が芽生えて伸び始める。

「……もう良い。十分だ」

神官長の言葉にわたしは放出していた魔力を抑えて、閉じ込める。それと同時に杖の光が収まった。クレーターと化していた土地にあっという間に足首ほどの丈の草が生え揃っている。

「神官長、これで大丈夫なのですか？」

「あぁ、全体に魔力が満ちている。……正直やりすぎだ」

最後の言葉はとても小さくて低い呟きだった。よく聞こえなくて首を傾げたが、神官長は軽く首を振って騎士団が整列した方へと身体ごと向きを変える。つられてわたしがそちらを向くと、信じられないものを見たように呆然とした顔がずらりと並んでいた。騎士達全員の目が見張られ、ぽかんと口を開けている者が多い。

……あれ？　何、この顔？　見せつけてやれ、って言われてたから、頑張ってみたけど、もしかして……やりすぎた？

愕然とした表情を向けられていることが非常に居心地悪く、わたしはじりじりと神官長の後ろに隠れるように移動する。神官長は逆にわたしの前へ出て、コホン！　と一つ咳払いした。

「これが神殿と領主の承認を得た青色巫女見習いだ。異論のある者は？」

ハッとしたように騎士団の者が一斉に目を伏せて沈黙する。誰もが下を向いたまま、姿勢を崩そうとしない。これは異論がないことを示す姿勢なのだろうか。目を瞬くわたしの前で、神官長が軽く頷いた。

「……異論はないようだな。よろしい」

神官長がフッと笑うとようやく騎士達が顔を上げた。しかし、その上げられた顔は先程までの驚きに見開かれた目と違い、獲物を見つけた肉食獣のようなギラリとした目に変わっていた。

「ひぅっ⁉」

思わず叫びそうになった声をゴクリと呑み込んで耐える。一斉に強い視線を向けられて全身が固まった。何と言うか、獲物認定されているような気分だ。気を抜いたら噛みつかれそうな、蛇に睨まれた蛙の心境である。わたしは騎士達の視線から逃れるためにガクガク震える足でこっそりと一歩動いて神官長の背後へ完全に隠れた。

「言い忘れていたが、この巫女見習いは私の庇護《ひご》下にある。それがどういう意味か、わかるな？」

神官長の一言で、瞬時に肉食獣のような視線が収まった。安堵に胸を撫で下ろしたものの、わたしだけにはどういう意味かわからない。

「わかれば良い。では、帰還するぞ」

わからないまま瞬きしているわたしと違って、他の者は即座に帰還準備を始めた。アルノーが神官長から神具を受け取り、フランがわたしの体調を確認する。騎士団は兜を被り直し、動物達を取り出して、騎乗の準備を始めた。

「マイン、来なさい」

神官長とカルステッドが倒れたままのシキコーザのところでわたしを呼んだ。駆け寄りたいのを抑えて、わたしはゆっくりと歩み寄る。

「マイン、君から本日の騒動に関して要求はあるか？」

神官長は視線だけをシキコーザに向けた。一応被害者であるわたしに確認の形を取っているが、表情は「ないと答えろ」と言っているのがわかる。だが、それは通じなかったことにする。

「ございます」

答えた瞬間、神官長が眉間に深く皺を刻んでわたしを睨んだ。「空気を読め！」と睨まれているのがわかったけれど、敢えて空気は読まない。

「儀式用の衣装を要求いたします」

わたしの要求は二人にとって予想外のことだったようで、目を丸くしてわたしを見下ろしてきた。わたしは二人によく見えるように腕を広げて衣装を見せる。大きく穴が開いて、向こうの景色が見える袖が風に揺れた。

「これと全く同じ物を誂《あつら》えてください。できたばかりの新品で、すごく高かったのです。わたくしのような平民にはもう儀式用の衣装を調えるお金がありませんもの」

「なるほど。これはひどいな」

カルステッドは苦笑しながら即座に理解を示したけれど、神官長はわたしの言葉に引っ掛かりを覚えたように訝しげな顔になった。

「……全く同じ物というのはどういう意味だ？」

「特注品だったのですよ、この衣装。成長しても着られるようにと思って、特別に誂えたのに成長どころか、儀式を行う前にボロボロだなんてあんまりです」

わたしが少し大袈裟に嘆いてみせると、カルステッドは「女の衣装にかける情念は幼くても変わらぬか」とカラカラと笑った。

「わかった。儀式用の衣装を誂えよう」

シキコーザとダームエルと自分への罰として衣装を新調してくれることをカルステッドが約束してくれた。それだけ確約してくれればわたしは満足だ。

「恐れ入ります。ギルベルタ商会に注文してくだされば同じ物を誂えてくれると思います。儀式用の衣装がなければ儀式には出られませんから、急いで冬までに調えてもらってください」

「冬？　何かあるのか？」

カルステッドが首を捻ると、神官長がこめかみを押さえた。

「神殿では魔力を奉納する儀式が冬に行われるのだ。……確かに奉納式の時に衣装がなければ、神殿長や他の青色神官に平民は儀式用の衣装も誂えられない、などと嫌味を言われるであろうな。マインに落ち度がなかったとしても」

神官長の言葉にわたしは神妙な顔で頷いた。それが一番面倒でわたしが恐れていることである。またトロンベが出現したとしても事情を知っている騎士団相手ならば、この穴だらけの衣装でも問題ないかもしれないが、冬の儀式はきちんとした衣装が欲しい。

「了解した。衣装に関しては何とかしよう。他には？」

「儀式用の衣装さえ調えてくだされば、それ以外は基本的には騎士団の規則に沿った罰で結構です。これ以上、妙な恨みを買いたくございませんもの」

「ふむ。賢明な判断だな。では、後のことは騎士団で決定する」

満足そうに頷いたカルステッドの言葉にわたしは跪いて頭を下げた。


「もー！　なんでこんな大きな穴が開きますの⁉　仕立てたばかりの新品ですのに！」

「フラン、マイン様の身に一体何がございましたの⁉」

神殿へと戻ると、ボロボロになった衣装にデリアが悲鳴を上げ、ロジーナが口元を押さえてよろめいた。

「色々ありましたが、騎士団に係わることですから、他言無用を命じられております」

フランはそう言って、二人の追及をかわす。

わたしはルッツに見られる前に急いで着替えたけれど、ルッツにはピンチに陥《おちい》ったことが知られていた。迎えに来たルッツがわたしを見た瞬間、「マイン！　無事で良かった」と言って駆け寄ってきたのだ。すぐさま手の甲を確認されて、熱や他に怪我がないか確認される。どう考えてもわたしの身に起こったことを知っているような行動だ。

「ルッツ、どうして知ってるの？」

「いきなり頭の中に、ルッツ、助けてって声が響いて、マインの様子が目の前で見ているように流れてきたんだ。……助けに行きたくてもどこにいるのかわからないし、すげぇ焦った」

しかも、わたしがトロンベに巻きつかれていた映像は、神官長が黒い矢から光るタクトに持ち替えて治療を始めたところで途切れてしまったらしい。助かったのか、どうなのかわからなくて、ルッツは焦燥感に苛まれて悶々《もんもん》とした時間を過ごしていたと言う。

「心配かけてごめんね、ルッツ」

「怖い目にあったのはマインだから、オレはいいけど……あれ、何だったんだろうな」

ルッツが経験した不思議現象は、間違いなくあの時の青い光が原因だろう、とわたしは見当をつけた。神官長に返して、すでに指輪もなくなっている自分の手を見る。それと同時に、今日あった様々な出来事が一気に脳内を流れていった。

「マインが無事で本当に良かった」

ギュッと抱き締められたことでルッツの声が耳に直接流れ込んでくる。身分とか、柵《しがらみ》とか、魔力とか、何の関係もなく自分の安否を心底心配してくれるルッツに、わたしの緊張の糸も解れていった。甘えたい時に甘えても振り払われることはないとわかっているから、わたしもルッツには素直に甘えられる。

「……貴族社会、怖かったよ」

わたしはルッツにギュッとしがみついてそう呟いた。


騎士団の要請の後は当然のように寝込んだ。数日間寝込んだけれど、この時期に寝込むのは大して珍しくないので家族は特に何も言わなかった。ただ、また神官長が「私の責任だ」と必要のない責任を勝手に背負い込んでいなければいいと思う。

わたしが動けるようになった頃には、かなり秋が深まっていて、川の水を使って紙を作るのが厳しい寒さになってきていた。

「帰りにはギルベルタ商会に寄らなきゃね」

そう言いながら神殿に到着すると、フランが門のところで待っていた。

「マイン様が神殿にいらしたら重要な話があるようで、神官長から呼び出しを受けています。フェシュピールの練習はしなくて良いので、すぐに部屋に来るように、とのことです」

わたしは部屋で青の衣に着替えて神官長の部屋へと向かう。今日ばかりはフェシュピールの練習をしたかった。足取り重くのそのそと歩いていても神官長の部屋にたどり着いてしまう。

「あぁ、マインか。フランから話は聞いているであろう？　こちらに来なさい」

少しばかり厳しい顔で神官長はスタスタと隠し部屋へと向かう。これはお説教確実だ。わたしは胃の辺りを押さえながら神官長が開いた隠し部屋へと入った。

「そこの資料は全てこちらに寄こしてくれ」

長椅子の資料を端に避けていつも通りにわたしが座ろうとしたら、神官長がそう言って手を差し出してきた。わたしは長椅子の上の資料を全てまとめて神官長に渡す。バサリと机に資料を置き、神官長はいつも通りにガタンと椅子を引き出してくる。ただ、その手には金細工に赤の石が付いた装飾的な環と手のひらに隠れるくらいの大きさの瓶を持っているのが見えた。

「マイン、これを飲みなさい」

神官長が手を開いて、小瓶をわたしに向かって差し出してくる。少し厚めで透明度はそれほど高くないガラス瓶の中で赤い液体が揺れていた。

「何ですか、これ？」

「私が調合した薬だ。魔力を通しやすくする効果がある。この魔術具を使うために必要だ。まずかろうが、苦かろうが、我慢して飲むように」

有無を言わせぬ迫力で神官長が目の前に薬の瓶を突きつけてきた。そんなことを言われたらものすごく飲みたくなくなった。まだわたしはあの極悪な薬の味を忘れていない。躊躇うわたしを見ていた薄い金色の目が少し細められ、神官長の唇の端がわずかに上がる。

「鼻を摘まれて、喉に薬を流し込まれる方が好みか？」

……本気だ。神官長はそれが必要だと思ったら表情一つ変えずにやる人だ。

ぶるぶると首を振りながら、神官長が差し出す赤い薬が入った小瓶を受け取った。今度は一体どんな味なんだろう、と恐る恐る瓶に口を近付ける。それほど変な臭いはしない。ゆっくり飲んだらまずかった時にそれ以上飲めなくなる。わたしは気合いを入れて一気に口に流し込んだ。

「……ん？」

別に苦くもまずくもなかった。どちらかと言うと、ほんのりと甘みがあっておいしい。

「神官長、これ、別に苦くもまずくもないですよ。ほんのり甘くておいしいです。あの時の回復薬もこれくらいおいしかったらよかったのに」

空になった瓶を神官長に渡しながら殺人的な苦みだった薬の味を思い出してそう言うと、神官長は意外そうに目を見張った。

「君は甘く感じたのか？」

「はい。そうですけど？」

「……そうか。まぁ、いい。これを付けなさい。石が額に当たるように被るんだ」

神官長は手に持っていた赤い石のついた金色の環をわたしに差し出した。抵抗しても無駄なので、わたしはおとなしくそれを手に取って、環を被るようにして赤い石を額に当てる。魔術具の指輪を借りた時のようにシュッと変化して、サークレットのようにピタリと頭にはまった。

「神官長、これ、魔術具と言いましたよね？　何ですか？」

「以前、領主に頼んでいたのだが、やっと届いたのだ」

「あの、何に使うのか……ん？　あ、あれ？」

サークレットをはめた直後からものすごい眠気が襲ってきた。頭が白くなってくるようで、くらりとして勝手に瞼《まぶた》が下がっていく。

「あ、あれ？　なんで？　眠い……」

「そのままゆっくりと横になって眠りなさい。抗う必要はない」

神官長の言葉がぼんやりと聞こえる。聞こえているのに、理解するのに時間がかかるような感じで意識に幕がかかっていく。ひとまず抗う必要はないと言われたので、襲いかかってくる睡魔に身を任せていつも通り寝る体勢を取った。簪を引き抜いて、靴を脱ぎ、長椅子にゴロリと横になる。身体を横たえると、意識はすぐさま深淵《しんえん》に落ちていこうとする。

「おや、すみ……なさ」

最後の力を振り絞って挨拶していると、神官長の指先がわたしの前髪を掻き分けるのを感じた。神官長が近くにいるのか、直接耳に吹き込まれているように声がずいぶんと近くで響く。

「これは領主が直々に裁かねばならないほど、重大な事件の犯人や証人が嘘を吐いていないか、記憶を探るための魔術具だ。……君が言った夢の世界を見せてもらうぞ」

エピローグ

フェルディナンドは薬と魔術具で深い眠りに落ちてしまったマインを静かに見下ろす。力の抜けた手からカツンと落ちた簪を拾い上げた。ただ削っただけの木の棒だが、これで髪を結うのはマインだけだ。平民ならば誰もがしていることかと思ったが、最近の洗礼式で見るようになった髪飾りも結った髪に差し込むだけで、マインのように簪で髪をまとめている者はいない。

マインは不思議な子供だ。まるですでに高度な教育を受けているような思考回路、そのくせ、考えや注意深さが全く足りない。どう探してみても存在しないメルヴィル・デューイ、この国のどこにも存在しない十進分類法を知っていて、自分が欲しい物を次々と発明していくその発想。孤児院を立て直し、子供達に仕事を与え、代わりに食料を与えた。本をこよなく愛していて、子供向けの聖典まで作り出した。どう考えても普通ではない。厳しく教育を受けた貴族の子供でも、マインが行ったことはどれもできないだろう。洗礼式を終えたばかりの幼子にできるようなことではないのだ。元々変わった子供だったが、悪い方向に向かっていることが全くないので、奇異というだけでは領主もこの魔術具を貸してはくれなかった。

だが、マインは先日の癒しの儀式で信じられないような魔力を見せつけた。あれだけ広域の荒れ地をあっという間に魔力で満たすのは普通の身食いではあり得ない。正直、今の時点で領主を上回るほどの魔力だった。成長すればどこまで魔力が伸びるのかわからない。

魔力量が恐ろしく豊富で発明により多額のお金を稼げる平民の娘など、誰もが取り込もうとするので貴族間の争いの火種にしかならない。彼が庇護下に置くと宣言したことでこの街ではある程度守ることができるだろうが、余所の領地の貴族に存在が知れるのは時間の問題だ。そうなれば、マインを守りきれるかわからないし、そこまで守る価値があるのかどうかも、現時点では明言できない。だからこそ、領主は彼にこの魔術具を使え、と言った。記憶を探ってマインが口にした「夢の世界」を見ることでマインの価値を測り、有害無害の判断をせよ、と。

「せめて、無害であることがわかれば良いのだが……」

犯罪者が相手ならば、本当に犯罪を行ったかどうかを記憶の中から確認するだけなので容易いが、マインの場合はどれだけの価値があるのか、自分達に害を為す存在かどうか、記憶の中から見出さなければならない。判断は非常に難しい。

「……何より、疎《うと》まれるであろうな」

魔術具を使って記憶を覗くのだ。以降は警戒され、側に寄ってくることもなくなるに違いない。感情を隠し、揚げ足を取られぬよう言動に細心の注意を払わなければならない貴族社会では、マインのように思考回路が顔に出ているような者はいない。神殿にいても神殿長とどれだけの付き合いのある相手か、どれだけ信用できるかを常に考えていなければならない中、マインは裏表を考える必要もなかった。感情が透けて見えるマインに頭を抱えつつも、警戒する必要がない存在であることが気楽でよかったようだ。

自分でも意外なほどマインのことを気に入っていたようだ、とフェルディナンドは軽く溜息を吐いて、机の上に置かれたままのマインと同じ環を額にはめる。そして、長椅子に横たわるマインの傍らに膝をつき、お互いの額の魔石をカチリと合わせた。魔力をゆっくりと流し込み、意識を同調させていく。同調しやすい薬を使ったとはいえ、自分と異なる魔力が入って行くのだから反発があって当然なのに、マインに魔力を流し込んでも全く反発がなかった。今回の目的を考えると非常に助かるのだが、少しは自己防衛して無抵抗で他人を受け入れるな、と叱責したくなり、舌打ちしたい気分でマインに話しかける。

「マイン、聞こえるか?」

「あれ? 神官長の声がする。どこですか?」

もっと怯えるとか、嫌がるとか、怖がるとか、普通の反応を予測していたフェルディナンドはマインの呑気《のんき》すぎる声に頭を抱えたくなった。

「今は意識を同調させている。君の魔力が予想以上に多すぎた。夢の世界で教育を受け、夢の世界を知っている、と言う君がこの地において有害な人物であるか否か、私は判断しなければならない。悪いが、これから君の記憶を覗くことになる」

「はぁい、わかりました。いいですよ」

軽く返ってきた返答に今度こそ気が遠くなった彼を誰も責められないだろう。記憶を覗かなければならない方が身構えているのに、覗かれる方が全く抵抗感を示さないのだから。

「君の記憶を覗くことになるが、本当に良いのか? あまり気分の良いものではないだろう?」

「それは、まぁ、そうですけど……。見てもらえるんだったら一番手っ取り早いじゃないですか。無実の罪や言いがかりや思い込みで処分されるよりよっぽどマシです」

神官長は簡単に処分できるのに、わざわざ魔術具を使って判断してくれるんでしょ、とマインは言った。同調している彼にはマインが本気でそう思っているのがわかる。潔《いさぎよ》いと言うべきなのか、少しは疑えと叱るべきなのか……。マインならば後者だが、説教は後回しにした方が良い。これほど疲れそうな同調はなるべく早く終わらせるに越したことはない。

「では、君が以前に言った夢の世界へ私を連れて行ってくれるか？　強く思い浮かべてくれればそこへ行けるはずだ」

「え？　それって、行きたいところへ行けるってことですか？」

……何故だ⁉　記憶を覗かれるというのに、マインがわくわくしている⁉

楽しみで仕方ないような弾んだ気分が伝染してきて彼は戸惑った。

……まずい。非常にまずい気がする。私に暴走するマインの手綱が取れるだろうか。気を強く持って立ち向かわねば、こちらが引きずり回されそうだ。

「マイン、私が見たいと思うものを見せてくれなければ困る。まずは君の知識の元を見たい」

「任せてください！　では、わたしの愛する図書館に案内しますね！」

明るいマインの声と共に、フェルディナンドは見知らぬ大きな建物の前に立っていた。一体どのくらい高い建物なのか知りたいと思ったが、マインと視界も同じくしている彼にはマインが顔を動かさなくては見える範囲が限られている。見える範囲の足元は石畳で美しく、肌を撫でる風は優しい。汚れも汚臭もないところを見ると下町ではない。ここは貴族街だろうか。

「うわぁ、懐かしい！」

マインの声が響き、視界が動いて建物の中へと移動して行く。この風景を懐かしいと言い、躊躇いもなく中に入って行くマインの足取りは弾むように軽い。確かに彼女の知っている世界なのだと確信を抱くことはできた。触れもせず、魔力を通すでもないのに、信じられないくらい透き通っていて均一な厚みの大きなガラスの扉が、ウィーンと微かな音を立てて開いていく。

「マイン、ここにも魔術があるのか？　マイン十進分類法の時に魔術に関する項目が存在しないからわからないと言っていなかったか？」

「あ～……魔術ではないですよ。別の法則で動いている自動の扉です」

魔術はないけれど別の法則の、魔術のようなものがある。奇妙で不思議だ。

「マイン、ここは何という国だ？　少なくとも私の知る国ではないようだが？」

「日本と言います。わたし、前はここで生きてて、本に埋もれて死にました。そして、気が付いたらマインでした」

マインが何を言っているのか彼には理解できない。だが、何も隠す気がなく、事実をただ述べているだけの心情は伝わる。素直だからこそ、理解できないというのは初体験だった。

「……本に埋もれて、死ぬ？」

同時に、本に埋もれて死ぬという事態が理解できなかった。埋もれるほどの本が想像できないフェルディナンドの前に驚くほどの書架と本が詰まった空間が見えてくる。

「……何だ、ここは？」

「わたしの行きつけの市立総合図書館です」

そこは見回す限りに本が詰まっている図書館だった。貴族院の図書館でもこれだけの本はない。埋もれるというのもあり得る量だった。

「これは……全て本か？」

「はい、図書館ですから。あ、でも、最近は『ビデオ』や『CD』、『DVD』なんかもありますし、本だけではないですけれど。あぁ、幸せ。これよ、これ！　これこそがわたしの楽園！」

マインの心が本当に、泣きたいほどの幸せだけで占められているのがわかった。お気に入りの場所があるのか、マインは真っ直ぐに書架の間を早足で抜けて行く。この図書館には床に柔らかなカーペットが敷き詰められていて、足音が全く気にならない。この建物には一体どれだけのお金がかかっているのか、考えただけでも目眩《めまい》がしそうだ。

……なるほど。このような場所で生きた記憶があって、これほどまでに心の底から本と図書館を求めていたのならば、神殿の図書室を見つけて号泣するのも少し理解できるな。

彼の知る世界と違って、どうやらこの世界では本はとても愛されている物らしい。この図書館では本が鎖で繋がれているわけでもなく、マインが作っていたような表紙が簡素な本を好き好きに取っては読んでいる。男も女も老人も子供も、立派な身形をした者も、擦り切れたような服を着た貧民も。マインが歩を進める途中で、やたらと色彩豊かだが、粗末な服を着た者達が本に触れている姿が見えた。彼の常識ではあのような貧民が本に触るなどあり得ない。

「マイン、あれは狂人か？　あのような者が本に触れて大丈夫なのか？」

「狂人？　どの人ですか？」

マインの視線が通路から離れて辺りを見回した。

「左だ。成人女性でありながら膝を露出している。それほど布が準備できない貧民なのに布は色を染めているではないか。染めるのを止めればよいだろう？　不可解すぎる」

「ここでは、女性のスカート丈は決まっていないんです。好きな服を着ているだけですから、お気になさらず。それにしても、すっごいですね、この夢。手触りや匂いもする」

マインは女性に興味を失ったようで、すぐに視線を本棚に戻した。ずらりと並ぶ本はマインが作っていたような紙の表紙の本だが、その美しさや量は彼の想像を超えている。

本棚の端から端まで視線をゆっくりと動かしたマインは一冊の本を取り出して、抱き締めた後、匂いを嗅ぎ始めた。同調しているせいで強制的に彼の意識にも本とインクの匂いが飛び込んできて、強制的に満足感に浸らされる。彼はすぐにでも同調を止めたくなった。

浮かれたマインが本棚の端のふかふかとした椅子に座って本を読み始めた。板に布を張っているだけの椅子ではなく、座り心地はひどく柔らかくて心地良い。初めての感触だ。

それにしても、マインの視界に映るものが本と本棚と床しかない。開かれたページが目に映っているけれど、それは彼には読めない文字が整然と並んだ物だった。これがマインが言っていた印刷で作られた本だろうか。マインが作った本と同じように白黒だ。

「君の夢の世界では本に絵がついていないのか？」

「え？　あ？　何？　あ、そっか。神官長」

フェルディナンドが言葉をかけると、マインは驚いたような声を出した。

……どうしてくれよう、この馬鹿者。記憶を覗かれていることなど、そっちのけで完全にこの世界を楽しんでいる。

「えーと、絵ですね？　絵が見たいなら、『画集』や『写真集』もありますよ」

色とりどりの絵が並んだ大きめの本をマインが取り出す。そこにあるのは驚くほど色彩豊かで細密な絵だった。彼がその素晴らしさに見入っていると、すぐにパタンと本は閉じられた。

「神官長、続きを読んでいいですか？」

「いや、駄目だ。これは君が作っていた子供用の絵本というものか？」

「これは有名な人の絵を集めた『画集』です。子供用コーナーはこっちですよ」

そう言って、マインが図書館の中を歩いて行く。

「これが絵本で、本物のシンデレラです」

以前にマインが持ってきた話と絵を照らし合わせて考えれば、更に話が理解不能になった。描かれた衣装や髪型はもちろん、顔の大半を目が占めるような人間がいるわけがない。いや、この世界には存在するのかもしれない。そう思い直した。

「……君の話だけを聞いた時より、絵が付いた方が一層荒唐無稽だが、ここでも絵は色彩豊かではないか。君の本にも色を入れなさい」

「入れたいとは思っていますよ。……でも、インクが高いんですよ。なるべく作る方向で努力しますけど。あぁ、夢の中で絵具が買えたらいいのに」

マインがそう言った瞬間、奇妙な物がずらりと並んだ場所に移動した。本ではなく、色と文字がついた奇妙な形の物が見回す限りの棚に並んでいる。

「あ、『画材屋』に来ちゃった。神官長、夢の中で買っても持って帰れませんよね？」

「無理に決まっているだろう、馬鹿者。ここは何だ？」

「ウチのお母さんがよく通っていた『画材屋』です。これは絵具なんですよ」

本にしろ、絵具にしろ、マインの世界は物が豊富に溢れているようだ。この視界に映るだけしかわからないが、それでも文化の豊かさに彼は恐れを抱く。

「ずいぶんとたくさんの種類があるのだな」

「そうですね。何でも揃いますよ。わたしは『画材屋』より、『本屋』の方が好きですけど」

マインがそう言った瞬間、また場所が変わった。マインは行動だけではなく、思考も落ち着きがない。いや、思考に落ち着きがないから行動も落ち着きがないのだろう。

「ここは何だ？」

図書館と同じように本棚に本が大量に詰め込まれた場所だ。ただ、図書館とは違って、大きな音で音楽が響き、周囲は目をすがめたくなるほどに眩しく感じる場所だった。

「新しい本を売っているお店です。うふふん、『新刊チェック』……って、のおぉぉぉ！　記憶のある限りしか見えないんだった！」

よくわからない叫び声を上げて、マインは勝手に落ち込んだ。感情の起伏が激しくて同調しているのが非常に疲れる。マインがよく倒れるのは感情の起伏が激しいせいかもしれない。

「マイン、建物の中なのにずいぶん明るいのは何故だ？」

「あぁ、それは『電気』がついているからです」

マインが上を向いた。本棚が途切れて、白く眩しく光る小さな太陽がそこにあった。

「あれはどのような法則で動いているのだ？」

「えーと、『スイッチ』を入れたらつくようになっています。でも、わたしが魔術の説明を受けても理解できないように、基礎知識がない神官長にわかると思えないので詳しくは省略します」

すぐにマインの視界は本棚に固定された。マインがもう少し周りを見回してくれなければ、本以外に何も見えない。本以外で視界の端に映る物からも異質さがわかるというのに、マインは全くそちらに視線を向けようとしない。これでは同調している意味がない。

「マイン、私はそろそろ本以外が見たい」

「え～？　わたしは本が見たいんですけど。こんなにリアルにはっきり五感を堪能できる夢なんて自力じゃ見えないですから」

マインの中が不満でいっぱいになる。本当に、どこまでも本のことしか考えていない。まさか記憶を覗いてここまで本しか映らないとは思わなかった。意識的に他を映してもらわなければ、このままではこの世界の本を見ただけで終わってしまうだろう。

「マイン、この夢を見せてもらう目的を覚えているか？」

「もう忘れたいですけど……ハァ、神官長は何が見たいんですか？」

至極面倒くさそうにマインが溜息を吐いた。何が見たいと言われて、私は個人的に一番気になっていたことを尋ねる。

「そうだな。君が教育を受けたところを見てみたい」


一瞬で風景が変わった。それほど広くない部屋の中、端から端まで整然と机が並び、同じ服を着た者達が何やら書いている。小さな机の上には理解不能な文字や記号が書かれた本と薄くて美しい紙の束が広げられており、見たこともないような絵がついた金属の箱に、色の付いた棒が何本も入っていた。彼らは時折顔を上げ、色や柄のついた棒をペンのように動かして文字を書いている。視界の先には一人の男が立っていて、大きな石板にカツカツと音を立てて、文字を書き連ねながら説明している。あれはこの学び舎の教師だろうか。

「マイン、これは何をしている？」

「授業を受けています。これは『高校』時代の記憶かな？　数学の授業ですね。懐かしいけど、数学はあまり好きな授業じゃなかったんです。どちらかというと国語の方が良かったな」

パッと視界に映る風景が変わる。同じ部屋の中で今度は少し年かさの女性が本を読みながら、部屋の中をうろうろしている。

「ここではこんなふうに国民全員が勉強するんです。洗礼式くらいの小さい頃から成人しても」

マインの言葉と共にパッパパッと視界に映る景色が変わっていく。どれもこれも同じような部屋の中で勉強する姿だが、年恰好や前に立って教える教師の姿に違いがある。洗礼式くらいの年頃の子供達から成人しているような背恰好の者までが本当に勉強している。

「勉強以外はしないのか？」

「えーと、勉強する教科がたくさんあって、こうして机に向かうのと実技があります」

揃いの服を着て外で走る光景、あられもない恰好で水に入る男女の姿、見慣れない笛を吹き、聞き覚えのない曲を奏でる情景が浮かんでは消えていく。

「君は音楽の教育も受けていたのか……」

「そうです。学校で習うのは簡単な部分だけですけれど。だから、フェシュピールで弾くのも、実はわたしが作曲したのではなくて、ここの曲なんです」

初めて触ったフェシュピールで曲が奏でられる理由がわかった。マインの凄さはこの世界での知識と教育の賜物《たまもの》らしい。普通の平民と違って当然だ。

「こういう教育は国が定めたものだから、国民全員が文字を読めて、計算ができて当たり前なんです。わたし、孤児院にこういう勉強を取り入れて、皆が文字を読んで簡単な計算くらいはできるようにしたいと思っているんです」

「それは一体何のためだ？」

わざわざ全員に文字を教える意味がわからない。訝る私にマインは至極当然のように言った。

「文字を読める人が増えなければ、本を読む人が増えないじゃないですか。本を読む人が増えなければ書く人も増えないでしょう？　わたしがあそこでも本を楽しむためには、まず本を読める人を増やさなきゃダメなんです」

　今までならば一体どんな裏があるのか、何を企んでいるのか、と疑っただろうけれど、同調している今は心の底からマインが本を読むことしか考えていないのがわかる。ある意味では安心だが、ある意味では頭が痛い。だが、こうしてマインの記憶を見ることでフェルディナンドが抱えていた疑問のいくつかは解消された。

「……君は字を覚えるのが異様に早いと思ったが、学び慣れているのだな？」

「慣れ？　そうですね。自覚はないけれど、勉強し慣れているとは思います。それに、わたしは本が読みたくて読みたくて仕方がなかったから、文字を覚えたくて堪らなかったんです」

　彼は視界に映る光景をできるだけ端から端まで見る。同じ服を着て、授業を受ける姿は整然としていた。建物は大きく美しくどこも汚れていないように見える。

「マイン、ここはずいぶん美しく整っているな」

「えぇ、ちょうど建て替えられたばかりですからね。でも、この学校の素敵なところは、この辺りの学校の中で一番の蔵書量を誇る学校図書館なんです。わたしの志望理由ですよ」

　それと同時にまた図書館に光景が切り替わる。マインが嬉々として説明していた学校図書館なのだろう。古い本が多いのか、独特の少し埃っぽい匂いがしていた。マインはそれを嬉々として吸い込んでうっとりしている。もう本の匂いは勘弁してほしい。

「マイン、図書館はもう良い。外に出てくれ」

　次の風景は穏やかな庭園になった。石畳に芝生、立ち並ぶ木々に整えられた花壇が並ぶ。

「ここは貴族街なのか？」

「うーん、厳密には違いますけれど、似たようなものですね。あの街の環境に比べれば、日本は貴族街の方が近いと思います。まるで魔術具のような道具もいっぱいありますから」

魔術がない世界で、別の法則で動く魔術具のような物に興味を引かれて彼は問いかける。

「ほぅ？　どのような物だ？」

「そうですね。例えば、乗り物」

マインが視界を上に向けて白い物を指差した。騒音を立てて空を飛んで行くのが見える。マインが横を向けば金属の塊がすごい速さで駆け抜けて行く。

「何だ、あれは？　あれだけ大きな物を高速で動かすならば、魔力量も相当……」

「だから、魔力で動く魔術具とは違う、別の法則があるんですって。石が魔力で形を変えて動く方がわたしにはよっぽど不思議ですよ」

そう言われてみれば、魔術具に関する知識がないマインには魔石が形を変えて動くことも不思議に見えるのかもしれない。騎士団と行動した時には些細なことに一々驚いていた。

「他にはどのような魔術具があるのだ？」

「うーん、『電化製品』は家の方が多いかな？」

マインの呟きと共に、彼はどこかの建物の中に立っていた。窓には薄いレースの布がかかっている。あれほど繊細なレースを惜しげもなくカーテンに使えるのはかなりの上級貴族に違いない。窓からは光がやんわりと入っていて明るいのに、部屋にはデンキがついていて明るい。革張りの長椅子があり、正面には黒い四角のぶ厚い板が低い棚の上に飾られている。

……何だ？

ドクンドクンといきなりマインの鼓動が速く、大きくなった。背筋を冷たいものが走り、すぅっと血の気が引いて行く。マインの心が緊張と不安と恐怖に包まれていた。そのくせ、心の内から湧き上がってくるのは、喜びと懐かしさがぐちゃぐちゃに混ざった期待。マインの感情が全て流れ込んできて、目が回りそうになる。

「どうした、マイン？　何があった？」

「……ここ、ウチの『リビング』なんです。懐かしすぎて……ちょっと苦しい」

自分の胸を押さえてそう言ったマインの声は小さく掠れていた。今にも泣きそうな心情が伝わってくる。今までマインの思考が本にしか向いていなかったので、何となく流してしまっていたが、一度死んで気付いたらマインになっていたと言っていた。ならば、生前の家に思うところがあるのは当たり前なのかもしれない。だが、マインに引きずられる形でいつまでも感傷に浸っているわけにはいかない。意識を切り替えるために咳払いをして彼はマインに質問する。

「その棚はずいぶんと雑多な印象があるが、何を飾ってあるのだ？」

「……お母さんの『おかんアート』です。好奇心旺盛だけど、飽きっぽいというか、一つ二つ作品を作ったら次に興味が移って、どんどん突き進んで行った結果がこれです。好奇心だけで手を出すくせに腕は伴ってないから……」

口では貶《けな》すようなことを言いながらも、愛しくて仕方ない物に触れるように指を伸ばす。

「これがレース編みの『コースター』でこれが髪飾り。この髪飾りが今はギルベルタ商会で商品化されているんです。わたしの豪華な簪の飾りも元々はこの作り方でできているんですよ」

騎士団の要請の折、間近で見たマインの簪を思い出す。出来に差はあるが、確かに似ていた。

「これは『新聞広告』を細い棒状に丸めて編んだ籠とバッグですね。木の皮を編んでバッグを作る時にお役立ちでした。いつも使っているバッグはこれと同じ作り方で作ったんです」

マインがバッグを指差す。「お母さんが途中で飽きたから、最後まで完成させたのはわたしなんですけど」と唇を尖らせて。

「ちょっとセンスに問題がある人形の服とぬいぐるみの数々。こっちの白くて丸いのは『雪だるま』になるはずだった『編みぐるみ』の頭だけ。もうちょっとで完成するはずの『クロスステッチ』の絵と『パッチワーク』のタペストリー……」

不恰好な形の籠の中は、完成しなかった物が放り込まれているらしく、一つ一つ取り出しながらマインはそれを作った時のことを考える。その度に情景がパッパッと移り変わり、場所や時間を変えては黒髪の女性が「もう止めた」と言い、続きをやるように渡してきたり、「行くわよ」と手を引いたりしている姿が浮かび上がっては消えていく。

……この黒髪の女性がマインの、以前の母親なのだろう。

「この絵もそうなんですよ」

そう言いながらマインが部屋を出て、細くて狭い通路を歩いて行く。何か四角い物をマインの指が押した瞬間、パッと辺りが明るくなった。

「何だ⁉」

「あ、『電気』です。本屋で見たでしょう？」

マインが上を見ながら、指差すと、先程見た物よりずっと小さな白い明かりが見えた。あの四角い物に魔力のようなものを流し込んでいるのだろう。明るくなった通路の壁にはいくつかの絵が飾られていた。マインが「腕は伴っていない」と言うのも無理はない絵が並んでいる。

「統一性もないでしょう？『水彩画』に『油彩画』、絵がうまくないのは画材が悪いと言い出して『日本画』。やっぱり簡単な『色鉛筆』にすると言ったかと思ったら絵はダメだった。字なら何とかなると『書道』。わたしの花嫁修業だ、って言い出して、『茶道』に『華道』も連れ出されました。お母さんが先に飽きて、お教室は辞めちゃいましたけど」

笑いながらマインが目元を拭った。何とも言えない懐かしさと愛しさが胸をいっぱいに占めているのがわかる。それは家族と縁が薄い彼が知らない感情だった。

「節約生活に自然派生活で何でも手作りに凝っていた時期もありましたよ。やり始めると熱中するので、付き合わされるのに辟易《へきえき》していた時もあるんですけど……振り回されたおかげで、わたし、マインとして生きていけるんです」

リンシャンや石鹸を作ったのも、膠、インク、絵具の類を自作したのもその頃のことだと言う。そんな話をしているうちにマインの目には熱いものが込み上げてきて、視界が歪んだ。

「すみません、神官長。久し振りすぎて……」

マインは目元を押さえて小さい部屋に駆け込んだ。柔らかくてふんわりとした触感の布地を手にして、金属の管が台に埋め込まれるようにある白い陶器の前に立つ。そのままマインは躊躇いもなく金属の管の上の方に付いている丸い物をキュッキュッと捻った。

「なっ⁉　水⁉」

金属の管から突然水が出てきた。マインはバシャバシャと顔を洗って、先程のふんわりとした柔らかな布で顔を拭う。どうやらこの柔らかな布はタオルと同じ用途で使われるらしい。

……これは心地良い。持って帰れないものか。

「マイン、こちらは何をする場所だ？」

「ここは『洗面所』で、あっちがお風呂。あの長いぐにょんとしたのが『シャワー』です」

マインがそう言った瞬間、今度は甘い香りのするお湯の中にいた。たっぷりと張られた乳白色の温かい湯に浸かっていて、視界には乳白色の湯の中にうっすらと裸体が見える。

「わぉ！　お風呂だ！　『入浴剤』がいい匂い。この『桃』の匂い、大好きだったんですよ」

彼の心情も知らず、マインはうっとりと甘ったるい匂いのするお湯を両手ですくった。

「恥じらえ、馬鹿者！　女性として、淑女としての恥じらいとか、羞恥心《しゅうちしん》はどこに行った⁉」

意識を同調しているせいで、自分では目を逸らすこともできない彼がそう叫んだが、マインは嬉しそうにそのお湯で顔を洗いながら、「大丈夫。気にしません」と首を振る。

「羞恥心なんて、マインとして生き始めた三日間で捨てました。だから、神官長も気にしないでください。子供だから恥ずかしくないもん」

マインとして生き始めた三日間で、マインはまだ自分の父親と受け入れられなかった男性に着替えをさせられたらしい。恥ずかしさに泣いて嫌がっても無駄で、その状況を受け入れるしかないと諦めた時に、女性としての羞恥心は捨て去ったと言う。

「父親と私は別だろう！」

「当時はわたしにとってまだ父親じゃなかったんですよ。神官長だって、別にこんな幼女の裸を見たところで何とも思わないでしょう？　問題ないですよ」

彼自身がマインの裸体に何とも思わないのと、マインが裸体を晒すことに何とも思わないのは大きく異なるはずだ。さすがに警戒心ばかりか羞恥心までないとは思わなかった。

「私は今、君の羞恥心のなさに危機感を覚えている！」

「成長したら、また出てきます。きっと」

マインは浴槽から出て、鼻歌交じりに髪を洗い始めた。これまた香りの強い泡に包まれる。

「あぁ、この泡立ち！　最高！　気持ちいい！」

何とも言えない感動と満足感に打ち震えながらマインはシャワーと呼んでいた管に手を伸ばした。くいっとマインのもう片方の手が金属の棒を動かすと豪雨のような水が飛び出してくる。

「うわっ⁉」

「これで泡を流しますから」

シャワーを使ってマインは髪の泡を流し始めた。風呂に入るのに側仕えがいないことが不思議ではあったが、側仕えがいなくても洗えるようになっているらしい。

「ここでいくら洗っても、夢の中だから現実には全く関係がないぞ」

「わたしの満足感は大違いですよ。うふふ～ん」

マインは髪を洗い終えると、今度は蜂蜜のような甘い香りがする石鹸で身体を洗う。その泡立ちや香り、仕上がりの手触りからは王侯貴族より良い物を使っているような気がする。

全身を洗って、ゆったりとお湯につかるマインの心の中は恍惚とした満足感でいっぱいだ。

「マイン、ずいぶん満足したようなので別の物を見せてもらっても良いか？」

次の瞬間、先程顔を洗っていた白い陶器の前に立っていた。そして、マインは棚から何やら奇妙な物体を持ち出してきた。青くて、つるつる艶々《つやつや》とした素材だが、金属とは趣が異なる。素材の見当がつかない。マインが指を動かすと、それは突然ブオオオォォォ、と耳障りな騒音を立て始める。同時に皮膚が焼けるような熱風が吹きつけてきた。

「何だ、これは⁉」

「髪を乾かす道具です」

高価な鏡が風呂にもここにもある。マインは予想以上に高位の貴族の娘だったようだ。

「神官長、これが『髪ゴム』で、こうやって髪を結うための物なんです」

いつの間にかドライヤーというるさい物を片付けたマインは、みょんみょんと指先でカミゴムを伸ばしたり、縮めたりしていた。

「神官長、こういう伸び縮みする素材って何か心当たりありますか？」

「……近くにはないな。グミモーカの皮が似たような感触をしていたと記憶している」

「遠くにはあるんですか⁉　どこにありますか？　輸送費ってどのくらいかかります？」

思考回路が商人だ。マインが新しく商品を発明する過程を見せられた彼は軽く息を吐いた。このような全く違う世界で当たり前にある物を再現しようとして奮闘して新商品を開発しているに違いない。素材を探すにも苦労していることが察せられた。

「残念ながら、かなり遠い上に、グミモーカという魔木を倒さなければならない。種類も倒し方も違うが、トロンベのような魔力を持つ木だ」

マインは、「トロンベかぁ」と落ち込みながら、さらりと長い夜空の色の髪を後ろで無造作に結っていく。フェルディナンドにとって、マインが髪をまとめる物は簪だと思っていたのでカミゴムという物を使うことに違和感を覚えずにいられない。

「簪は使わないのか?」

「あ〜、簪は苦肉の策です。ここでは『和装』の時でもなければ簪なんて使いません。う〜ん、成人式が一番見栄えが良いかな?」

マインが記憶を探ると、雪がちらつく寒い風の中へと景色が変わった。色とりどりの艶やかな見慣れぬ服を着た若者が多数いる。成人式と言ったので、これは貴族院の卒業式のようなものだろうと彼は見当を付けた。袖が地につきそうなほどに長い美しい衣装を身につけていることから考えても、貴族の集まりに間違いない。

「儀式用の衣装の刺繍に使った柄も、この衣装ではよく使われる『流水紋』なんですよ」

「あぁ、なるほど。確かに少し面影があるな」

マインの簪よりよほど派手な髪飾りをつけた女性が着ている赤い衣装には、マインの儀式用の衣装に用いていたような水の曲線と花を描いた柄が見られた。

「マイン、あれは刺繍か？」

「えーと、『振り袖』で一部ならともかく、全て刺繍されているのは少ないですよ。『友禅染《ゆうぜんぞめ》』なんかは布に直接絵を描くんです」

「布に直接？　どのようにするのだ？」

布に描こうとしても染料がにじんでしまうのではないだろうか。

「……貴族街にもないんですか？」

「糸の色を変えて織り込んだり、刺繍したりはするが、このような絵を描くのは知らぬ」

「へぇ、じゃあ、ベンノさんに高く売れそうですね」

うふふっ、と笑ったマインの心の中はすぐさま金額の算段でいっぱいになる。

「なるほど。ここの知識が君の価値ということか」

「わたしが作った物の原点はたいていお母さん仕込みなんですけどね」

マインはくすっと笑いながら細い通路へと出て別の扉を開ける。そこは彼が見たことのない物ばかりが詰まった奇妙な部屋だった。

「ここは台所、えーと、厨房です。ここで食事を作って、あっちで食べるんですよ。これはね、『ガスコンロ』です。こうするだけで火が点くんですよ。便利でしょう？」

マインが奇妙な模様のついた四角い物を押すと、ボッと音を立てて火が点いた。青い炎が揺らめいた。こちらの世界では火は青いものらしい。何より不思議なのはマインが手を離してもずっと火が消えないことだ。魔術で火を点けることはできても、燃やし続けるには薪か大量の魔力が必要になる。薪も何もなく火が点くことに目を見張っていると、マインはもう一度同じところを押した。するると、何もなかったかのように火が消えた。

「……マイン、あの大きな白っぽい箱はなんだ？」

「これは『冷蔵庫』です。食べ物が詰まっていて、傷まないように冷やしておくための物です」

ガッとマインが扉を開けると、ひやりとした冷気が漂ってくる。中に入っているのは色とりどりで見慣れない物ばかりだが、同じ使い方をする物を知っているので、物が小さいことに驚きはしたけれど、ガスコンロほどの驚きはなかった。

「あぁ、貯蔵用氷室か」

「え？『冷蔵庫』があるんですか？」

「今更何を。神殿にはこの部屋より大きな貯蔵用氷室があるし、フランは利用しているはずだ」

「来客があるとミルクの種類がいつの間にか増えるから不思議だなぁとは思っていたんですけど、『冷蔵庫』があったんだ」

知らなかった、とマインがわかりやすく落ち込んだ。「知ってたらもっと料理の幅が広がったのに」と呟いている。フランから聞いたマインの部屋でのメニューは、聞いただけではよくわからない物ばかりだが、種類はかなり豊富だったはずだ。まだ増やすつもりなのだろうか。

「……君の部屋の料理はかなり種類が多いと聞いているが、それもここの料理なのか？」

「そうです。ここの『洋食』をなるべく再現していて……あ、今ならおいしく食べられるかも⁉

どうしよう？　お腹が空いてきた気がする」

マインの興奮度が急上昇し、辺りを見回し始める。何か思い出したのか、ふっと景色が変わった。同じ部屋だが、立っている場所と方向が変わり、背後でカチャカチャと音がし始める。

「お腹が空いてきたなら、早くご飯食べちゃって。片付かないでしょう？」

突然背後から女性の声がした。マインの心臓がドコンと跳ねて、身体が石になったように固まる。叱っているのに口調が柔らかく感じるのは、マインの心情が大きく関与しているのだろうか。震える手をきつく握ったマインがくるりと振り向くと、先程からマインの記憶に何度も顔を見せる黒髪の女性が食器をテーブルに並べていた。

「……お母さん」

「今日は好きな物、作ってあげたから、冷める前に食べちゃって」

マインは小さく頷いて、四人が座れるようになっているテーブルへと向かう。この部屋の案内をしてもらっていた先程までは何もなかったはずなのに、マインの記憶が再現されたのだろう、そこには食事の準備が整った食卓があった。マインにとっては見ただけで目を潤ませるほどに嬉しくて懐かしい物らしいが、一体何が並んでいるのか、フェルディナンドには全くわからない。黒いものや茶色のものが並んでいて、あまりおいしそうだとは思わなかった。

「マイン、これは食べ物か？」

「はい。わたしが食べたかった物ばかりです。炊きたての白い『ご飯』、『豆腐』と『わかめ』に『薬味ネギ』がたっぷりかかった『お味噌汁』、『ぶりの照り焼き』とお母さんの『肉じゃが』と『五目ひじき』。それから、お母さんが漬けた『お漬物』です」

込み上げてくる郷愁を呑み込むように息を吸い込み、マインは目を潤ませながら、そっと静かに両手を合わせた。目を伏せるようにして軽く頭を下げる。

「いただきます」

たったそれだけの短い言葉の中に、胸が痛くなるような幸せと感謝が詰まっていた。赤い色の付いた二本の棒を器用に操り一口目を口に入れた瞬間、マインの目から涙が零れた。

「ん、お母さんの味……」

マインはゆっくりと何度も噛み締めて、最初から最後まで丁寧に味わっていく。じんわりと隅々まで広がっていくような優しい味は、彼自身は食べたことがないのにおいしいと、懐かしいと感じる母の味で、胸を占める郷愁は嬉しくて、悲しくて、酷く複雑なものだった。

「おいしいよ、お母さん」

「あら、珍しいわね。欲しい本でもあるの？」

マインが褒めると、目の前で同じように食事を摂っていた女性は目を丸くした後、クスクスと笑った。自分の趣味に付き合わせていた時にも見せていた、娘を見守る愛情に溢れた目だ。

「本はいっぱい欲しいけど、そうじゃないよ。……本当に、おいしい」

全てを残さずにマインは食べ切った。そして、食べる前と同じように手を合わせて、「ごちそうさまでした」と頭を下げる。そして、まだ食べている母親をマインはじっと見つめた。

「お母さん、ごめんね」

顔を上げた母親にマインはぼろぼろと大粒の涙を流しながら、深く頭を下げる。

「……逆縁《ぎゃくえん》の親不孝をしてごめんなさい。死んでから親の愛情に気付いた馬鹿な娘でごめんなさい。大事に、大事に、やりたいことばかりさせて育ててくれたのに、何も返せないままに死んじゃって、ごめんなさい」

マインの中にある後悔と反省と懐かしさと家族に対する愛情が全て流れ込んでくる。複雑に絡み合った想いと同調することにこれ以上耐えきれず、彼は同調を切った。


フェルディナンドはマインに覆いかぶさるようにしていた身体を起こしてマインから離れると、床に膝をついたままの状態で大きく頭を振る。

「……最悪の気分だ」

マインに同調しすぎた。彼までつられて泣いていた。同調を切ったので、マインも直に目覚めるはずだ。彼はすぐさま袖口で目を拭う。すぐそこで眠って目を閉ざしたままのマインの目尻からも涙がずっと零れているのが見えた。

長い睫毛《まつげ》がピクリと動き、ゆるゆるとマインの目が開く。何度か瞬きをした後、ゆっくりと首を動かしたマインは彼を見てへにゃりと笑った。

「あ、神官長。おはようございます」

目を覚ましたマインがまだまだ零れてくる涙を袖口で拭いながら、のっそりと起き上がる。長椅子に座った状態のマインと床に膝をついたままの彼はちょうど視線の高さが同じだ。マインはまだ潤んで揺れる金色の目を細めながら、ひどく嬉しそうに笑みを浮かべる。

「神官長、記憶を見せてくれてありがとうございました。……わたし、ここで生活しているうちに、だんだん記憶がおぼろげになってきてたんです」

魔術具だからこそ埋もれた記憶を鮮明に掘り返せるが、人の記憶は年月と日々の生活に埋もれていくものだ。マインの記憶が薄れていくのは当然のことである。

「……お母さんのご飯をおいしく食べられるなんて思わなかったし、夢の中とはいえ、ちゃんと謝れるなんて思っていませんでした。わたし、今、すごく嬉しいんです」

フェルディナンドはマインに真っ直ぐに見つめられて感謝されても、すぐには言葉が見つからず、何をどう言って良いのかわからなかった。彼の中にはまだ複雑なマインの感情が巣食っていて、何を言えば自分のものではない自分の感情が落ち着くのかもわからない。

「あの、もしかして、意識を同調していたから、わたしの感情が全部伝わっちゃったんですか？」

「そうなるのが当然なのだから、仕方あるまい」

彼が軽く息を吐くと、マインはすっくと立ち上がった。

「神官長、ぎゅーって、してあげます」

「は？　君は何を言っている？　ぎゅーとは何だ？」

何をされるのか、わからなくてわずかに身構える彼の首にマインが「こうです。ぎゅー」と言いながら腕を伸ばして抱きついてきた。

「わたし、こういう夢を見てぐちゃぐちゃな気分の時はトゥーリにぎゅーってしてもらうと落ち着

くんです。わたしにはルッツや家族がいるけど、神官長はしてくれる人がいないでしょ？」

予想外の事態に固まる彼の耳元でマインの少し得意そうな声が響く。「余計なお世話だ」と剥がすのは簡単だったが、そうする気分にもなれない。本当に感情が波立っていて疲れていた。

ぐちゃぐちゃな気分なのはマインも同じなのだろう。しがみついているマインの呼吸がだんだん整ってくるのがわかった。ある程度落ち着いたのか、ハァと息を吐いたマインが少し首に回していた腕の力を弱める。

「神官長、これ、また使ってください。わたし、本を読んだり、『和食』を食べたりしたいです」

「断固として断る。君と同調するのはこりごりだ」

今度こそマインを引き剥がし、彼は額の魔術具を外す。こんなに感情に振り回される同調を何度もするつもりはない。引き剥がされて断られたマインは衝撃を受けたように目を見開き、「同調してくれるって約束してくれるまで返しませんからね」と頭を抱えてしゃがみ込んだ。

……さて、この馬鹿者について、領主には何と説明するべきか。

犯罪や悪事なんて考える余地もないほど、本のことしか考えていない本狂い。ついでに、危機感も羞恥心もこちらの常識もなくて、目を離したら何をしでかすかわからない厄介な存在。けれど、領主を凌ぐほどの膨大な魔力と、我々の知らない異なる高度な文化を持った世界の知識を持っていて、その価値は天井知らず。これまでベンノがしてきたように上手く使えば、莫大な利益をエーレンフェストにもたらす存在になる。少なくとも余所に取られるわけにはいかない。これの監視と手綱が取れる人物が必要だ。

「ふむ、囲い込みは必須だな。餌は本か」

「え？　同調してくれるんですか？」

どこをどう聞けば、そうなるのか、わからない。目を輝かせて袖口をつかんだマインの能天気な顔を冷ややかに見下ろして、フェルディナンドは即座に魔術具を取り上げた。

青色巫女見習いの側仕え

「ロジーナ、そのように感情を顔に出してはなりませんよ。美しく余裕を持って微笑むのです。感情は芸術に昇華するもの。悲しい時は楽器を弾き、美しいものを見た時は絵に描き、心揺さぶられた時は詩を作るのです」

そうしているうちに心は凪《な》いでいくものよ、とクリスティーネ様は微笑んでおっしゃいました。

クリスティーネ様は父親の第一夫人に疎まれているという理由で、害されないように神殿に避難して過ごしている青色巫女見習いでした。

二の鐘が鳴った後でゆっくりと起床し、身形を整えてから起こしに行っても、宵っ張りで朝がゆっくりのクリスティーネ様はなかなか起きてくださいません。

「ロジーナ、今日は何が良いかしらね？」

起きない主を見下ろしながら困ったような笑顔を浮かべたヴィルマがわたくしに視線を向けるのを合図に、他の側仕え達がいくつかの曲名を挙げていきます。その中からわたくしはクリスティーネ様の気分が浮き立つような曲を選んで音楽を奏でます。フェシュピールの時もあれば、笛の時もあります。どの楽器を選ぶかもその日の気分です。一曲奏で終わる頃にはクリスティーネ様が目を覚ましていて、笑顔で次の曲を所望されるのが常でした。主が望むままに曲を奏でている間に側仕えの灰色巫女達がクリスティーネ様を着替えさせていくのです。

三の鐘には家庭教師が派遣されてきたり、貴族街の家へお戻りになったりするので、クリスティーネ様は実家から派遣されている側仕えと一緒に行動されます。クリスティーネ様がお忙しい時間帯はわたくし達でクリスティーネ様のお部屋を整えたり、足りない画材の補充を灰色神官達に頼んだり、灰色神官達からお手紙やクリスティーネ様の署名が必要な書類を預かったりするのです。

昼食を挟んでお勉強と雑務の時間を終えると、早目のお風呂です。側仕えの灰色神官達にお湯を運ばせ、ゆったりとしたお風呂の時間を過ごされます。そして、夕食を済ませば、その後は「クリスティーネ様はもう休む支度が整いました」の一言で来客のお断りも簡単になります。

お休みの支度が整ってからがクリスティーネ様の一番楽しい時間です。詩を作ったり、絵を描いたり、音楽を奏でたり、クリスティーネ様が眠たくなるまで皆で楽しく過ごすのです。

「お勉強は家庭教師が来た時と貴族街へ行く時だけで十分よ。神殿では楽しく過ごさなくてはね。雑務は灰色神官に任せておけばよいのです。そのために彼等はいるのだもの」

部屋の雑務は灰色神官が、神殿の雑務は青色神官が行い、青色巫女とその側仕えは美しい芸術に浸って楽しく毎日を過ごすのが仕事だと歌うようにおっしゃいました。

「美しいものだけを見て、聴いて、感性を磨くのよ。ほら、見て。これはとても綺麗でしょう？」

クリスティーネ様はそうおっしゃって、貴族街から珍しいものや新しいものを持ち込んでいらっしゃいました。お部屋には様々な曲の楽譜があり、絵を描くための絵具や紙が惜しげもなく準備されていて、魔術具という貴族だけが持っている不思議な道具がいくつもありました。

……それが青色巫女見習いの生活なのに、どうしてマイン様は理解してくださらないのかしら？

新しく青色巫女見習いとなったマイン様は顔立ちが整っていて、表情がくるくるとよく変わり、可愛らしいけれど、動きに品がなくて洗練されていらっしゃいません。礼儀作法も知らず、言葉遣いもぎこちないものですし、読書はお好きでも芸術に理解がなく、クリスティーネ様とは比べものになりません。

ですから、マイン様に教養をつけるためにクリスティーネ様の生活をよく知るわたくしが神官長の命令で召し上げられました。それなのに、何故教育を任されたわたくしが下働きをしなければならないと言われたり、フェシュピールを弾いていて文句を言われたりするのでしょう。

「ロジーナ、明日までに考えてくださいい。孤児院に戻るか、クリスティーネ様の時と違う環境を受け入れるか。わたくしでは貴女のクリスティーネ様になることはできません」

マイン様の言葉をわたくしはすぐに理解することができませんでした。けれど、明日までに、と期限をつけられたのですからマイン様は本当にわたくしを孤児院に戻すおつもりなのでしょう。

クリスティーネ様から言われていたように心の乱れが表に出ないように優雅に、それでも、普段より心持ち速足になって孤児院へ向かい、ヴィルマの部屋の扉をノックしました。

「どうぞお入りになって」

わたくしが入ると、部屋で薄い木の板にカルタのための絵を描いていたヴィルマが振り返りました。自分を受け入れてくれるヴィルマの変わらぬ穏やかな笑顔を見た瞬間、耐えきれなくなった涙が零れ始めます。

「ヴィルマ、聴いてくださいませ。わたくしの心をわかってくれるのはクリスティーネ様の側仕えだったヴィルマだけです」

ヴィルマが作業する手を止めて、椅子をくるりとベッドの方へと向けます。わたくしは向かい合うようにベッドへ腰掛けて、マイン様の側仕え達のひどさを訴えました。教養の欠片もなく、芸術を解することもなく、フェシュピールの音をうるさいと表現するデリアのこと、デリアに迎合して領く乱暴な物言いのギルのこと、そして、灰色神官なのに灰色巫女に仕事を命じるフランのこと。

「わたくしは青色巫女見習いの側仕えとして当たり前の生活を送っているだけなのに、これまで青色巫女見習いに仕えたことがない彼等はその生活を理解しようとしないのです。マイン様を少しでも青色巫女見習いらしくするためには音楽を奏で、詩の美しさを競い、美しさを留めるために絵を描いていたあの頃のような生活を送れるようにしなければならないのに……」

神官長の執務のお手伝いなど以前は他の青色神官がしていたことですから、別にマイン様がしなければならないことではございません。それに、孤児院の世話はヴィルマに、工房や下町のことはギルやギルベルタ商会に任せれば良いことです。マイン様は図書室と本よりも青色巫女見習いらしい芸術を愛する生活を送るようにするべきなのにわかっていないのです。

「芸術の美しさを理解し、愛でることこそ人生の喜びだとクリスティーネ様はおっしゃっていたもの。ヴィルマならば理解できるでしょう？」

わたくしが尋ねると、ヴィルマは困った子を見るように眉を少し下げました。

「芸術に浸るのが喜びであることはわかりますけれど、その年頃の子供達に夜遅くの楽器は迷惑でしょうね。孤児院の子供達の部屋で弾かれたら、わたくしも困ってしまうわ」

まさかヴィルマに自分の意見を否定されると思っていなかったわたくしは驚きに目を見張りました。何故、と思うわたくしにヴィルマはおっとりと頬に手を当てます。

「クリスティーネ様のお部屋では朝がとてもゆっくりでしたけれど、孤児院と同じように、マイン様のお部屋も朝早いのでしょう？」

起床時間です、と驚くほど朝早くから部屋の扉を叩くデリアを思い出し、わたくしは目を伏せました。朝早くから忙しく動き回るのは優雅ではありません。けれど、彼等は「これが神殿の起床時間」と言って譲らないのです。

「フランは何とおっしゃいますか？　元々神官長の側仕えでしたし、まだ幼い子供達とは違って公正な目で物事を見ているのではありませんか？」

「フランをマイン様が信頼し、頼りにしているのは見ていればわかりますけれど、フランは青色巫女見習いとその側仕えについては何もわかっていません。灰色神官なのに、指示しても動いてくれないのです。力仕事もしてくれないのに、何かとわたくしに命令する困った方です」

側仕えの神官が側仕えの巫女に命令するなんてあり得ません。神官は雑務をして、巫女は芸術を主に捧げるのが仕事なのですから。それなのに、ヴィルマは驚いたように目を瞬きました。

「フランがロジーナに命令するのは当たり前でしょう？　フランはマイン様の筆頭側仕えで、ロジーナは新入りの見習いですもの」

「でも、わたくしはフェシュピールの……」

反論しようとしたわたくしを遮るように、ヴィルマはゆっくりと首を振りました。

「ロジーナ、マイン様とクリスティーネ様は違うのですよ。同じことを望んでも、受け入れられるはずがありません」

「……マイン様と同じことをヴィルマが言うなんて」

信じられない、とわたくしが呟くと、ヴィルマがそっと息を吐きました。

「他にマイン様は何とおっしゃったのかしら？」

「夜遅くの楽器は皆の迷惑になるから七の鐘が鳴ったら終わりにするように、ということと、楽器を扱うのに手が大事なのは理解できるから下働きをしたくないならば書面の代筆をしてほしいということ、それから、部屋や工房や孤児院の帳簿の計算などをしてフランの負担を減らしてほしいとおっしゃったわ」

側仕えになると読み書き計算を教えられるので、わたくしも全くできないわけではありません。けれど、雑務は灰色神官の仕事ですし、クリスティーネ様の側仕えの灰色巫女は字の美しさを競ったり、詩を書いたりすることができても、実務的な書面の代筆は経験がありません。計算は苦手で、ほとんど戦力にはなりません。本当に芸術だけに特化した側仕えなのです。

「フランの負担を減らしたいのならば、側仕えを増やせばよろしいのに……」

「マイン様はクリスティーネ様と違って平民ですもの。十人以上も側仕えを召し抱えることができるほど財力はないでしょう。まだ洗礼式も終えていない子供達に、お腹いっぱい食べたかったら孤児院の費用は自分で稼ぐように、とおっしゃる方ですよ」

ヴィルマの言葉に少なからず衝撃を受けました。青色巫女見習いが側仕えを増やす財力がないということがすぐに理解できません。欲しいものは望めば手に入るのが青色巫女ではありませんか。

「平民でもマイン様は青色巫女ですのよ？　そんなはず……」

「神殿にいる青色神官も側仕えは五人ほどでしょう？　クリスティーネ様が特別だったのです」

実家から派遣された側仕えが二人、芸術を楽しむための灰色巫女を六人、下働きや実務のために灰色神官を四人、料理人や助手がいて、家庭教師を数人雇えたクリスティーネ様を基準に考えてはならないと言われ、わたくしは愕然としました。マイン様は平民なのでクリスティーネ様とは違います。けれど、考え方やこれまでの教育が違うだけだと思っていました。青色巫女見習いなのだからクリスティーネ様と同じようになるように生活を導くのが自分の役目だと考えていたのです。財力の違いなど考慮したことはありませんでした。

わたくしを明るい茶色の瞳で静かに見ていたヴィルマがそっと息を吐きました。

「ねぇ、ロジーナ。貴女にマイン様の側仕えは合わないのではないかしら？」

「……マイン様は明日までに考えなさいとおっしゃったわ。孤児院に戻るか、クリスティーネ様の時と違う環境を受け入れるか、好きな方を選びなさいと」

「そう。では、後はもうロジーナの問題ですね。わたくしにはマイン様が最大限に譲歩してくださっているように思えます。心からお仕えする、と口では言いながら仕えるべき主に譲歩させておいてまだ不満があるのでしたら、ロジーナにはクリスティーネ様の側仕え以外は無理だということです。周りに迷惑をかける前に孤児院に戻った方がよろしいでしょう」

ヴィルマの言葉が胸に深く刺さりました。クリスティーネ様の側仕えであったヴィルマにここまで突き放された答えを返されると思いませんでした。

「ヴィルマは……灰色神官の仕事を巫女にさせるなんて、間違っているとは思わないの？」

「えぇ。クリスティーネ様以外のお部屋では当たり前のことですもの。ロジーナがマイン様ではなく、他の青色神官の側仕えに召し上げられたなら、楽器がなかったかもしれません。花捧げも仕事だったかもしれません。それに不満を漏らしますか？」

青色神官を前にして「楽器がないところに行きたくない」とか「花捧げは教養ある巫女のすることではない」などという灰色巫女見習いの主張が通るわけがありません。不満を漏らしても受け入れられることがないので、わたくしは不満を口にすることもしなかったでしょう。

……仕える主が必要とする能力を伸ばすために、それぞれの側仕えには違う教育がされることは知っていたのに。青色神官が相手ならば、不満を口にせずに合わせる努力をしたのに。

わたくしは流れる涙をそのままにそっと目を閉じます。

わたくしは自分がクリスティーネ様と過ごしたような時間を取り戻すために、仕えるべき主であるマイン様を変えようとしていました。自分の知っている青色巫女見習いにすることだけを考えて、わたくし自身を変えようとは全く考えていませんでした。

クリスティーネ様の側仕えに必要だった能力とマイン様の側仕えに必要な能力は違います。そんな当たり前のことにさえ気付こうとしないほど、わたくしは頑なだったのです。青色巫女見習いに仕えても、どれほど望んでも、あの頃には戻れないのだと認めたくなかったのでしょう。

目を閉じたまま、わたくしはクリスティーネ様と過ごした時間を思い出しました。フェシュピールの音。一緒に奏でていた音楽。軽い笑い声が部屋に響き、芸術に浸って過ごす優雅な時間。おそらく、わたくしの人生で最も幸せで充実した時間でした。

それから、クリスティーネ様のご帰宅と共に孤児院へ戻され、不満を抱えて孤児院で過ごした時間を思い出します。楽器もなく、食事も少なく、下働きをして手が荒れていくのを悲しく思っていました。音楽はなく、楽器を奏でることもできず、板の上で指を滑らせてフェシュピールの音を頭で思い描くだけの日々でした。あの頃のわたくしは青色巫女見習いの側仕えに戻りたいとずっと願い続けていたのです。

……マイン様の側仕えとして実務を覚えるか、フェシュピールもない孤児院へ戻るのか。

フェシュピールを再び弾けた感動を思い出せば答えは簡単に出ました。わたくしはマイン様のお部屋で再びフェシュピールを弾けたあの時、抱える楽器の重みに溜息を漏らし、手に触れる弦の硬さに頬が緩み、ピィンと鳴る音に涙が零れそうになるほど嬉しかったのです。音楽のある生活を手放すことに比べれば、実務を覚えることなど何でもありません。

「ヴィルマ、わたくしは少しでも音楽に係わっていたいと思います。ですから、マイン様の元に戻ります。そして、実務を覚えます」

「マイン様は努力すれば認めてくださるわ。初めて孤児院でご褒美を下さった時のように……。わたくしには話を聞くことしかできませんけれど、頑張って」

それから、わたくしはマイン様の側仕えとして苦手な計算にも向き合い、実務の勉強も始めました。クリスティーネ様の側仕えではなく、マイン様の側仕えになるために。

そうして初めて知ったことは、マイン様の実務能力の高さです。幼いながら計算能力はわたくしよりもずっと高く、フランの仕事をする時に役に立っているのはわたくしよりもマイン様の方でした。マイン様が手伝ってくだされば実務も何とかなるそうですが、マイン様は神事や青色巫女見習いとしての教養を身につけなければなりません。マイン様の時間を空けるためにはわたくしが頑張らなくてはならないとフランに言われました。

「ロジーナ、こちらをヴィルマに渡してきてください」

「かしこまりました」

表情を隠したり読んだりすることに慣れていないマイン様と違って、フランには多少わたくしの顔色も読まれているようで、文書仕事にぐったりとしてくるくらいの頃合いを見計らって、孤児院や工房へのお遣いやマイン様に神々の話をする時間を与えられます。

ペンとインクを片付けて、わたくしは孤児院へ向かいました。マイン様の側仕えとして自分を変えて行こうと決意してから孤児院へ向かうのは初めてです。考えを変えるために助言してくれたヴィルマにはお礼を言わなければなりません。

「ヴィルマはいるかしら?」

扉のすぐ近くにいたリジーに尋ねると、「子供達の食事を見ているわ」とリジーは食堂の奥を指差しました。マイン様達青色が食べ、側仕えが食べ、更にその後孤児院へ食事が下げ渡され、その中でも成人、洗礼済み、洗礼前と順番に下げ渡されていくため、幼い子供達の食事が一番後回しになります。わたくしはお昼を終えてかなり時間がたったのですが、子供達はこれから昼食のようです。奥のテーブルには六人の子供達とヴィルマの姿が見えました。

「皆に行き渡りましたか？　では、神の恵みに祈りと感謝をして、いただきましょう。幾千幾万の命を我々の糧としてお恵み下さる高く亭亭《ていてい》たる大空を司る最高神、広く浩浩《こうこう》たる大地を司る五柱の大神、神々の御心に感謝と祈りを捧げ、この食事をいただきます」

ヴィルマに続いて、幼い子供達が声を揃えて唱和し、一斉に昼食を食べ始めました。お腹が空いているようで一心不乱に食べています。ヴィルマは先に終えているようで、食べ方を教えたり、食べこぼしを片付けたりしているだけですが、六人の子供達の面倒を一度に見るのは大変そうです。

「今日のご飯もおいしいですね。スープがおいしいです」

「今日は野菜が揃っているからリジーが当番にいたかもね？」

「このスープはマイン様が作り方を教えてくださり、皆が森で採ってきた食材や作った紙を売ったお金で材料を買って作っているのですよ」

「ヴィルマはいつもそればっかり。その後はこうでしょ？　マイン様に感謝なさい」

以前は地階に閉じ込められていた洗礼前の子供達が楽しそうに食堂で食事をしている光景はマイン様がもたらしたものです。神の恵みが多い日も少ない日も、テーブルの上に必ずスープが並ぶようになったのもマイン様のおかげです。クリスティーネ様ならば孤児院に見向きもしなかったし、地階の子供達を見れば「美しくないものは目に入れたくないわ」と不快そうに少し眉をひそめるだけで、救おうと考えたり、実行したりはしなかったでしょう。

自分を変えようとすることで、わたくしはマイン様の良いところに気付くようになりました。下町との繋がりも、工房の運営も、孤児院の環境を良くすることも芸術の邪魔だと考えていたけれど、孤児院にいたわたくしはそれらのマイン様の行動に救われてきたのです。

「あら、ロジーナ。その後、どうかしら？」

子供達の食事の世話をしていたヴィルマがわたくしに気付いてこちらへやって来ました。わたくしはフランから預かった木札を手渡しながら微笑みます。

「こうして苦手な計算もしています。……それに、マイン様がわたくしの動きや言葉遣いを褒めてくださって、頑張って真似たいとおっしゃっていたの。ヴィルマが何か助言をしたのでしょう？」

「わたくしは神殿にいる中で最もお手本になるのは、洗礼式の直後からクリスティーネ様と長い時間を過ごしてきたロジーナですよ、とお教えしただけです」

素直に教えを乞うことができるのもマイン様の美点です。わたくしはフランに教えを乞うのに今でも一瞬躊躇ってしまいますから。

「ねぇ、ヴィルマ。わたくし、こうして慣れない仕事を頑張る自分も悪くないと思えるようになりましたし、孤児院長室で小さな楽しみもできたのです」

「まぁ、どのような楽しみを見つけたの？」

「マイン様は平民だから、かしら？　クリスティーネ様もご存じなかった歌や曲をご存知なのです」

頭を揺らして拍子を取りながら知らない歌を歌っている姿をときどき見かけるのです。鼻歌だったり、小声だったりして、歌はよく聞き取れません。けれど、曲は何となく聞き取れるので、思わず木札に書き留めてしまい、フランに呆れられたこともございます。

「それに、デリアも少しフェシュピールに興味を持っているようで、時々弾いているところをじっと見てくる時があります」

七の鐘が鳴るまでがわたくしに許された演奏の時間です。その寝る前のゆったりとした時間をデリアと過ごすようになりました。「愛人を目指すため」というデリアの方向性には少し眉をひそめてしまいますが、「方向性はともかく、デリアの自分を磨く努力はすごいわ」というマイン様の言葉には頷いてしまうくらいに努力家なのです。

「そう。上手くいっているならよかったわ。苦手なことも努力するロジーナの姿勢はとても美しくてよ。きっとクリスティーネ様ならば絵に残そうとするでしょうね」

ヴィルマがクスクスと笑いました。苦手なことを努力するわたくしの姿はクリスティーネ様の絵には残りませんが、マイン様の資料の中には残っていきます。

「ヴィルマには心配をかけました。わたくしはもう大丈夫です」

神殿の料理人見習い

今日は孤児院の皆が豚肉加工に行っていて、わたし達は冬の間の助手をしてくれるモニカとニコラという灰色巫女見習いに料理を教えることになっている。量の多いオレンジに近い赤毛を二つに分けて三つ編みにしているニコラはおいしい料理が大好きということで、仕事中もずっとニコニコしている可愛い子だ。もう一人のモニカは深緑の髪を後ろで一つにまとめている寡黙で真面目な子である。フーゴさんが来なくなる冬の間の大事な助手なので丁寧に仕事を教えているのだが、二人とも素直で呑み込みが良い。

フーゴさんと新しく入った料理人のトッドさん、そして、ニコラとモニカと一緒にお昼の賄いを食べていると、ニコラがわたしに尋ねた。

「エラはどうして神殿の料理人になろうと思ったのですか？」

ニコラの質問にわたしの事情を知っているフーゴさんが視線を逸らし、トッドさんは興味を持ったように少し身を乗り出す。そんな様子を見たモニカが少しだけ視線を下げた。

「下町では神殿がとても忌避されているでしょう？　森へ行くために下町を通れば嫌でもわかります。でも、エラは神殿に来てくれているではありませんか。それに、嫌な顔もせずにわたくし達に料理の仕方を教えてくれました。どうしてなのかな、と不思議に思っていたのです」

そう言われて、わたしは神殿に来ることになったベンノさんとの出会いを思い出した。

……うわぁ、すごい富豪だ。

叔父さんに頼まれて飲食店協会まで税金の納入を待ってほしいというお願いをしに来ていたわた

しは、協会の中でも一番良い席に座った人に目を引き付けられた。こんな飲食店協会で見ることなんてまずないくらいにお金のかかった服を着ている。こんな富豪が一体どんな用があるのか、とわたしは注目し、富豪と協会の人の会話に耳を澄ませた。

「フーゴの助手になれそうな奴は見つかったか？」

「うーん……。フーゴ一人じゃ厳しいと思いますが、助手を探すのは難しいですって、ベンノさん」

この会話から察すると、ベンノさんという富豪は料理人の助手を探して飲食店協会に推薦《すいせん》を依頼に来ているらしい。ドクンと胸が鳴るのがわかった。身体中の血がふつふつと沸いてくるような感覚にギュッと拳を握る。

……これはもしかして、もしかして料理の神クウェカルーラのお導き⁉

「だからさ、エラ、こっちもそれほど待てるわけじゃないって……。おーい、聴いてるか？」

それまで自分が話をしていた協会の人に声をかけられたわたしはハッとして振り向くと、ベンノさんの方を指差して小声で尋ねた。

「ねぇねぇ、もしかしてあの富豪が料理女を探してるの⁉」

「へ？……あぁ、ベンノさんか。ギルベルタ商会が新しく作る食事処の料理人を探してるんだけど、必要なのはただの料理女じゃないんだ。神殿で貴族料理の修行ができる料理人なんだよ」

「……神殿で？」

街の人達にとって神殿は積極的に関わり合いになりたい場所ではない。下手に貴族に目を付けられるとどのようなことになるかわからないのだ。神殿には孤児院があって、そこに入るとお貴族様に奴隷のようにこき使われ、殺されても文句を言えないような立場になるのだ、と言われている。そして、女の子は貴族の慰み者になる、と聞いたことがある。

……でも、それって女給とどう違うの？

わたしは今、夜の酒場を経営している叔父さんの店で料理人見習いをしている。店の料理を手伝えるように料理人見習いという体裁をとっているけど、成人したら女給もさせられるようになる。叔父さんの娘である従姉のレーアが成人と同時に女給として店に出るようになったから、わたしもきっと同じだ。店に来る男達に愛想良く笑いかけ、話しかけ、時にはお金を渡されて部屋に呼ばれるようになるのだ。どんなに嫌だと思っても家業から逃れることは難しい。貴族の料理人の助手として抜擢《ばってき》されるか、成人までに独立資金を貯めて自分の店を持つか、どちらかしかない。貴族の料理人に抜擢されて、今は商業ギルド長の家で料理長をしているイルゼはわたしの目標だ。

……神殿で貴族料理の修行なら、貴族の料理を知ることができるってことじゃない？

「ねぇ、旦那様。神殿の料理人って女給もするの？」

わたしが声をかけると、ベンノさんは赤褐色の目を瞬いた。しかし、すぐに驚きの顔を引き締めて、検分するようにわたしを見つめる。

「……女給はいらん。巫女見習いの給仕はよく教育された側仕えがする。それ以前に青色巫女見習いの専属だからそんな仕事は必要ないし、平民の料理人は基本的に話しかけるのも嫌がられる」

女給の仕事をしなくても良くて、貴族のお嬢様の専属料理人見習いになれるのならば、わたしにとってはこれ以上の好条件などないのではないだろうか。

「わたし、まだ見習いだけど雇ってもらえる？　腕はちょっと自信あるよ」

ニッと笑って自分の腕を叩くと、ベンノさんはわたしを指差しながら協会の人に目を向けた。

「彼女はどうなんだ？」

「エラは基本的なことなら全部できる。即戦力の貴族の専属となればもうちょっと腕が欲しいところだけど、フーゴの助手として育てる気があるなら大丈夫だと思う。貴族の料理人を目指しているからやる気と根性はある」

「ふーん……」

わたしをじっと見ながら考え始めたベンノさんに、わたしと話をしていた協会の人が慌てたように「ちょっと待ってください、ベンノさん」と声をかける。

「神殿に行くことになれば、男ならまだしも、女は嫁の貰い手もなくなるじゃないですか。エラも考え無しに言うんじゃない。よく考えろ！」

考え無しという言葉に頬を膨らませた。よく考えた上の結論だ。わたしはたとえ家業だとしても女給になりたくないし、他の道を探したいのだ。

「成人すれば叔父さんの店で料理以外の女給の仕事もさせられるんだもん。わたしにとっては神殿も大して変わらないよ。それに、青色巫女見習いって貴族のお嬢様なんだよね？　わたし、貴族の料理人になって今の店から出たいと思ってたの。そのためなら神殿くらい平気」

ベンノさんの赤褐色の目をじっと見ながら、わたしは自分の決意を述べる。ベンノさんは満足そうに頷いた。

「……いいだろう。雇おう」

「叔父さんにはものすごく嫌な顔をされて反対されたけど、母さんはやってみなさいって背中を押してくれたんだよね。父さんが死んでから母さんも女給として働くしかなくなったから、エラが別の道を見つけたなら行きなさいって言ってくれて……」

「女給というのは神殿の花捧げのようなお仕事なのですね。わたくし達も青色神官に召されれば花捧げを断ることはできませんから、他の道を選びたいエラの気持ちはわかります」

「こうしてお料理の助手をすることで少しでもマイン様に顔や名前を覚えてもらって、マイン様の側仕えに召し上げられないか、という思いもあるのです」

街の噂通り、孤児院の灰色巫女には女給のような仕事もあるらしい。そんな花捧げから逃れて自分の環境を少しでも良くするために努力しているニコラとモニカの言葉に仲間意識が芽生える。

「カーサンさんがお優しい方でよかったですね」

ニコラとモニカが嬉しそうにそう言って頷き合っているのを見て、「カーサンさんって誰よ」って笑いたかったのを呑み込んだ。皆が当たり前に知っているはずの家族関係をどんなふうに説明していいのかわからない。わたしはちょっと微笑むだけで二人の言葉を流して、話を続けた。

「わたしは未成年だから、母さんの許可がないと店を移ることはできないの。それで母さんと一緒に飲食店協会でギルベルタ商会と契約をした時にフーゴさんと初めて会ったんだよ」

ニコラとモニカの目がフーゴさんに向かうと、フーゴさんが小さく笑った。

「神殿で仕事をする同僚がエラみたいな未成年の女の子だと思わなくて、ホントに驚いたぜ」

「わたしは初対面の時、意地悪そうな人でないことにかなり安心したんですよ」

わたしの同僚であり、先生でもあるフーゴさんは栗色の髪に茶色の瞳で、見るからに良い人そうな雰囲気をしている。「その見た目のせいで、俺はいつでも良い人止まりなんだよ！」と恋人ができないことを嘆いているフーゴさんを見て、ニコラとモニカは不思議そうに目を瞬いた。

「良い人なのは良いことですよね？　何か不都合があるのでしょうか？」

「わたしには全くないし、二人にも不都合なんてないから気にしなくていいよ」

笑い飛ばしながら、わたしはフーゴさんに視線を向ける。肩幅があり、腕ががっちりしているところは重い物を運ぶことが多い料理人らしい体格で、手には包丁を握ってできたタコがある。

初対面で握手を求められ、先に差し出されたフーゴさんの手に自分と同じような場所に包丁ダコが見えた。同時に、フーゴさんが同じようにわたしの手を見ているのを察する。わたしがニッと笑うと、フーゴさんもニッと唇の端を上げて「悪くない手だ。ひとまず合格だな」と言った。

……あの顔は結構カッコよかったんだよね。それに、仕事中も。

仕事中のフーゴさんは人の良さよりも真剣さや厳しさが表面に出ていて、仕事ができる男のカッコよさがある。恋人ができないのは仕事場に女の子がいなかったせいだと思う。

「わたしは女給から逃れたくてギルベルタ商会と契約をして神殿で料理人をすることに決まったんだけど、神殿はビックリの連続だったよ。ねぇ、フーゴさん？」

「あぁ、そうだな。今は結構慣れたけど、最初は驚いたよな。街とは違いすぎる」

フーゴさんだけではなく、トッドさんも大きく頷いた。

「俺は今でも驚いているし、お貴族様と会うかもしれないと思うと変な汗は出るし、手が震えて使い物にならない」

「トッドさんはもうちょっと慣れた方が良いと思いますけど」


神殿での料理人の見習い生活は今までとは全く違うものだった。まさか料理の腕より先に求められたことが手洗い、身綺麗、清潔さだとは思わなかった。最初に孤児院長室に入る前に「身なりを整えてください」と言われてフーゴさんと目を丸くして顔を見合わせてしまったくらいだ。

「清潔さは徹底していただきます。清めに関してはマイン様が出資するイタリアンレストランでも継続して行われる予定なので今から慣れてください。このままではマイン様に紹介もできませんし、仕事に取りかかってもらうこともできません」

「フーゴ、エラ。お前達が仕えるマイン様の筆頭側仕えのフランだ。彼の言うことには従うように。フラン、俺はホールで待っている。二人に神殿の常識を教えるのは頼んだ」

ベンノさんはそう言うと、フランにわたし達を任せて先に部屋へ入って行った。どうやらイタリアンレストランで働くことになってもマイン様との関わりは切れないようだ。気合を入れて清潔にするしかない。

わたし達はフランに連れられて井戸へ案内され、細かく身形の確認をされた後、顔と手の洗い方まで何度も注意される。贅沢に石鹸を使ってそこまでやる？　って思わず言いたくなるくらい細かい。これでも「貴族である青色巫女見習いに会うんだから必ず水浴びをしてくるように」ってベンノさんから言われて昨日の夜はしたのに、それでも頭の洗い方にフランはちょっと不満があるような顔をしている。もしも、していなかったら大変なことになるところだった。

「神殿に来る前夜か朝には必ず水浴びをしてください」

「え？　それって、つまり、毎日ってことですか？」

マジかよ、とフーゴさんが呟いたのが聞こえた。わたしも同感だ。夏場は水を運ぶだけで何とかなるけど、冬はお湯を沸かさなきゃとても水浴びなんてしていられない。顔を引きつらせたわたし達と違って、フランは当たり前の顔で頷いた。

「清められていない者が食材や調理道具に触るのをマイン様は殊の外お厭《いと》いになりますし、青色神官や巫女の目に触れる場に出る以上、仕事の前には清めは必須です。これは側仕えや専属だけではなく、孤児院の灰色神官や巫女も同様なのです」

……それって、つまり、フランはちゃんとやってるってことだよね。これが神殿の普通ってこと？うわぁ。

わたし達がきちんと清められたか確認した後、フランは一つ頷いてから雇い主であるマイン様に紹介できるように、ベンノさんを待たせているホールへわたし達を案内する。その後、マイン様の自室がある二階へ主を呼ぶために上がって行った。

フランの様子を見ながら、わたしはベンノさんにスッと近付いた。

「ちょっと、ベンノさん。神殿じゃ洗濯と体を清めるのが必須なんですって。仕事の前日には服を洗濯して体を清めるようにってフランに言われたんですけど。これを毎日するのは大変ですよ」

わたしの主張にベンノさんは目を丸くしたけれど、フーゴさんはわたしの援護をしてくれた。

「エラの言う通りだ。夜に洗濯しても朝に乾いてるかどうかはわからねぇ。仕事用にもらったこの服一枚じゃどう考えても足りねぇよ」

下町の普通の食堂で働いていたフーゴさんも決して金持ちではないので、わたしと同じように神殿で働くのに恥ずかしくない服を何着も持っているわけじゃないようだ。同じ境遇のフーゴに親近感を覚えながら、家に下働きがいるわけでもない自分達には、毎日の洗濯が非常に大変であることをベンノさんに訴える。

「そういえば、ルッツもそんなことを言ってたな。……わかった。神殿に着て行ける服をいくつか安く譲ろう」

「よかった。ありがとうございます」

「あ、口を閉じろ、エラ。マイン様が来る」

フーゴさんに注意されて口を閉ざして階段を見上げると、ゆったりとした動きの青色巫女見習いの服を着た幼い女の子が見えた。あれがマイン様らしい。

……わぁ！　本物の貴族のお嬢様だ！

初めて見たマイン様はとても可愛い女の子だった。夜空のような髪は艶があってさらさらとしていて、わたしみたいにピンピン跳ねているところなんて一カ所もないくらいに真っ直ぐで、目も鼻も口も、全部がちょっとのずれもなく綺麗に収まっている感じの整った顔立ちをしている。

「マイン様、こちらは当店の料理人でフーゴ。それから、フーゴの助手をする見習いのエラでございます。フーゴ、こちらで貴族のレシピを教えていただくことになる。よく学ぶように」

ベンノさんがやけに丁寧な言葉遣いや態度で接していることからも重要人物であることがわかる。フランは「では、早速厨房を案内しましょう」とやっと厨房へ連れて行ってくれた。

……すごい！

広さもあり、設備も整っていて、街ではパン工房でなければ見ないような大きな窯のオーブンがあった。この使い方を覚えなければ新しい食事処では雇ってくれない。気合も入る。

厨房にある物はどれもこれも綺麗に磨き上げられていて、叔父さんの店の厨房とは大違いだ。フーゴさんも興奮しているのがわかる。こんな厨房は街では見かけない。やっぱりお貴族様と平民は全く違うのだ。自分の立ち位置が変わったことが嫌でもわかった。この厨房に相応しい仕事が求められるのだ。

「最初に覚えてほしいのは、衛生管理でございます。調理器具や食器を綺麗に清潔に保つこと。厨房も今の状態を保ち、磨き上げること」

木札を持ったフランが教育係というか、マイン様の言葉を伝える係だ。フランは孤児がなる灰色神官だけれど、木札に書かれた文字を読み、ビックリするような丁寧な言葉遣いと物腰をしている。よく教育されているのが一目でわかって、街で噂されている孤児の姿だとは思えなかった。

そして、フランの説明通りに作り始めたお貴族様の料理だが、信じられないことの連続だった。作業の合間で何度も何度も手を洗うようにと言われるし、下準備が多くて手順もややこしい。

「スープはそのまま煮込んでくださいね。茹《ゆ》で汁を捨てないように」

「このまま煮込むんですか？」

スープを作るのに煮汁は捨てるな、と言われて困惑する。小さいゴミや砂などが入っていることもあるし、昔から良い子に恵まれなくなるとか、子供が生まれなくなると言われているのに良いのだろうか。ベンノさんに視線を向けると、軽く頷かれた。フランの指示に従って料理するように、と言われたことを思い出し、気持ちが悪いのを堪えながら作っていく。

けれど、小皿に入れられ味見したスープは今まで食べたことがないような味だった。何とも言えない野菜の匂いと甘味を少しの塩味が一層引き立てていて、体に染みわたるような優しい味わいがぶわっと口の中に広がった。目がチカチカとして、目の前にあった扉が一気に開いたように明るくなった感じがしたのだ。自分の前に新しい世界が広がったことがわかって、嬉しくて、マイン様がいたのに興奮するのを止められなかったのだ。

「ホントにお貴族様のスープにはビックリだよね。作り方は気持ち悪いけど、味はすごかったよ。初めて食べた時は本当に驚いたもん」

「あら？　孤児院長室のスープの作り方は貴族のものではありませんよ」

モニカが不思議そうにそう言いながらニコラを見ると、ニコラもコクリと頷いた。

「孤児院には全ての青色神官からの食事が神の恵みとして下げ渡されますが、孤児院長室のスープだけです。あのように味が濃くておいしいのは」

わたしとフーゴとトッドは思わぬ言葉に顔を見合わせた。お貴族様の料理だから変わっているのかと思っていたが、もしかするとマイン様のレシピが変わっているということではないだろうか。

「マイン様だけのレシピ？　スープだけ？　それ以外も？……こうなってくると、最初に雇用契約を結ぶ時に、ここで知ったレシピをベンノさんかマイン様の許可がないところで作ってはならないって契約をベンノさんが結ばせたことには、ものすごく大きな意味があるのかもしれませんね」

「うわぁ、嫌だ。俺はそんなお貴族様の秘密なんて知りたくなかった」

お貴族様に繋がっているというだけで何とも不穏な雰囲気のする大きな秘密を前にトッドさんがガクガクブルブル震え始めるのと反対に、フーゴさんは挑戦的な顔になる。

「へぇ。他のお貴族様も知らないレシピか。面白いじゃないか」

つられてわたしも腰に手を当てて、それほど大きくはない胸をぐっと張った。

「フーゴさん、張り切るのは結構ですけど、マイン様のレシピをどんどん知るのはわたしですよ」

不可解そうな顔になったフーゴさんにわたしは挑戦的に笑って見せる。

「だって、わたし、冬の間ずっとここに泊まり込みで料理を作るんです。新しいレシピだって絶対に出てきます。一緒に頑張ろうね、ニコラ、モニカ。二人はマイン様の側仕えになるために。わたしはフーゴさんに勝つために」

「はい！」

歯切れの良い返事をしたニコラとモニカと笑い合った後、わたしはフーゴさんに視線を向ける。

「あ、フーゴさんには春になったら教えてあげてもいいですよ。新しいレシピ」

クッと悔しそうな声を漏らしたフーゴさんを皆で笑う。

……冬の間にいっぱい料理を作って、新しいレシピを覚えて、フーゴさんに追いついてやる！

冬支度が始まっている秋の終わり、わたしは新しい目標を見つけて奮起する。その時はまだフーゴさんを目標に据えて追いつきたいと感じた理由に気付いていなかった。

あとがき

お久しぶりですね、香月美夜です。

この度は『本好きの下剋上　～司書になるためには手段を選んでいられません～　第二部　神殿の巫女見習いⅡ』をお手に取っていただき、ありがとうございます。


母が妊娠し、新しい妹か弟のためにマインは張り切って絵本作りに着手しました。絵師を確保に動いたら、教養のための側仕えを付けられたり、自分でやりたくても青色巫女見習いという立場上、手出しを許されなかったり、今までのように自由には動けません。

それでも、やっと一冊目の絵本が完成しました。ずっと手伝ってくれたルッツとトゥーリと一緒に、マインの始まりだったウチで。

パピルスもどきにてこずったり、粘土板をこねたりしていた第一部から考えると、長い道のりでしたが、これで終わりではありません。今度はもっとたくさん印刷できるようにしようと新たな挑戦が始まります。必要なのはマインが読み切れないくらいの本ですから。

そして、青色巫女見習いのマインはこれまでの生活ではほとんど触れることがなかった貴族の世界に触れることになります。言葉を伝える白い鳥、巨大化した魔木の討伐をする騎士団、荒れた土地を癒す儀式、そして、記憶を覗く魔術具。

マインに同調して夢の世界を経験させられたフェルディナンドは、本しか映らない記憶にうんざりしながらもマインのことをひとまず無害と判断してくれました。けれど、その魔力量からマインは貴族に狙われるようになります。

今回の短編はリクエストの中からロジーナとエラのお話を書きました。芸術巫女クリスティーネに仕えていたロジーナの生活とマインに仕えることを決意した裏側。そして、これまで書いてきた職人とは違う、酒場の料理人見習いだったエラが神殿に出入りするようになった理由。お楽しみいただけると嬉しいです。


少しでもページ数を減らそうとかなり努力したのですが、この巻も分厚くなりました。TOブックスの皆様、本当にお世話になりました。

そして、今回は儀式用の衣装を着たマインが表紙です。ファンタジーな物が一気に増え、カッコいい杖や鎧のデザインに興奮しました。椎名優様、ありがとうございます。

最後に、この本をお手に取ってくださった皆様に最上級の感謝を捧げます。

続きの出版は春になる予定です。そちらでまたお会いいたしましょう。

二〇一五年十一月　香月美夜

神殿での初めての冬籠り生活
ついに完成した一冊。本作りは「金属活字」へ

そして、マイン一家に新しい家族が――
春の到来を告げるビブリア・ファンタジー――！
コミック版もみてね！
本好きの下剋上
司書になるためには手段を選んでいられません
第二部 神殿の巫女見習いⅢ
香月美夜
miya kazuki
イラスト：椎名 優
you shiina
2016年3月発売予定！
www.tobooks.jp/booklove

（通巻第5巻）
本好きの下剋上
～司書になるためには手段を選んでいられません～
第二部　神殿の巫女見習いⅡ

2016年1月1日　第 1刷発行
2023年8月1日　第19刷発行

著 者　香月美夜

発行者　本田武市

発行所　TOブックス
〒150-0002
東京都渋谷区渋谷三丁目1番1号　PMO渋谷Ⅱ　11階
TEL 0120-933-772（営業フリーダイヤル）
FAX 050-3156-0508

印刷・製本　中央精版印刷株式会社

ISBN978-4-86472-447-0